▲ 1998 年美国水牛城·大瀑彩虹

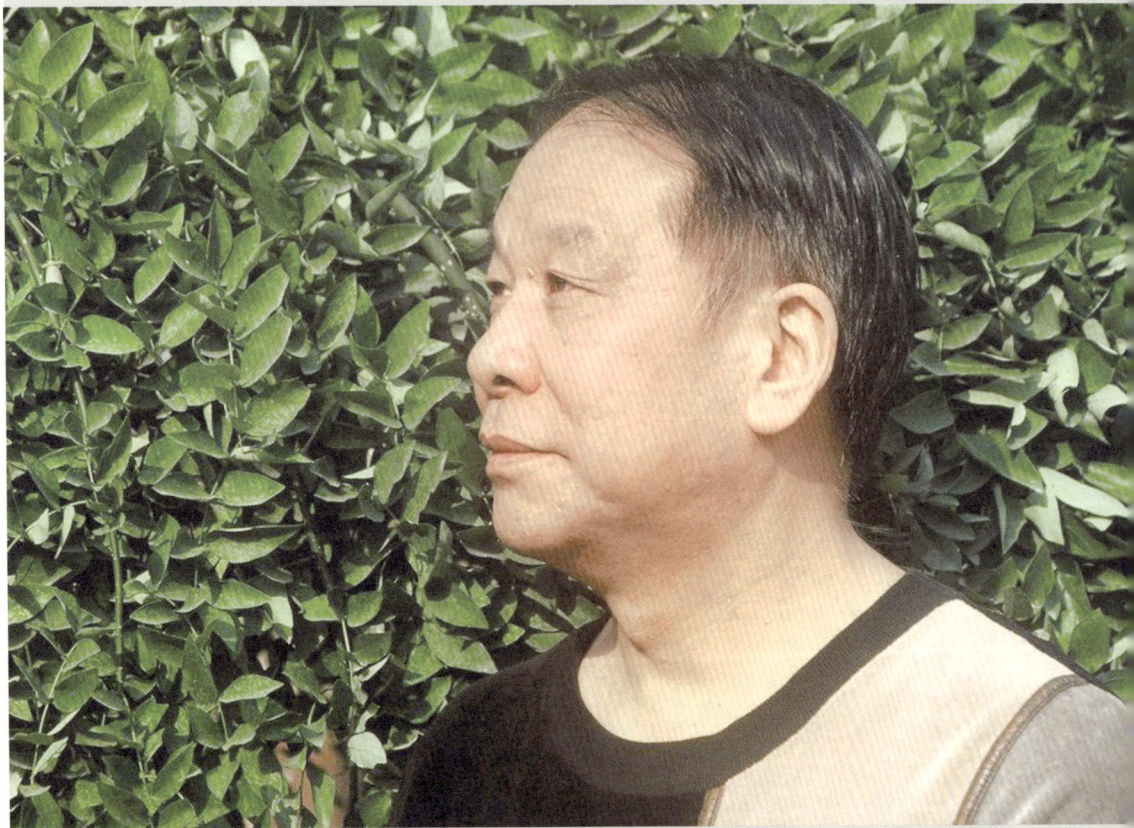

我爱每一片绿叶（1999 年）

小说集《仙人承露盘》（1995 年）封面

在人的性意识里，既有与一般动物相通的"下流"因素，也有融汇进感情、理智、人文环境影响、个人文优心理结构、社会伦理道德干预……

仙人承露盘

刘心武 ╲ 著

华艺出版社

▲《尘与汗》法译本封面

刘心武文存8

[1958—2010]

中篇小说 第三卷

仙人承露盘

刘心武◎著

江苏人民出版社

图书在版编目（CIP）数据

仙人承露盘／刘心武著. —南京：江苏人民出版
社，2012.11

（刘心武文存；8. 中篇小说. 第3卷）
ISBN 978-7-214-08004-2

Ⅰ.①仙 … Ⅱ.①刘… Ⅲ.①中篇小说-小说集-中
国-当代 Ⅳ.①I247.5

中国版本图书馆CIP数据核字（2012）第036725号

书　　　名	仙人承露盘
著　　　者	刘心武
责 任 编 辑	刘　焱
统 筹 编 辑	李　丹
特 约 编 辑	朱　鸿
文 字 校 对	陈晓丹　郭慧红
装 帧 设 计	门乃婷工作室
出 版 发 行	凤凰出版传媒股份有限公司
	江苏人民出版社
出版社地址	南京湖南路1号A楼　邮编：210009
出版社网址	http://www.book-wind.com
经　　　销	凤凰出版传媒股份有限公司
印　　　刷	三河市金元印装有限公司
开　　　本	700毫米×1000毫米　1/16
印　　　张	16.5
字　　　数	247千字
彩　　　插	4
版　　　次	2012年11月第1版　2012年11月第1次印刷
标 准 书 号	ISBN 978-7-214-08004-2
定　　　价	36.00元

（江苏人民出版社图书凡印装错误可向本社调换）

《刘心武文存》出版说明

　　《刘心武文存》收录刘心武自 1958 年 16 岁至 2010 年 68 岁公开发表的文字约 900 万字。《文存》共 40 卷，按文章门类收录，计有长篇小说 5 卷、中篇小说 4 卷、短篇小说 5 卷、小小说 1 卷、儿童文学 1 卷、建筑评论 2 卷、《红楼梦》研究 4 卷、散文随笔 11 卷、杂文 1 卷、海外游记 1 卷、多品种（图文交融文本、报告文学、诗歌、剧本、足球评论、译述）1 卷、创作谈 1 卷、理论批评 1 卷、早期（1958 年至 1976 年）作品 1 卷、自述 1 卷。因跨越时间达半个世纪以上，收录定有遗漏，但其此期间的主要作品，相信均已收入。

　　《刘心武文存》各卷均附有《刘心武文学活动大事记》及《刘心武著作书目》，可备检索。

　　编辑出版《刘心武文存》的目的，意在供各方面人士阅读欣赏、分析研究、批评批判、收藏保存。

刘心武文存
08

——

目录

九龙壁 · 001

五龙亭 · 041

仙人承露盘 · 078

戳　破 · 120

护城河边的灰姑娘 · 155

尘与汗 · 186

附录一　刘心武文学活动大事记 · 228

附录二　刘心武著作书目 · 237

九龙壁

我不知道怎么开头。

我的书桌上，台历架嵌着一面竖起来的小镜子。现在我望着小镜子里的自己。确实，如花似玉。

我想写下我这朵花的某些秘密。为此我找来了一堆小说。现在它们都扔在了我床铺下。

我发现小说已经死亡。

真的。所有我找来的小说，开头那一行就让我觉得皱纹满面，那些皱纹要能抖动倒也罢了，可却净是些僵死的褶子。

面对着小镜子里的自己，我心里难过。

我确是一朵开得正圆的花。浑身有一种胀痛的感觉。一朵花到头来总得胀成浑圆。而据说那也就是谢落的前奏。

胀得浑圆，临近谢落，但是没有一丝皱纹。没有胀圆的花也可能有皱纹，尽管那不是衰老的标志而是羞怯的表现。

我却胀得浑圆了。

从肉体到灵魂，都有一种饱胀欲裂的感觉。

门铃在响。演奏着《爱情故事》的旋律，很难听。那些电子模拟音非常拙劣。但要命的是你还得承认那是那首歌的旋律。我们一生里总得不断接受被非常拙劣地复制出来的优美旋律。现在我懂得这个。

……我去开门，门外是黑龙。

"谁让你来的？"

"我看见你爸你妈出去了。他们打了个'面的'，想必去得远……"

"面的"是一种国产的"小面包"车，这种汽车原是押货用的，如今北京城里却满街是它们，顶着出租车的灯标四处拉客，因为在三环以内一般十块钱都可到达，所以多数市民都愿向它们招手。"打'面的'"渐渐成为北京城里超出贫困线却又没有发大财的市民们的"家常便饭"。爸爸妈妈便是典型的隶属于这一层次的不大亦不小的 90 年代的北京市民。

……我瞪着黑龙："所以你趁火打劫来了！"

他眼光一点不回避我，浅笑着说："你也可以劫我。"

没有办法。我把他让进了屋。

"你斯斯文文坐着。我给你倒喝的。还是不要酒吧？"

"今天想喝酒。不过咱们可以出去喝，长城、香格里拉……随你选。"

"我想住进贵宾楼的总统间哩！"

"那就去。那不算什么！"

我坐到黑龙对面。我讨厌他发了财。

黑龙望着我。他看透了我的心思。他说："发财无罪。"

"谁判你的罪？我只是讨厌。"

"我再也不洒那法国香水了。什么香水也不洒了。你看，今天我连西服也没穿。"

可他那夹克衫一看就是大名牌。并不比他那些皮尔·卡丹的西服更让我顺眼。

"难道我就该永远在你面前穿那些个破衣烂衫？"

他原来穿的也并不是破衣烂衫。是些普通的衣服。究竟都是些什么样子的衣服，我一件也想不起来。

"你喜欢的是衣服里头的我，不是吗？"

他一语中的，我心里很痛。

"我真希望我能讨厌你讨厌到底，连衣服带人！"

他粗鲁地一把把我揽过去，拥入怀中，毫不留情地吻我的眼睛、额头、面颊和嘴唇。

……我是一朵胀圆了的花，没有办法，没有办法。

可是这一类的场面，小说里已经写得很多了。

小说死了，复活它很困难。

像曾经浑圆过的花一样。谢落了，就再难复原。

"谁来过？"

妈妈总要这么问。她的眼虽尖，我却已经抹去了一切能让她目测起疑的痕迹。她的嗅觉比眼睛更灵敏。黑龙这回确实没有洒香水，可妈妈嗅嗅鼻子，还是把握十足地掌握了情况。

"白龙来过。"我懒懒地回答。

白龙当然不是黑龙。这是一个妈妈爸爸都喜欢的小伙子。

"德临来过？"爸爸凑上了热闹。眉开眼笑的。

他们都绝对不用"白龙"这个符号。当然他们无法制止我用。

"对。我们俩在这儿亲亲热热地待了好几个小时。"

我注意这话的反应。妈妈嗅嗅鼻子，爸爸浑然不觉其蹊跷。

"德临什么时候再去德国？"

"我怎么知道？他又没说。"

"你该问问他。"

"他的事儿，他不说，我问他干什么？"

爸爸妈妈对望一眼。

"你们又拌嘴啦？"

"你当我们跟你们一样，不是死眉瞪眼地各干各的，就是拌嘴拌个没完！"

"什么话!"
"就这个话!"

小说真是死了。我要为小说缝件丧衣。
乏味。

我不明白为什么临到我过生活,结果遭遇到的一切怎跟小说里写过好多遍的那些个事儿一模一样。
我倒想变个法儿出新,可谁也不跟我配合。

电话铃响。妈妈抢上几步去接电话。
我讨厌她那个步态。
"找你的!"妈妈把电话筒递给我,却并不挪开身子。
我白了她一眼。她这才悻悻地坐到餐桌边,两眼还瞪得跟碟子那么大似的盯着我。
我便有意亮开喉咙应对:"……黑龙?……你捣什么乱?……BP 机?你的 BP 机?……我肯定没有,如果掉在我们家了,那'蛐蛐'早就叫了!……你不是有'大哥大'了吗?还 BP 机什么?……我懒得找……"
但是妈妈已经在找了,而且,她很快在长沙发的三块活动坐垫的一个缝隙中找到了那只"蛐蛐"。
一顿好吵。

晚上抱着枕头,回想一天,理不出个头绪。最后压倒一切的是黑龙……总是黑龙。我有时赌气想把他换成白龙,或者电影、电视上的哪位"硬派小生",但都难成功……到头来还是他。
我恨弗洛伊德。恨《查泰莱夫人的情人》那号小说。
同时,我憬悟,人类确实把该写的都写完了。

我再写些什么？

"跟你说过好多回，不要这个时候给我打电话！"

但我并没有把电话筒撂回叉座。

副总经理恰好朝我走过来。我把电话筒用腮帮子和下巴夹住，麻利地从桌上的一叠电脑刚打印好的文件里把应当挑出来的那份递给他——为了抵销他对我必然产生的恶感，我用不费劲儿的那半边脸给了他半个迷人的微笑——不是一般的迷人，是十分地迷人，现出那种程度的迷人微笑不仅需要技巧，尤其需要勇气。

副总经理接过那份急需的文件，竟然也对我一笑，而且几乎是蹑手蹑脚地离开了我的办公桌——就仿佛他刚偷窃完一件东西似的。

白龙在电话那边跟我约会。

我应允。

谁都知道。白龙和我正在"对象"。

的的确确，我正考虑嫁给白龙。

白龙约我到北海公园的九龙壁见面。

白龙是个大傻帽。那是于他大大不利的。他竟然不能体察！

下班以后我在公司的卫生间里对着大玻璃镜细细地修整了一下自己。

抹完唇膏，我一扭身，吓了一跳。

"翁姐！你哪儿冒出来的？"

"你没从镜子里看见我吗？"

"你是个隐身人？"

"我刚进来——怎么，又去约会？"

"一出人人都演过的戏——剧本早就朽烂了！"

"可人人还都去演！"翁姐叹了口气。

翁姐刚离婚。她的离婚很不干脆。不知道是她还是她原来那个丈夫坚持了一个或几个不晓得究竟有多大意义多大价值的条件，啰啰嗦嗦斗争了很久才终于达成一个极其无聊的妥协。离成婚翁姐胖了整整一圈儿。

"翁姐，你真该抹抹减肥霜了！要么，就买那个什么奎科减肥酥吃吃！"

"什么？你胡说！我不是胖，是壮！"翁姐拉过我一只手，让我按她的手臂，"怎么样？不是还很富有弹性吗？"

确实。翁姐在大学是田径队的主力，在大学生运动会上夺得过标枪亚军。

翁姐去坐马桶，我出了卫生间。在电梯面前，我忽然不清楚我究竟是要到哪里去。

对北海公园的那座九龙壁，一直感到惊奇。

为什么在那么个地方修造了那么一个东西？

九龙壁在北海公园北岸一个隐蔽的角落里，有许多游人多次游览过北海公园，却总不知道有个九龙壁，或者虽然知道却不暇细顾——非得确实想去看它，才会绕过那些土坡树丛终于找到它。

九龙壁是用彩色玻璃预制件拼嵌成的，顶部像宫殿一样有坡顶翘角，在壁的两面各有九条蟠龙，色彩不一，姿态各异。记得有一回我查过一本书，那上头说故宫里头也有一座九龙壁，还有山西大同市也有一座九龙壁，它们都是面对宫门或府门的影壁。北海公园的九龙壁却并不对着任何一座大门或宫殿，它孤零零地立在那里，不知道当时那些个建造者是怎么想的——当然是皇帝让他们盖的，至少他们是为了取悦于皇帝才那么盖的，但皇帝为什么要他们那么盖？他们那么盖又如何得以取悦皇帝？谁能说得清楚？

皇帝总是古古怪怪的。

造九龙壁的那些人也是奇奇怪怪的。

哪个人又不古怪呢？

比如我。

白龙手里照例拿着一本外文书。有时他把那种相当厚的外文书挟在左胳膊与身子之间。他带书不是装样子。他真看。不仅在我到达之前看，我到了以后，坐下来闲聊的空当间，或者我们一起在饭馆坐下来，点完菜等着上菜的间隙，他也会看——有时只看上几行。

我讨厌白龙手里总拿着书。

"为什么又约着到这儿？这儿今天格外怕人！"

"怕什么？这儿的治安保卫一贯是好的。"

"还是怕！"

"那就走，到别处去！"

"不用。既然来了……"

天快黑了。九龙壁附近除了我们不见人影。几只喜鹊在大槐树上跳来跳去，偶尔叽喳几声。

"马丁教授来信了……"

"哟，那太好了！"

"……估计签证不成问题……不过，那边现在排外情绪甚嚣尘上……"

我不喜欢他说"甚嚣尘上"，他这类的词儿太多，什么"无独有偶"、"相映成趣"、"每况愈下"、"珠联璧合"……诸如此类，让我腻烦。但恰恰是这些个词儿，深得我爸爸赞赏："一般学子入了西学，国学便欠缺，甚至于完全不通，德临却能中西融合……人才难得啊！"

当然，白龙是个人才。我也不否认。仔细想来，他没缺点。就算不是十全十美，也总达到了八全七美。

"……今天我打了电话，新版的莫扎特第四十一镭射碟到货了，柏林爱乐乐团……"

"那你明天去买就是了。"

"不一起去吗？"

"不。"

"为什么？又加班？"

"不加班。不想去。"

"为什么？"

"不为什么。"

"你对我厌倦了吗？"

"我老早对你厌倦了！"

"别这么说！"

"是的……"我心软了。我没有道理。

白龙和我坐在公园里那种千篇一律的绿色木条钉的长靠背椅上，他挤到了我身边，挤紧，然后先用一只胳膊搂住我的肩膀，搂紧了，便凑过来吻我，直接吻我的嘴唇。

我同他对吻。心想：他为什么从不主动吻我的眼睛？

……我脱离了他的吻。

"你怎么了？"

"没怎么，没怎么……"

我没有道理。

可是天哪，为什么总得有个道理呢？

"你究竟怎么了？"

"饿了，我只不过是饿了……"

小说真是死了。小说从哪里获得新生命去？

写完了吻，就总写到……吃。

一连四家个体餐馆紧挨在一起，都雇了外地小姑娘穿着餐馆自制的号服在揽客。

都装修得相当华丽。门面上牵拉着串串的瀑布灯，灯帘一直披挂到街边的人行道树上。

进了那家叫"阿莫"的餐厅。奇怪。另外三家透过玻璃窗一望，里面都近乎全空，唯独这家"阿莫餐厅"显露出若干红男绿女的食客。

坐下后我便说："人总往堆儿里凑！"

白龙却说："哪里……它这名字取得好，'阿莫'，有点让人莫名其妙，玄虚莫测……"

"什么呀！其实恐怕简单到极点，它这老板姓莫罢咧——对不对？你们老板姓莫？"

递上菜谱的小姐含笑点头。

"怎么样？"

"你先来……"白龙把菜谱递给我。

我接了过来。

我们一直实行 AA 制。

我浏览菜谱的时候，白龙便看他那本德文书。

铁板烧上来以后，服务小姐掀开罩盖，牛柳上的油沫自在微沸，滋滋作响，冒出一股白烟。那是白龙点的。

忽然有一种异响。白龙开头只朝邻桌偏头，后来就循声盯住窗台——窗台上有我搁在那里的手提包。

我也吃了一惊。那响声实在出人意外。

"你有 BP 机？"

我恍然。

那是黑龙的 BP 机。本打算还给他，可后来他又来了个电话，说不用还了，就留着给我用。万没想到他真的呼上了我——不是他会是谁呢？因为他说他已经通知了原来所有知道那号码的人，不要再用那号码呼他了……我本是顺手搁在手提包里，仍打算还给他的。

我取过手提包，取出 BP 机，上面显示的恰是黑龙的姓和他那"大哥大"的号码。

白龙望着我，一脸的惊讶。

"你有 BP 机？"

"你不是看见了吗？"

"什么时候有的？"

"早有了。"

"我怎么不知道？"

"你什么都得知道吗？"

"我以为……"

"你以为什么？"

"……谁呼你？"

我望了他一眼，心软了；我本想说："副总经理……"却说不出口；我终于还是说："黑龙在呼我。"

白龙立刻释然。

我望着白龙，突然感到自尊心深深地受挫。一听是黑龙，他竟立刻释然！

他脸上那刚冒出的嫉妒芽儿，明显地消褪无痕。

"我必须马上给黑龙挂电话！"我几乎是恶狠狠地说。

白龙立刻替我招呼服务小姐："你们这儿有电话吗？"

"唉呀，对不起，我们的电话概不外借……"

"我们有急事！我们可以付款！"

"我们"！谁跟谁？

我知道离餐馆不远有一处公用电话，我二话不说拿脚就往那儿奔去。

……

我回到餐桌边的时候，正端上我叫的清炒荷兰豆。

白龙从德文书上抬起头来，若无其事地说："快坐下，这荷兰豆看起来很清鲜的……"

我却给他当头一棒："对不起，我要走了，立刻……黑龙约我去……"

白龙的脸色很难看，但不是我期待的那种难看，而是另一种令我刺心的难看；他说："哪里就急到这个份儿上！你吃完再去不迟，我陪你去……"

"你怎么能去？"

"你们谈生意的时候，我在外面等你就是，我又不参与你们那些个事……"

谈生意!

他以为我跟黑龙之间……不错,黑龙跟我们家公司有业务来往,白龙知道,但他怎么就敢于断定,我和黑龙之间仅仅只可能存在着生意关系?

我一跺脚,抓紧手提包冲出了"阿莫餐厅"。

所有的小说都乏味。

我不知道自己为什么要写下这些,在乏味的纸堆里,再增添些乏味。

白龙和黑龙都是我中学的同学。

小说里照例如此这般地设置人物关系。老套子了。我也这样设置。没办法。因为这是事实。

他们的外号当然不是我取的。

我们初中就是同学,后来高中又是同学。初中时我们同在一班,高中分文、理科班的时候我在文科班,他们在理科班。

在初中时,他们就有了那样的外号,但只是男生那么叫他们,女生们从来不叫,其实不仅不叫外号,不到万不得已,连名字也不叫的。

到高中以后,不知怎么一来二去的,也有女生偶尔叫他们外号了,但我可是直到临毕业以前要分手的时候,才叫上他们外号的。

高考"二模"(就是"第二次模拟考试",一般高中上到最后,在正式考大学以前,学校里总要举行两次"模拟考试",往往还是全区统一命题,用以"摸底")的分数下来以后,我痛哭了一场,因为那结果与我原来的自我估计相差太大——后来语文老师告诉我,分数掉下去主要是因为我作文"跑题"了,现在我知道我这人一辈子总要吃亏在"跑题"上。那时候却死想不通,老师的安慰,家长的训诫,我全听不进去,我不承认"跑题",我要破罐破摔——我赌气不再复习,还把一本学校发下来的油印范文撕得粉碎;我骑上自行车,跑到玉渊潭,在女厕所里换上泳装,跳到湖水里野泳;当清凉的湖水熨着我的肢体时,我有一种超常的快意!

那一夏玉渊潭有许多游野泳的人，但绝大多数是男人，偶有妇女也大多二三十岁的，并且一般都与男友或丈夫同泳，像我那样的青春玉女，是十分罕见的。

没想到在那里见到了白龙和黑龙。

他们考砸了没有，不知道。反正他们也没光是埋头复习，他们每天中午到玉渊潭游泳。

我们互相发现时，不禁面面相觑。

都有点不自在。尤其我。

都强作无所谓。尤其我。

……我们便一起游。他们总拿出保护我的架式，仿佛我随时可能腿抽筋脚被水草缠住或被一口水呛住似的……我就跟他们嚷，让他们别管我；后来他们倒是不管我了，但我发现他们又拼命在我面前逞强，互相比赛，要么飞速往远处游，要么也不测清水深便从岸上撩起身子往水里扎……

事后我一闭眼，总不免浮现出白龙和黑龙那只穿着泳裤的生动形象。

这才回忆起来，初中时，班上那些男生一度把他们叫做"白大块儿"和"黑大块儿"，"块儿"就是胸部肌肉的意思，"练块儿"是许多男生们喜欢做的事。后来也许是因为叫起来不顺口，又也许是因为有一年春游去了北海公园，在九龙壁前头有一次联欢，他们恰好当众表演了一阵中国式摔跤，大概是胜负各占一次（后来男生们议论说，那是他们事先设计好的），打那以后，"白大块儿"和"黑大块儿"便成了白龙和黑龙。

从初中到高中，浑浑地就那么过了几年，临到要毕业的时候，因为"二模"作文"跑题"，赌气去游野泳（以前我游泳只到正规的游泳场），没想到却忽然看清楚了两条龙，一白一黑，还有无数说不清道不明的差异……不知怎么搞的，那黑龙总比白龙更让我心里产生出一种莫可名状的反应，没有道理，用不着道理，想用也用不上，我羞于说出口，并且即使现在我竟然写下来了，又有谁，连同我自己，会认为我的内心倾向有一丝一毫的道理呢？

为此，我曾长时间认为自己无耻。

我有一种罪孽深重的感觉。但我该到哪里去投案自首？

谁能为小说起死回生？

该写的不但都让人写了，而且重复来重复去的，就像一盘总从冰箱里取出来炒一下又总吃不完没人吃又总放回去……的菜一样，到头来还是馊臭了，只好倒掉。

比如下面我要说的，不是在那本叫《爱情故事》的美国小说里已经写到的吗？其实在那以前也早有小说写过，《爱情故事》即使不算抄袭剽窃也是照猫画虎地重复。

像《爱情故事》那样的小说竟然还出了名，还拍了电影，留下一首插曲，达到了所谓脍炙人口的程度，不能不说是一个奇迹，连我家的门铃也奏着那插曲的旋律。有一回同白龙逛燕莎友谊商城，卖精品礼物的柜台上正有一位顾客在挑选日本产的八音盒，掀开盒盖飘出来也是那么一串声音……

我真懒得细写。太雷同了。

无非是：白龙顺利考上了最好的大学最好的专业，毕业后分到了一个挺好的科研单位，很快就随头头去了趟德国，并且利用那机会很快联系好了一所德国的名牌大学，不久也就要到那里读硕士和博上以及博士后去了……而黑龙却连第三类大学也没能考上；黑龙父母是北京城里最底层的小市民，他本人没考上大学沦为"待业"自然是典型的"胡同串子"，后来他起了个照，"练摊儿"，七弄八弄的，跟温州那边的什么人搞起了"服装辅料门市部"，头年忽然又发展成了"服装辅料公司"，连我现在所在的那家台资公司，也向他们订购大量的成衣辅料，诸如各色纽扣、拉锁、垫肩、内衬、花边……之类。黑龙成了"款爷"，却依然上不了"层次"，他不会外语，不懂电脑，听不来莫扎特，看不来罗丹的名雕；我呢，高考时作文尽管自然"跑题"，别的分数划拉下来总算还能进个二类大学，毕业以后，虽非出自名牌，但通过爸爸妈妈一番努力，总算进了外资公司，而且扫荡了一大群出自名牌大学的雇员，成为总经理特别是操实权的副总经理的宠将……

男大当婚，女大当嫁，一切都是以往小说里写过的：我父母希望我跟白龙结婚；我自己也觉得至少是无妨跟白龙结婚——特别是我知道白龙真的爱我，甚至是只爱我一个；况且我们"门当户对"，白龙父母也是我父母那一类的人，他们知道意大利"文艺复兴三杰"里打头的那位达·芬奇的那幅名画《蒙娜·丽莎》并不存放在意大利的博物馆里，而一直挂在法国的卢浮宫，他们能欣赏芭蕾舞《天鹅湖》，并能回忆起当年苏联大芭蕾舞团来中国演出时的盛况；他们会唱《哈罗，万隆！》或《红莓花开》一类的歌曲；如今他们外出常打"面的"，有那一公里两块钱的丰田出租车空着开过来他们便避免任何手势，只装作要过马路——因为如果坐上去，同样距离得花上打"面的"两倍至三倍的钱……总之，我和白龙，白龙和我，好比打磨得分毫不差的榫头和榫眼，一对即合，自己舒服，旁人看着也顺眼。整个儿一部乏味的、雷同的小说。

换个写法，就出新了么？

比如，我爱黑龙，黑龙也爱我，家长反对，我们奋争，最后，或私奔，或殉情……那就更落套了。腻烦死了。

黑龙爱我么？我爱黑龙么？

爱情，恋爱，爱……世上有多少小说写过，谁敢说自己能写出更新鲜的来？

我不知道该怎么写。

也许，这倒是我能够继续写下去的原因。

我紧紧地搂住黑龙。问出一句从不曾问过他的话来："你爱我么？"

他只是享受着我。他的麻木令我震惊。我迅速退潮。

……但当我们静静地各自躺了一会儿以后，他点燃了一根烟，吸了一口，半天才呼出一些雾来，显然是回答我那问题，打破沉默说："我不敢说那个……我不敢说我爱你。"

我立刻听懂了他的意思。他那个"不敢"不是胆子小、怕拒绝一类的意思。他心里确实明白，我们之间这样还称不上爱情。

又静静地过了一会儿，他补充说："你也不爱我。不是吗？"

我流出了眼泪。我说："是……我也不敢说我爱你。"

再静静地过了一会儿，他问："你跟白龙什么时候结婚？"

我告诉他："快了。在他去德国留学之前。当然，你知道，他先去，然后我去探亲，然后争取在那儿留下来……"

他不是问，而是平静地说："你爱他。"

我想了想，承认："我很爱他。"

又静静地过了好一会儿。

他问："他能不在乎吗？"

我想了想，很有信心地回答："多半能。"

又静静地过了一会儿。

我问："除了我……你已经很多了吗？"

他一惊："怎么你——你干吗？"

我偏过头去，我爱他那模样，天哪，我真的不爱他吗？什么是爱？

我扑到他的胸膛上。我的眼泪落到他黑红厚实的胸脯上。

我相信，他只跟我这样过——在我结婚之前。

黑龙用他的手掌抚摸着我的脊背，坦率地说："夜里你不在，总想你，梦里头也总有你，也有好多次想找个别的替替你，我现在要那样很容易——可是我怕染上艾滋病什么的，又传给你，所以都忍了！"

我离开他胸膛，躺回原处。天哪，那确实并不是爱情。仅仅是为了防止染上性病！

"我一走，你就随便了吗？"

我心中充塞着一种嫉妒，没有具体对象的嫉妒。

"那也得管着自己。尽量吧！我也是要结婚的呀！"

我们为什么不能结婚？为什么我们不结婚呢？我只在心里问，同时，又迅速地把这问题答了。别往爸爸妈妈他们身上推。别怪白龙。天哪！我又一次清清楚楚地弄明白了，到头来是我自己不打算同黑龙结婚。

我又一次产生出强烈的罪孽感。

我渴望同黑龙睡在一起。没有任何超出这单一渴望之外的因素在支配我。我知道黑龙也一样。我们是自觉自愿的、责任自负的，纯洁的并且是科学的。

那一晚回到家里我让爸爸妈妈大吃一惊。连我自己也诧异，不还是那同一个躯壳同一个灵魂吗？怎么会忽然变得如此娴雅温驯、通情达理？

已经是零点以后了，竟还有一个电视频道播着一部枯燥之极的电视剧，爸爸妈妈坐在沙发上面对着那荧屏显然并不是为了欣赏什么而只是在消耗时间。

"爸！妈！真对不起，让你们等到现在……"

"啊，啊，你总算回来了……"

"我跟白龙在一起……是待得太久了……"

"啊，德临，德临他又有新的好消息么？"

"当然！所以我们吃完广东餐又去了卡拉OK，庆祝了一番……马丁教授给他来信了，五年的奖学金一次给定……"

"真的吗？太好了！"

"那签证肯定不会有问题啦！"

"当然，他说过两天来看望你们，你们可以再细问问他……"

"好啊，好啊……"

"你要不要再喝一点绿豆沙？我给你热……"

"不用，爸，妈，你们也快睡吧……这些瓜子儿皮我来收拾……"

……洗漱完，爸爸妈妈他们卧室里又传来均匀的鼾声，我那些善良的谎言，令他们那一夜格外心安。

是的，记不得哪位文豪说过，"善良的谎言"和"美丽的错误"，有着比"可怕的真实"与"狰狞的谜底"更充分的存在理由。

我在床沿上坐定。发愣。的确，那是一个永恒的无解之谜：究竟是庄生梦见了蝴蝶，还是蝴蝶梦见了庄生？

……究竟我这晚是跟白龙度过的，还是跟黑龙度过的？

黑龙忽然变得缥缈如烟。白龙现在在干什么呢？

我到厅里取过电话机，那电话机有长长的连线，可以抱到每一个房间里去打，我把电话机抱到床边，拨号码之前，去把自己屋子那扇门关拢。

　　我知道白龙每天灯下苦读总要到零点以后，并且他临睡以前总要在阳台上练一阵气功——那既是健身，也是为了去德国以后备作"不时之需"，倘若奖学金不够用，业余教洋人中国武术和气功总能再挣些个马克，他让我工余去上烹调班和针灸班，目的相同，当然我还一直没有去，但这个静夜里我忽然恨不得马上跑去报名。

　　我拨了号码，那边久久地只是铃响，没有人接。

　　想必是全家都睡了。

　　不。我不甘心。我要白龙。我想这种渴求便是爱情，符合一切严肃读物上的有关爱情的定义。

　　那边铃声又响了许久之后，终于有人接听。

　　"谁？"是白龙母亲的声音。睡意蒙眬，带着责备的口吻。

　　我告诉她我是谁，说我要找白龙。

　　"白龙他已经睡了……"

　　我说我有急事，我有话要立刻对白龙说。

　　毕竟是我。白龙的母亲便去叫醒白龙。我想她一定清醒了，并且反而不会生气。于她来说我是个非常合适的儿媳妇。她可不愿意白龙娶个金发碧眼的德国女人，尽管她懂得那样白龙肯定可以顺利地加入德国籍，但她是恪守某种原则性的令人尊敬的有见识的中国知识妇女，她排拒那样一种可能性。

　　白龙接了电话。显然他也一边应答着一边把电话机抱到了他床头。

　　白龙清醒得比他妈慢。好几分钟以后他才恍然大悟似的说："啊啊……你怎么了？又失眠了吗？"

　　我立刻把他引到"形而上"："白龙，好人，你告诉我告诉我，究竟灵魂和肉体能不能剥离开来？"

　　"啊啊……这也是经常困扰着我的一个问题！"

　　白龙便在电话里跟我侃了起来。

　　真喜欢白龙。他那宽厚圆润的中音。他那些机智的话语。他那学富九车的光华。还有他在电话那头对我的那份真诚。白龙读过德文原版的若干哲学、心理学、行为学、符号学乃至于神学著作。他随手拈来地向我介绍那些著作里最精要的论述……他讲的我一句也记不住，但听起来就像听优美的交响乐大曲一样。还记得那一回在音乐厅，他跟我一起听柴柯夫斯基的四、五、六号交响乐，听着听着，他的左手同我的右手捏合到了一起，我感到他手掌力度的每一微弱变化，都是在对我诠释那净化灵魂时乐思……唉唉，白龙白龙，我亲爱的……拥有你，我是多么幸福，也多么幸运！

我感到脸颊上痒酥酥的，原来是泪水慢腾腾地滑落了下来……

结束了那个电话以后，我还久久地倚在床栏上，拥被垂泪。我的罪孽，应当去向白龙投案自首么？

"蛐蛐"的叫声把我吓了一跳。

我的手提包就搁在我的办公桌一侧。黑龙给我的那个 BP 机我只是出于惯性地一直搁放在那里头。黑龙答应我绝不在我上班的时候用它呼我——实在也无那个必要，因为他可以把电话直接打到我办公桌上，一般来说，只要交谈简短，别人都会以为是一个业务上的电话，更何况我们的副总经理是个富于人情味的头儿，只要你不耽搁他的生意，个把私人电话就是让他听出来了，他不仅可以"睁一只眼闭一只眼"，有时甚或能两眼全闭，还给你一个微笑。

但"蛐蛐"却猛然间叫了。尽管在手提包里，却非常刺耳。我觉得不止我们那间办公室，简直整个一层楼的人都听到了。

我忙把 BP 机取出来，一看，傻了。是副总经理在呼。显然，不是呼我，而是呼黑龙。黑龙不是说他已经通知所有原来知道这一号码的人了吗？

我按停了呼叫，不动声色，把 BP 机搁回手提包中。我继续做原来的事。但心里头不免烦乱。

翁姐走了过来，俯身对我说："……那批辅料，有四成质量有问题，吴总说必须找到他们总经理，我记得你说过，是你中学时候的同学，外号叫什么黑龙的……可就是联系不上，也许，你有办法？……"

我眉头立刻耸聚，翁姐用一只手按住我肩膀，接着更干脆用一只胳膊挽住我肩膀，劝慰地说："别生气……是我告诉他，你们是同学的……这是个捍卫公司利益、表现一下公关能力的好机会……或者你亲自去找一下黑龙？"

翁姐用手臂抚摩着我的肩膀，仿佛在哄一个小女孩。

"是吴总让你来的吗？"

我们把每天在公司坐阵的副总经理简称为吴总。

"他还没有发话。不过我看他很气恼的样子。电传了几次，毫无回应；打电话，往那边办公室拨，往'大哥大'拨，都不得要领，刚才呼了BP机，据说改号码了，也没个回应……为什么要等他发话呢？你无妨自己去毛遂自荐一下，凭着你们的老同学关系，把这笔生意的死结解开……"

但翁姐还没说完，副总经理自己已经走过来了。

翁姐便拍拍我肩膀，走开了。

没等副总经理开口，我便站起来微笑着对他说："吴总，是为那批辅料的事么？不错，我同他们公司总经理是中学时的同班同学……"

副总经理严肃地对我说："虽然我们公司高档服装只用进口辅料，可是中高档服装这一块市场对于我们来说也很重要，如果我们对大陆辅料的质量随便将就，那在这一块市场的信誉就要扫地了，这批不合格的辅料我们必须立即退货并要求他们一周内补齐合格产品来，否则，今后将不进他们一个纽扣一条花边的辅料……"

我真后悔自己是黑龙的同学。但我还是不得不微笑着问："具体需要我做些什么呢？"

"今天就找到他们总经理本人，并将这份函件直接递交给他——他一看就明白，躲避下去是要触大霉头的，我想他看完马上会主动同我联系的；我怀疑现在是他手下有人故意在给他坏事……"

说着副总经理便把一封打印好的函件递给我。

"我试一试……不过，我们多年不见，也许我找不到他……我将尽力而为！"

"我静候回音！"

……我下楼时，翁姐在电梯前，搂着我的腰，俯在我耳边说："祝你成功！"

我在电梯里，对着镜子里的自己，恶狠狠地说："为什么？！"

为什么除了那样在一起，还得加上这类的事儿？！

我烦透了！

出了我们那个公司，不到 40 分钟黑龙就乖乖来到了我身边。

我约他在北海公园后门见面。他自己开着一辆桑塔纳来了。我质问他为什么花了那么多时间才到？他说为寻找一个不受罚的停车点足足浪费了十几分钟，否则他会更快。如果他有了直升飞机，那就……那就也许更慢，因为更难找到停机坪。

进了公园他就揽着我的腰，一同往九龙壁那里走。

要命，真要命……哪世里造的孽？我喜欢黑龙身上的自然体臭。奇怪，白龙没有这种诱人的气息。尽管白龙也没有让我厌恶的味道。

"你也不问问我为什么这时候约你……"

"问什么？你什么时候都可以约我……"

"你这些天不是躲着所有生意上的约会吗？"

"是啊……你怎么知道？"

"我怎么就不能知道？"

"你知道这个干什么？我们又不做生意！"

"你忘了，我们老板可是在跟你做生意的……"

"是呀，那又怎么着？"

"他今天急着要跟你直接通话，甚至急着要跟你见面……他往你那个公司打电话，总说你不在，别人又不拿主意，结果他病笃乱投医——把你早告诉他作废的 BP 机号也呼了，弄得我这提包里吱哇乱响！"

黑龙开心地笑，露出一嘴并不整齐也并不怎么白净的牙齿，仰仰脖子说："你管他的事哩！"

"你当我爱管？可是没有办法……这不，他让我找你……"

黑龙的手臂离开了我的腰，并且停住了脚。

我抬眼一望，吃了一惊。黑龙双眼里蓄满露骨的疑惑。

"你这是怎么了？"

"……没怎么。"黑龙仿佛变了一个人，他边往前走边问，"他让你来的？那个姓吴的？他让你找我，你就给他找我？"

"怎么啦？不许吗？"

"……原来不是你自己要找我。"

"你当我那么爱找你哩！"

黑龙越来越不对劲。以往我的这类撒娇口吻他起码是不在乎，更别说有时候他显然还挺喜欢，可他此刻却俨然一副……一副警惕的神态！

我是聪敏人。我立刻后悔刚才的引入方式不对。我事前应当有个设计……可是，天哪，我以往什么时候刻意设计过和黑龙的会面和相处？我总是即兴式的，绝对松弛的，完全无所谓的……

我们渐渐转过了那些松柏密布的小山坡，九龙壁已经显露了出来。

这时候黑龙说出了一句惊心动魄的话。

事后回忆起来，我认识到，黑龙的思维就那么个水平，那种从最低层次的感官取样一跃而成为凝聚不散的观念的思维模式，也许既构成他能够发财的一种魄力，也注定了他这辈子不可能有更大的出息——包括在发财方面，他永远成不了"儒商"，或中国的哈默。

黑龙又一次站定，望着我，完全不是开玩笑地说："他妈的，你原来是个商业女间谍！"

我先是僵住了。

万万没有想到。

事后回想起来，倘若那不是黑龙而是白龙。白龙一定不会在同样的前提下得出那样一个简单化到如此程度的粗鄙结论。

是的，不仅粗鄙，而且粗陋，粗俗，粗糙，粗暴……整个儿一个粗人！我却被那又黑又粗的细胞组合物吸引到了那种程度！

黑龙站在我面前，那句话说完了，他的表情仍没有变，就仿佛那句话还悬挂在他脸上……

我颤抖起来，由内向外一波一波地抖动……

当我的颤抖波传递到了指尖时，我便不由得挥起右手，甩给黑龙左脸一记耳光。

"臭婊子！"

黑龙在我的思维来不及传递已近于顿滞的情况下，挥起他的右手便回敬我左脸一记耳光。

他的手很重。我顿时满眼金星，脸颊立刻火烧火燎起来。

我一定发出了吓人的尖叫，随即便大声嚎哭。

我觉得自己在晕倒下去，有一双臂膊接住了我——我听见有人在喊着什么。

我并没有晕死过去。我觉得那搂住我的胳膊是黑龙的。我判定是他。同许多小说里写过的那样，到头来还是他。

可是等到我稍微镇定一些，眼睛透过泪花得以辨认呈现在近处的影像时，我便惊上加惊。

如果是一个心脏脆弱的人，他那颗心一定就此迸裂了。

我的心没有迸裂，但我的心一定像吹胀的气球一样，硬得出奇也薄得怕人。

我认出那搂扶着我的，竟是白龙！

我本不想解释。我没有解释的义务。

可白龙竟不需要我的解释！最要命的是，他并不是表现为一种宽宏大量，一种潇洒豁达，他所显露出的，竟是一种他比我更清楚一切，甚而是他需替我解释，然而他觉得既然我精神如此疲惫，所以不解释也罢。

因而我一定要给他解释。我有解释的权利。

没想到我们的对话如此之难。

"我约黑龙去九龙壁……"

"当然，当然，九龙壁对我们三个来说都是一个很自然的心灵符码……"

"别什么符码、文本什么的！我约黑龙去九龙壁，是因为——"

"因为那个地方僻静，谈话比较方便……当然，是为了你们公司跟他那个公司之间的事，生意上的纠纷……我后来无意在你手提包里看见了那封你们公司的函件……很自然，台湾人也是中国人，总觉得在关键的时刻，亲情关系，同学关系，邻里关系……可以化为一种生意交往中的润滑剂；这就是与西方文化大不相同的一种社会心理品格……"

"可是我们到那儿去，绝对不完全是为了生意……"

"那当然；九龙壁可以引出许多的回忆……还记得吗？我们在玉渊潭游完泳以后，竟然又骑车跑到九龙壁，说是一块儿复习，其实全用来瞎聊……你那时显得很浪漫，你的浪漫让我们俩都又吃惊又佩服……后来我和他就给你表演我们刚学到的一种武术动作……大飞车，我和他就在那九龙壁后面的空地上绕着圈子把自己横飞起来，光着膀子飞，汗珠子甩了你一身……惹得好多游人围过来看，可实际上我们只是为你一个人那么玩命儿飞的……"

"黑龙飞得比你美……比你帅……你干吗说这些个？"

"其实都不必说了……黑龙有权利爱你、追你，你也有权利不爱他，拒绝他……"

"你怎么见得我不爱他？"

"讨论这个问题没有意义……我心里并没有你担心的那么个结儿，当然也打不上那么一个结儿……"

"我可能是爱他的……"

"你就是真爱他，或真爱上另外别的什么人，都是你神圣的权利，爱是不能勉强，也不能强取的……可我们讨论这类浅显至极的问题，有何意义呢？"

"我约他去九龙壁，正说明我心里头对他——"

"对他有一种难以言喻的情愫，这是非常健康的心理状态……我还需要通过解释才能理解吗？……"

"他躲着，什么人都不见，可是我一招呼，他马上就来了……"

"太正常了……他或许以为那就是个机会……你要谅解他，尽管他明知道我们之间已经建立起来的关系，可他还是会忍不住向你求爱……"

"他向我求爱？……"

"爱情是什么也拦不住的，你不爱他，他却完全有权利爱你，甚至超越出那权利，冒社会道德之大不韪来强迫你，我也都能够理解——"

"你理解个屁！"

"要不要喝一点果汁？你的烧还没有退，我看你还是先静静地躺一躺为好……"

"不！你听我说……"

"你需要静一静，我们有的是时间，可以慢慢谈……"

"不！我就要现在说！我要你现在听！"

"好，好，我听，我听……不过你要平静，你慢慢道来……"

"黑龙骂我是商业间谍，是臭婊子，还打了我！……"

"原谅他原谅他！……我原来哪里猜得到你们那天也会去九龙壁？我不过是老习惯，总觉得在那儿抠德语语法效率最高……可是突发的事态一点儿没有冲乱我的思路，我不到一分钟就明白了一切，所以当有些游客围过来，还有人说该去抓那个流氓该去公园派出所报案时，我都告诉他们不用……我从背影上一眼认出来那快步走掉的是黑龙，他完全不是逃跑的样子，我们在一块儿那么多年，他背上的表情每一丝每一毫我都门儿清——不管他裹上了什么样的名牌西装……他的背部表情明白无误地告诉我：他真的愤怒了！出于一种粗糙到极点的判断，他认为他上了当，他栽了……"

"别说了别说了！你难道就不粗糙吗？……也许，你倒确实不粗，可你细得一点道理都没有！你是个心眼儿比筛子还细的蠢货！"

"骂吧，骂吧，用粗话骂吧，骂骂你也就清了心火了！"

"不是那么一回事儿！天哪！不是那么一回事儿！"

我从被子里坐起来，双拳擂着床铺，号啕大哭。

我不去上班了。

爸爸妈妈对我的自炒鱿鱼稍有不快，但亦无大责问。

我知道他们心里是怎么想的。他们判定我至多一年以后就在德国了。他们早就时时温习法兰克福和北京的时间差，常常会毫无必要地问："现在德国法兰克福那边，该是几点呢？天还没黑吧？"

白龙陪一个德国来的什么考察组到南方去了。我心里深深地知道，我很可能不会成为他的妻子了。

我在家里养病。都认为我真的病了，其实我自己知道，我并没有一般意义上的那种病。

……我把更多读不完的小说扔到床底下。每天我是睡在一个小说筑成的坟墓上。

……我的梦里却并没有小说。梦里常常有黑龙。许多小说总写成想梦什么梦不见什么。我却不同。我想梦见黑龙，果然能梦见黑龙。黑龙在九龙壁后面"大飞车"——就是把身子撅起来，在空中急速平旋，双手像翅膀一样张开，双腿迅捷跃起，当身子往下跌落时，便一只脚主动下落，用力一蹬地面，于是身子又平飞起来……如此反复若干次，于是飞行轨迹构成一个圆弧……当然，白龙和黑龙在一起飞，黑白二龙飞得不相伯仲，帅得惊人……但待二龙落定以后，汗津津地咧着嘴朝我笑时，天哪，哪世里造下的孽！到头来我还是觉得黑龙更……更雄壮？更威武？更漂亮？更剽悍？……别乱用词语掩饰了……坦白从宽、抗拒从严——我是觉得他于我更……更性感！

没有办法，没有办法，没有办法……我不知道这是为什么，也不需要知道这是为什么，单知道这是无法克服的诱惑……

紧搂着枕头，汗津津地醒来，常会惊悚于阳光何以金晃晃地洒在我的床上。昼寝，而且做如此这般的梦，我是一段朽木！我恨不能宣判自己的极刑，而且立即付诸实行！

……然而我并没有真的自裁……我洗热水澡，让香波的泡沫隆起很高，我抚摸着自己的胴体，酸楚地回忆起黑龙对它的爱抚乃至于粗暴……我对着镜子久久地吹风、化妆……我是一朵胀成浑圆的花朵，花心挺着一目了然的花蕊，花粉厚重浓稠得令自己惊异……我渴望着什么？更渴望着什么？是对赞美我的诗歌与乐曲更渴望吗？抑或是更渴望粗悍的蜂蝶来袭入花心？……

我厚颜无耻地给黑龙拨电话，总经理办公室的秘书小姐先是故意装作听不出我的声音，坚持要我自报家门，乃至我低声下气地请求她一定给我接通时，她又总是客客气气地告诉我总经理此刻不在，什么时候在？"不知道"，我便发脾气，骂她，她便柔声细语地说"对不起"，便挂断电话……我打"大哥大"，永无回音；我往他住处打电话，总立刻是一个事先录好的声音："对不起，我现在不在家，您是哪位，有什么事，请您在听到三下蜂鸣音后留下您的姓名、电话号码……"我总是如痴如醉地听着他那粗糙不堪的声音，并且给他录下一段恳求他给我回音的话……我坚信他这些天根本没有回去过，因为我那些话他不可能一点也不动心……这天我再拨，连那录音的声音也没有了，我坚信那并不是为了进一步拒绝我，而是那一盘录音带已经用尽，他又并未换上新的……

我把黑龙给我的那个BP机压在枕头下面，企盼出现奇迹。然而它是一只死"蛐蛐"——不，它没有死，这天我忍不住自己打了个电话，代替他呼了我一次，"蛐蛐"立刻叫了起来——"蛐蛐"没有死，"蛐蛐"冬眠了，但这冬眠期会有多长呢？……

我闷闷地坐在沙发上，胡思乱想。黑龙一定已经破了那个戒——原来他只把他那个龙体留给我的，除非我正式嫁给了白龙……现在，此时此刻，他在何时何地，正拥着另外的女人，只当是我……是的，他说过，没法子，他也没法子，他会只当那是我。

上帝乱造人。是的，我欲哭无泪，欲申无门……上帝啊，你为什么要这样造人？你给我们的肉，与寄在那肉里的灵，为什么竟可以如此相煎相熬？

……

门铃忽然响起来，我吓了一跳，一瞬间里我觉得那是我的一种幻觉——有时候幸福突然降临，会反而把人惊吓死，先怀疑一下那突然降临的事实，有好处。

《爱情故事》的旋律还没响完，我就冲过去把门一下子拉开。

门外是……翁姐！

"你爸你妈他们刚出去没多久吧？我好像看见他们打了辆'面的'，要去好远吧？"

我觉得这太古怪。为什么是这样的一些句子？何况这一回我爸我妈并不是刚出去……

我懒懒地招呼着她。

"吴总说，虽然按照公司规章，你这样不辞而别应被除名并永不叙用，可是因为你以前的表现一贯优良，所以，如果你下个月愿意回去，公司仍可收留，一切待遇不变……"

"是他让你来的？"

"不，我自己来的……"

"可你那口吻，就好像你们两个都是老板一样……好像你们是夫妻店一样……"

翁姐脸涨得通红。我注意到她那天格外地珠光宝气，而且仿佛刚从发廊里出来——也许就刚从我们街上那个"佳佳发廊"出来，那家发廊专做这种不男不女的所谓"中性发型"，收费是最宰人的。

"你去告诉他，我再也不会回去了。我炒了他鱿鱼——炒了你们的鱿鱼！"

"为什么把我扯进去？"

"别不好意思，公开的秘密——吴总对你有超常的情怀……"

"你听到了什么？"

"不用听，我也有一双眼睛……"

"当然，我也不是太在乎，吴总和我都是离婚后没有再婚的人，如果……"

"别如果了，如果不如果都跟我没有一丝一毫的关系，总归我是不想去你们公司了……"

"我是一片好心……好多天没看见你了……原来天天能见到你……"

翁姐坐到我身边，紧挨着，抓过我一只手，抚摸着，恳求地说："平静一点好吗？……我真希望你还像往常那么样，总是很平静，很娴雅，很温柔，很亲切的……"

我有点感动，泪水涌上了我的眼眶，我咬着嘴唇。

"乖，乖乖的……你一定要平静下来，别暴躁……对对对，像这样，像现在这样，多好……"

我确实平静多了。

"心里难过，你有什么话，窝在心里头，就跟我说吧……我帮你消化……我们都需要别人帮着消化啊，彼此……"

"是，心里难过，心里真难过，难过死了……翁姐啊！"我伏在翁姐肩上，任泪水淌了下来，翁姐趁势搂住我，搂得紧紧的，用手抚摸着我脊背，也眼泪汪汪地安慰我说："别难过，别难过……都会过去的，都会好起来的……有补救的！"

"我得不到我想得到的，可能得到的我又不稀奇……"

"唉呀唉呀！"翁姐把她的脸同我的脸紧贴到一起，激动地呼应，"也是我的苦闷呀！一样的呀！同病相怜呀！"

我不想再细加诠释。吐出这一大块闷塞我心臆的东西已让我得以喘息。

翁姐掏出一块她自己的手帕给我揩着脸上的泪水，向我倾诉说："……别人不懂，你会懂的！那吴总确实在追我，你们所看到的，恐怕只有那真相的百分之一，乃至四分之一……他说他早就仰慕体育健将型的女性……他喜欢捏我掷过标枪的臂上肌肉……他是真心实意……我如果答应他，那你说得对，我就是老板娘……谁不知道他其实就是总经理呢？搞个'死魂灵'挂总经理名儿，他偏来个副的，这里头的'猫腻'并不神秘……嫁给他，那当然并没有什么了不起的，离远了看，也很卑微……可是如果我得到他，以及他能给我带来的那一切，也没有什么好惭愧的……可是我还是并不想得到他……有时候我一个人待着，也问自己：为什么？为什么？……没有答案时，没有……不为什么……这'不为什么'是人生当中最可怕的东西！……"

"是啊是啊！"我深深地共鸣，"原来您也有这样的体会？"

"乖，别您呀您的，也别翁姐翁姐的……我们是可怜的一对，不是吗？乖，亲爱的，你说，我努力地保持田径场上的雄姿，难道，就是为了让他……欣赏吗？不！……"她把我一只手挪到她上臂上，让我按，"不是还很有弹性吗？嗯？"

我感觉不出来。只觉得她那外套的料子非常考究，手感很好。

翁姐为了让我感受她上臂的弹性，爽性脱下了她那外套，里面是木耳领的绸衬衫，她把衬衫袖子捋起，露出整只胳膊，再让我去按她的肌肉，我的手指刚一触及她的皮肤，她便弯臂一紧，我顿时有一种触电般的感觉，不禁"呀"地叫了一声。

翁姐将我一把揽到怀里，胡噜着我的头发，喃喃地说："我这朵花，马上就要谢了……可是我并不情愿让吴总来亲近，我心里真难过极了……"

我有点跟不上她的情绪。共鸣感消失了。

她忽然勾下头，开始吻我的头发，接着就吻我的额头……我悚然地冲出她的怀抱，摇摇头发，惊愕地望着她。

"原谅我原谅我……"

像有一道闪电，忽然照亮了原来隐蔽着的一切。

我感到恶心。

翁姐五官抖动着，不知是因我的表情而感到恐怖，还是要以她自身的恐怖来回应我。

"噢——"我大叫了一声，"那是——绝不可能的！"

翁姐低下头，一绺头发挂下，十足一个被当场捕获的罪犯，她哭了，用手帕捂住鼻子，幽幽地说："没办法，没有办法……我管不住自己……我实在是……我爱你……你饶恕我吧！"

我遍体清凉，跟着就觉得有一股电流，从脚底蹿上来，击中我的脑仁。

我搞不清楚我是怎么一下子变得那么理智的。我挪到单人沙发上坐定，望着翁姐，平静地对她说："这没有可能性。一丝一毫也没有。上帝把我们造错了。都造错了。这里面没有什么原谅不原谅、饶恕不饶恕的问题。只是我要明明白白地告诉你——这完完全全不可能！但是，你放心，对于我来说，这是永恒的秘密，我向你保证，至死也不会对任何一个人说……但是请你立即穿上你的外套，离开这里，并且我们今生今世最好永远不要再见，你如果觉得这是原谅，或者叫饶恕，那么，你就那么算它们。反正，没有道理，不讲道理——请你走！越快越好！"

……

翁姐消失以后，我愣愣地在沙发上坐了好久。

我想再一次号啕大哭，却再也哭不出来。

上帝啊，上帝啊……

西方哲人早有这样宣告的：上帝死了。

死去的，岂止是小说。

坐在书桌前，写下这一切的时候，只是暗笑：在我，似乎一切都惊心动魄，在他人，诸如此类都早不稀奇。

然而我还是继续往下写。

上帝死了，末日审判永无至期。我们活着，并且失去了末日审判即临的恐惧。

该从哪里寻求到，支撑我们灵肉平衡的力？

苦苦地期待，那期待物便成了一个神迹。

而一旦所期待的突然降临，便又会觉得其实还是非常地人间。

……没想到我又能滚在黑龙的怀里。

没办法，没有一点办法，毫无办法……就连他身上那些黑的、红的、平面的、凸现的痣疣，我也喜欢……我愿一一吻遍……

他对我也一样，只是他采取着绝对单纯的身体语言，而我却免不了还要使用一些发声的符码……

……潮去汐漾，我们又静静地各自平躺在那里。

他照例在那个时候吸烟。

"……那天你打得我好痛……"

"你以为你那一耳茄子就轻吗？"

"……你什么时候开始后悔的？"

"……在温州，他们带我去逛雁荡，在那个大龙湫底下，我后悔的……说实话也是因为我派出去的'间谍'查实了我后院里的'定时炸弹'——真他妈不是玩意儿！……这些个事细说给你你也听不明白，也没意思……反正我在那大龙湫底下，让那瀑布溅下的水花一浇，心里就跟让猫爪子挠了一下似的，'嗯'地又疼又痒……飞回北京我一听你录下的那些个话，就更耐不住了……整个儿他妈的一个冤案！"

"你就这么平反吗？"

"你说还该怎么着吧？你罚我，整治我吧，怎么着都成！我把自己捆起来，让你拿鞭子抽，行不！"

我扑过去搂住他，差点让他手里的烟把我烫着。

他把那燃得红红的烟递到我手里："你烫我吧！随你烫哪儿！"

我提住那烟，我把烟高高举起……我把烟扔到床头柜的烟碟里，我发狂地吻他……

……又平静下来，我们脸对脸斜躺着。

"……你在温州，用别的女人代替我了吧？"

他承认："……你放心，都是干净的……我很在意……"

"你到底还是……"

"……是呀……怎么办呢？我们到底还是……"

我忽然坐了起来，把他吓了一跳。

"你怎么？"

"黑龙！"我把他拉起来，他坐起来，望着我，很吃惊的样子。

"黑龙！"我盯住他，认认真真地问，"我们为什么不结婚呢？"

他的身子竟至于哆嗦了一下。

"黑龙！我们结婚！我，你，我们俩结婚！"

他竟慌张起来。

"黑龙！你怎么回事儿？"

"那……白龙……他怎么办？"

黑龙这时候的一双眼睛，从来没那么亮过……不，不是明亮，是美丽……也不是美丽，是动人……

我的心像被戳了一刀。

"白龙……他，他不是已经戴绿帽子了吗？"

"什么绿帽子？"

黑龙一定真的不懂什么叫"绿帽子"，他那个圈子里的人一定另有一个相应的语汇，黑龙对"戴绿帽子"这个符码不熟悉……黑龙毕竟是黑龙，他这一句蠢然的反问，立即倒了我的胃口，他连"绿帽子"都不懂！他只对"胡同串子"、"土鳖婆儿"那个圈子里的玩意儿门儿清！当然，还有他那"服装辅料"生意上的事儿，顶多加上点温州，加上点"商业间谍"，加上大龙湫什么的……

但是黑龙模模糊糊地猜出了我那意思，他垂着头说："我知道，对不起白龙！太不够哥儿们！可……我没法子……我就是想跟你这样，只想跟你一个娘儿们这样……你又自己愿意……我们自己愿意，没招谁没惹谁，就是白龙，我们心里头也都……也都……"

也都什么？他表达不出那个意思，我明白，全明白……可我能用语言准确地精微地表达出那个意思吗？

……黑龙并不想伤害白龙，那是一定的，他说过，我们一定要"科学"，要保证我只跟白龙生只属于我和白龙的孩子，"你们的种好，我知道……我就是再赚出 10 个公司来，我也是个粗人……实话跟你说吧，我这号人结什么婚！就是将来你看见我有个老婆，挺拿得出来的，挺贤惠的，那也是因为在场面上混，不能太离大谱儿……我跟那老婆都可能根本不生育，我抱个孤儿把他养起来……"他这类的话说过不止一次，是真话，开头我只觉得好笑，后来就感到难堪，再后来感到难过……现在想到这些话，不禁悚然！

我扑到他身上，脑子里乱哄哄，只是喃喃地说："黑龙，黑龙，究竟我们为什么不结婚呢？谁不让我们结婚呢？我爸我妈，他们能反对得了吗？白龙会大吃一惊，会伤心，可他一定会保持住他那绅士风度，他甚至会大大方方地来参加我们的婚礼……"

黑龙的身子不再发烫，变得软软的、温温的，乃至于他的脊背一变而为凉凉的……他并不像我那样迷乱，他直截了当地说："我们结婚？不能的……因为就算结了婚，也很快要离婚，你要跟我离的，也许结过婚的第二天，要么两星期以后，至多两月……神了，也就两年，不，两年不了，肯定两年不了，你一准跟我离，我也会同意离，随时同意离……所以，我们怎么能结婚？"

我心里一阵阵难过。我还是搂住他，喃喃地说："为什么为什么为什么……"我心头装着那答案，我明白，只是囫囵，消化不了，堵得慌。

"因为，我们能在一块儿睡，不能在一块儿过。"

我觉得黑龙变成了一座冰塔。我离开他的身体。我完全清醒过来。黑龙竟把那答案表述得如此精确，我震惊之余，不禁双手合十，祷求上苍：能不能别再把我们搁在灵肉相煎的油锅里如此惨烈地折磨，我们无辜啊……

白龙非常顺利地获得了签证。

两家的父母都要求我们在白龙飞往法兰克福以前去正式登记。

白龙捧着一大束艳红的玫瑰，到我家来履行正式的求婚仪式。我不讨厌那些带着露珠和芬芳的红玫瑰。我觉得白龙这样来到其实他已"平踹"过几百回的地方，并不显得矫情。尤其是他一反往常只爱穿夹克衫运动衫牛仔衫运动鞋的做派，特意穿着笔挺的高档西服，系着雅致高贵的领带，头发也在发廊里做得光光亮亮的，足蹬意大利皮鞋，气宇轩昂、潇洒倜傥地出现在我家的客厅，那整个形象连同那翩翩风度映入我眼中冲激我胸臆时，我绝不觉得别扭，只感到欢喜。

白龙照亮了我的生活。我爱白龙，真的。

我正式接受他的求婚。我同他去进行结婚登记。

在去登记之前，像拜谒圣地一样，我们去了北海公园九龙壁那里……

午阳把九龙壁的那些琉璃砖照耀得格外艳丽奇瑰。我们在那就跟老熟人一样的绿木条钉的长椅上坐下。

"白龙，有一件事，我必须跟你说清楚……"

"无论什么样的事……"

"我不是处女……"

"我没要求你是处女……"

"我要向你坦白……"

"坦白？为什么？你又不是罪犯……以后的日子还长，你不必急着告诉我……其实，你永远不告诉我，也行……"

"我现在就要告诉你……"

"如果你内心里有这样一种需求……"

"是的……我要告诉你，我跟别人睡过，都是一个人，不止一次……"

"……"

我没有看他，但我感到他多少有一点吃惊。

"你为什么不问我，他是谁？"

"我不想问……"

"为什么？"

"因为如果你愿意，你会告诉我，如果你不愿意，我不能强求……不过不管怎么样，我都相信，你爱我；你也应该相信，不管怎么样，我也爱你……"

"白龙，我爱你！我知道，这很伤你的心——不管你承认还是不承认，对你来说这是很伤心的事……"

"……不一定……只要你以后……"

"那当然！还用说吗？以后如果再……性质就不一样了……"

"性质？我不是要定性……感情这种东西，怎么定性？如果你以后又……只要坦诚，不要欺骗就行……"

"我已经欺骗了你，很长时间了……"

"那可以不算，因为我们并没有建立法律上的关系，你有权自由支配你的感情，并且采取你自愿的方式发泄你的感情……"

"我们不说法律，当然，不犯法……可是道德上呢？你不认为那是堕落？"

"为什么是堕落？"

"跟两个人……而且去跟那个人发生了关系！"

他静默了几秒钟，才说："我觉得，你跟我在一起的时候，是用真性情，真感情对我的……你并没有欺骗我……你有选择的权利……并且，我懂得，感情这东西是非常非常复杂的……你的性格又特别富于冲动性和起伏不定……"

"白龙！我爱你！凭你这么能理解人、谅解人，我就爱你一生一世！你说得对，对你，我是用了全副真性情、真感情的！我从来不想欺骗你！我早想跟你说，甚至我也开过头，可没能说下去，没能让你明白，也没能管住自己……不过你千万别误会，以为是我欺骗了他，玩弄了他……我们、我们也是真心实意的……只不过，到头来我们都认识到，我们不适宜结婚……怎么说好呢？那真是很难说清楚的！……"

白龙用胳臂揽着我的肩膊，温柔地说："很难说就先搁下，以后再说吧……

我不认为人活在世上，什么都得弄个一清二楚的……弄得太清楚有时候会把自己搞得很痛苦……"

我是应该为自己那追求"至清"的执拗劲儿而后悔呢，还是应该为自己那捅破窗户纸的勇气而自豪？我就如同挤在河口的冰块终于冲到大海里般地向他宣布："你该知道——他，是黑龙！"

"黑龙！"

白龙抽回了揽在我肩膀上的胳膊，呆若木鸡。

他万万没有想到，那个跟我发生关系的男子竟是黑龙。也许他潜意识里一直在搜索从吴总到我大学同学到我们同楼里那些"高层次"的小伙子所构成的一个嫌疑系列……然而我的宣布挫败了他一贯所具有的直觉优势……

我有所估计，然而也万万没有估计到，我的宣布竟会把他刺激成那样……

白龙站起来，愣愣地望着九龙壁，然后，他就双手插在西装裤的裤兜里，仿佛忘记了我的存在，在九龙壁旁踱起来，开头，盲目地往这边踱几步，又往那边踱几步，后来，并非清醒，而是更盲目地绕着那九龙壁走动起来……

九龙壁那天那个中午没有几个游人，小风吹动着附近的树木那些仿佛有灵性的枝条，一小群麻雀唧唧喳喳地飞落在九龙壁后的旷地上，大胆地跳动着寻觅啄食游人掉下的食品碎屑……山坡那面，北海公园的湖面上传来划船的人们发出的嬉笑声……九龙壁上的蟠龙依然团踞趴伏在那里，但它们的眼珠仿佛在转动，口须仿佛在颤抖……那些琉璃烧出的龙，是否也判定了我的荒谬与残忍？

开头，我只是呆坐在那长椅上，双眼盯着白龙，视线随他移动，心乱如麻，不知所措；后来，我不由自主地站起来，尾随在他身后，但一颗心仍咚咚地如鼓槌般敲击着胸腔，感到罪孽深重，惶恐不堪……

白龙忽然转过身来，差点同茫然尾随在他身后的我撞个满怀。

我们站定，对视。

正当我要躲过白龙的视线时，白龙把一双手搁到了我的肩膀上，他的双眼里，恢复了智者特有的那种闪光。

"……黑龙！我接受这个事实……并且，我感谢你直截了当地告诉了我！"

我一下子扑到他怀里，他搂住了我，我哭了，幽幽地哭了，我的泪水弄湿他那昂贵的西装，我仰起脸，恳求地对他说："你要知道究竟是怎么搞的就好了，就好了……没办法，没办法，我没办法……你原谅我原谅我原谅我……你原谅我吗？你也要原谅他，原谅黑龙……信我信我信我，我爱的是你不是他！是你不是他呀！我再也不会了……他再也不会了……我们讲好了……信我们，信我，你信吗？信吗？……"

白龙紧紧地搂住我，吻我的额头，他的嘴唇滚烫，我像秋叶般哆嗦起来……

艳阳照射着艳丽夺瑰的九龙壁。一大群游客由一个手执三角旗的导游引领着，从山坡那边转了过来，走拢九龙壁，我和白龙却岿然不移，紧紧地拥吻着……

我把灵肉一齐给了白龙。没有丝毫的保留。

白龙不仅是个才子，也是个挑不出毛病的男人。他让我享受到双重的快乐。

……但我多多少少地感觉到，他似乎有点过分地中规中矩……

……当我洗浴完了以后，他在梳妆台前再一次像捧着一件细瓷器般地环搂着我，轻吻我湿淋淋的头发时，他忽然自言自语般地问我："你为什么……好像……让我觉得……多少有点儿……冰霜般的感觉？……这是一种风格吗？冷艳型？……"

我们在梳妆镜里对望。

我心头掠过一丝不祥。

白龙飞走了。

我在一家中德合资的企业里找到了一份工作。白天我用电脑打英文文件，晚上我花钱上了个德语班，除此以外就是等白龙的信和给他写信，我们约定他每月 15 号必来一次电话，那不仅是我的快乐，也是我爸爸妈妈的快乐……但他们快乐得太过头了，接过话筒十分不知趣地叨叨叨好几分钟。全然忘了替白龙算计那昂贵的费用，因此我决定从下月起尽量不让他们再握到话筒……

当然，我和白龙细密地筹划着，按部就班地进行着——大约明年这个时候，相信我也会登上去法兰克福的班机，并且同他在哥德堡会合。

……我把白龙的照片——不同季节里不同背景中以不同姿势拍的照片，镶在价值不菲的镜框里，有的挂在床头，有的摆在书桌上，有的搁在客厅茶几上，其中我最喜欢的一张，印了两份，装了两个镜框，一个放在床头柜上，醒来睁眼就能望见的地方，另一个征得公司经理同意，放在我工作用的电脑旁边……

白龙走了一个月，两个月，三个月，三个半月……

在家人、同事、邻居眼中，我是幸福和幸运的双重宠儿……我自己也一度充溢着那样的感觉。

但是，但是……那天晚上，我在深深的寂寞中……不，不仅是寂寞，那是深深的苦闷……而且，不是一般意义上的那种理性的苦闷，尽管我努力地只去思念白龙，思念到最具体之处……我却在失眠之后的浅睡眠中，偏偏赫然陷于黑龙的阴影……不，那不是阴影，那是鲜活的、难以抗拒的……我汗津津地醒来，猛然坐起，按亮床头灯，白龙在照片上幽幽地笑望着我，我捂住脸，羞愧难容……我不得不把白龙的那张照片朝下扣放，但眼一斜晃，墙上的那个更大的白龙，又以更富深意的表情，径直盯住我！我跳下床，披上睡衣，坐到躺椅上，月光从窗外洒入，使我仿佛浸泡在冰水之中，我双臂交叉抱住自己肩头，哆嗦着……我又一次呼唤上帝，我恳请他要么向我解释，要么什么也不解释但把我从这种煎熬中解脱出来……

不知不觉中我已经写下了这么多。

这是小说吗？

小说死了。那么，这是什么？

我这朵胀得浑圆的花，还能浑圆几天？

不仅仅我一个人胀得浑圆……

就是已经不那么圆了的花，也还在挣扎着开放……

谁甘心萎落？

……那天在地铁站台上遇见了当年中学的团支部书记。递我一张名片，足足列着6行头衔。也顾不得看清楚那些个头衔。不必搞得那么清楚。她容光焕发，还保持着当年那种喜欢跟你哇啦哇啦说个没完的习惯。她说刚从海南岛那边回来。也不等我问，便眉飞色舞地报道说："唉呀呀，真不得了，完全是另外一种局面……成绩不小，进步惊人，可问题也成堆……那真是'繁荣娼盛'，听明白了吗？加'女'字边的'娼'！看见那些个景象，心里头真不是滋味儿！唉唉唉，也不能光怪那些个姐姐妹妹不争气，你知道金钱首先腐蚀的是男人，真的！他们发了财，吃喝赌以外，不就往那个坑里堕落吗？触目惊心啊！你猜我在那儿遇上谁了？黑龙！你还记得他吗？你早把他忘了吧？他原来学习不行，纪律性也差，但总算还憨厚吧？这回在海南遇上他，他倒先招呼我，财大气粗的模样，手一晃，就至少有三个大金戒指，说不定还有个镶钻石，闪得我眼花……我敢理他吗？能理他吗？恶心！……你猜怎么个情景儿？有个浓妆艳抹的女孩子，跟他椅子并椅子，简直是贴在他肩膀上；早听说有'傍大款'的，原以为不过是形容词儿，看见了那情景才知道，敢情是写实！当然，那酒楼里像黑龙那么张狂的，也少见！我赶紧躲开了……真恨不得立刻洗洗我的一双眼睛！我不反对市场经济，不反对一部分人先发财，发大财，可我真看不惯低档次的土财主！黑龙头几年听说不过是提个蛇皮包，跑跑纽扣生意什么的，小打小闹，如今可好，七弄八弄的，他也发了财，也跑到海南岛炒地皮去了，他那么个北京的'胡同串子'，能开发出什么好东西来？还不是钻政策的空子，捞一把是一把！炒地皮那捞起来了得吗？动不动上百万上千万，乃至上亿！唉唉唉，你说说，这'黑龙现象'，该怎么分析？怎么看待？……"

……地铁列车进站了，我趁人潮汹涌，没跟她上同一节车厢，在挤得密不透风的车厢里，我揪住吊环，闭上眼睛，真要命，我明明是想要抹去她那番报道引出的联想，却偏偏有一个黑龙赫然凸现在我的眼前，那是一条"大飞车"般舞动着的黑龙，而且紧紧地缠住我的身体……

我错过了站。

……我没有再往回坐。我出了那个并非我目的地的车站。我心中有一种悲悯。为黑龙，也为我自己，并且也为白龙。我遗弃了黑龙，我也并没有真正获得白龙。也许这世上唯有我知道，黑龙也有一个并不那么简单更不那么污浊的灵魂，他的粗糙，非他自己所愿，亦为他所自知，他的痛苦，远超过我，而为我所造……我在心底里呼喊着：黑龙，亲爱的！……而我又同时意识到我对白龙的罪恶……白龙问我："这是一种风格吗？冷艳型？"我为什么不马上回答他："不，这不是我固有的风格！"然而我是预谋犯罪吗？……我无辜！我无辜啊！天哪！我们都无辜！……

一阵小旋风吹过来，从对面滚过来一样东西，从我脚边掠过，我下意识里判断出那是对面哪位路人被旋风吹落的帽子……忽然，我瞥见有两个人弓着腰，从我对面冲向前，闪过我身子，去追那顶碧蓝的法兰西帽……

我不由得煞住脚，一愣。一愣之后，憬悟：那两个人之中，一个正是翁姐。

我转过身，往那边看，那两个人追上帽子，四只手都抓着那顶帽子，儿童般嬉争着……

不错，其中高大健壮的，正是翁姐，她剪了个男式发型，穿了一身牛仔衫裤，脖颈上扎了一条印度风味的丝巾；另一位，是个显然比她年轻好多岁的女子，穿一身鲜丽之极的潮装，长裙下摆长短不齐，足蹬一双金色的高跟鞋……她们拉扯了一阵，翁姐终于夺得了那顶帽子，便歪扣在头上，然后，她们便勾肩搭背地欢笑着往地铁站口里走去……

我背过身，不再去望她们的背影。

一种更宏大的悲悯，袭上我的心头。

没有道理，没有办法……

天哪天哪……我们是什么？我是什么？黑龙是什么？白龙是什么？翁姐和那个女子又是什么？……是一种叫做"人"的生灵？谁设计了"人"？为什么在设计中留下这么多的舛错，或者说误会，或者说神秘，或者说玄奥？……

不敢说所有的人，不必涉及所有的人，至少，我，黑龙，翁姐，也得包括白龙……我们是自己的人质——肉是灵的人质，灵是肉的人质……

我写的是什么？小说吗？

谁读？

除了自己，我不祈盼再有人读。

不再是胀得浑圆的花——有了缺口，我开始谢落第一枚花瓣。

1993 年 4 月 13 日

五龙亭

1

　　当然，北京的名胜古迹实在太多了，一个在北京停留一周的旅游团，其日程表上，很可能还是没有北海公园，即便临时机动安排了北海公园之游，恐怕也只是匆匆地从前门或东门而进，走马还未必是为了观花，而是到琼岛漪澜堂的仿膳饭庄去吃豌豆黄、芸豆卷和肉末烧饼。至于北海北岸，那就更被旅游团所忽略不计。

　　这对秦娴珍来说，反是好事。她退休后之所以最爱进北海北门，循北岸漫步，其原因之一，便是北岸很少有闹闹嚷嚷的旅行团，甚至外地的散客也不太多，尤其是北岸的尽西头，似乎只有她这样的老北京，或偏要寻觅冷角的大胆情侣，才会有心有意地往那里去。

　　这天天气出乎意料地好。起码有二十年了，北京的天空，无论哪季，时兴灰蒙蒙地一片，说不上晴，也算不得阴，看不到太阳，也并没有明确的云层，所有的景物，因为失去了光面与阴面的对比度，全都平面化了，令人气闷。这天却不然，天很高很蓝，并且还浮动着大朵的白云，眼前的景物，全都格外地立体、活鲜，使得她心中，充满了莫名的感动。

　　秦娴珍缓步走拢了五龙亭。这是五个错落有致地盖在湖水中的大亭子，明代就有了，清代屡次修葺，亭顶上覆盖着黄剪边的绿筒琉璃瓦，檐下梁枋彩画绚丽，红柱红栏墩实华贵，其中三亭有平桥通岸，五亭间有 S 形石堤相连。秦娴珍沿石桥走进第一座名叫滋香的亭子，在面湖的栏板上坐下，心旷神怡地隔湖眺望琼岛，琼岛的山顶，雄踞着尼泊尔式的大白塔，有的洋人说那白塔活像一只巨大的胡椒瓶，这比喻让中国人听了真是不伦不类，不过仔细想来，这塔的形状也确实奇特，只是因为北京人看了它几百年，看惯了，如今要是猛不丁地，有一天早上路过北海，忽然那山顶上不是现在这样的白塔，而是一座颐和园佛香阁那样的建筑，恐怕心理上，倒难承受了吧！

　　正这么想着，忽然，在感觉上没有过渡，一下子，秦娴珍发现亭子里竟站满了人，再一凝神，竟看出来是一个旅游团，因为那些人，都戴着一式的遮阳帽，显然是旅行社统一赠送的；而一位手举小三角旗的导游小姐，正用广东话在呱啦呱啦地介绍着五龙亭……秦娴珍本能地用眼光扫描着游客，她是想判断一下，这个旅游团来自何方，是来自广州的国内团，还是来自比如说纽约华埠的外洋团……这家旅行社怎么会有细腻到参观五龙亭的安排？……

　　又忽然，秦娴珍如被电击，她抬眼间，与旅游团中的一人偶成对视，那人，那人……天哪，怎么会是他？怎么会？怎可能？……

2

　　当天晚上，秦娴珍辗转反侧，夜不能寐。

　　她也有理智的片刻，在那片刻里甚至还能幽默自己……是呀，在通俗小说家的笔下，今天白日里，五龙亭中，与那位男子的一刹对视，或可演义为一出"月有阴晴圆缺，人有悲欢离合"的戏剧，比如说，是缘于众所能推知的某种政治、社会原因，热恋中的他们劳燕分飞，隔海或隔洋经历了各自的种种曲折磨砺，在她这方，是"虽经九死而终无悔"，在另一方，是虽已甲富而仍寻根，于是他们竟相逢于五龙亭……改编为电视连续剧，自然少则十集，多则数十集，片头少不得由动作性最强（如一人扇另一人耳光）的镜头衍化为"腐蚀版木刻"效果的呆照，而这时软性主题曲必缠绵而出，照例是由时下最红的歌星"友情演唱"……

……却全然不是那么一回事！

……那男子，不是像，而根本就是——就是赵秉钧！

……如果仅仅就是他，倒也罢了，问题是，那却是四十年前的赵秉钧，而非也应和她，和所有的人都一样，经过四十年后，变老了的赵秉钧！

的的确确，是一个仿佛根本没有这四十年，只接续着那一年那一天那一刻，而鲜活地又存在于她眼前的赵秉钧！

那是一点也不会错的！她这一生命个体会出许多的错，乃至于弥天大错，却绝对不会感应错——不会感应错她四十年前热恋过的那个男子！

……那典型的南国男子身板，比北方一般男子略矮，高不及一米七，体围略小一轮，但绝对地自成比例……皮肤呈健康的黑色，却不能用"黝黑"形容……瘦而不弱，健而不粗……丰茂的黑发，从当中分开，在耳上即剪平，这种发型，后来不知为什么被认定为"坏男人"的标志，在60年代以后的许多电影、电视剧里，汉奸、叛徒、流氓大都是这种"中分式"造型，毫无道理！……浓眉，却并非大眼，眼窝颇深，瞳仁油黑，略高的颧骨，强劲的咬筋，乌嘴唇（并非因为吸烟所致），一笑，露出的牙大而齐，厚而白……

……不可能是"恰巧长得一模一样"，世上绝无那样的巧合……那尖突的喉结，特别是，那偏偏长在喉结右侧的一块黑记，不大也不算小的黑记，边缘并不圆整的黑记……不知旁人看见作何感想，当年的她，是"爱屋及乌"地，专要去抚摸的！……

……而且他竟还穿着当年的服装，素白的衬衫，毛蓝布的长裤，式样古板的黑色皮凉鞋，腰上勒着半旧的褐色皮带，皮带头是最质朴的那种白铜框扣，余出的一截照例没有塞进裤子那头的皮带襻……如今谁还穿毛蓝布的衣裤呢？恐怕已无厂家生产了吧！那在四十年前，却是最普通而大方的一种衣料，艳蓝艳蓝的……

……那不能不是他——赵秉钧，一个径直跳过了四十年岁月，忽然与她迎面相遇的可爱的人！他衬衫的衣兜里，还插着那支老式的钢笔，那支她很熟悉的钢笔……

……当然不是幻觉，绝不是，因为，今天的赵秉钧，分明是那个古怪的配备粤语导游的旅行团的一个正式成员，因为他手里，拿着一顶旅行社统一赠给的遮阳帽，他与别的游客之不同，只不过他没把那遮阳帽戴在头上，而是拿在手里，一边听导游小姐介绍五龙亭，一边权当扇子轻轻地扇动着罢了……当导游小姐把那梁枋上的彩绘指给游客们看时，他也抬起头，微微旋动着，欣赏那超越时间而存在的文明结晶……

……他们曾一度对视，在她，是如雷击心……天哪！……他呢？现在细想起来，他心中肯定也一动，至少有个闷雷，隐隐响在他心灵深处吧？他的目光里，似飘出几丝疑惑：这女人怎么有点面熟？啊，啊，啊……那是必然的，只是有一点儿面熟……而已！因为这已是四十年后的她了啊！二十啷当岁的赵秉钧，怎么可能一下子认出年过花甲的秦娴珍呢？能在对视中产生几丝几缕的疑惑：倒像似曾相识的哪位……？这就很不简单！

……在她惊呆，尚未苏醒过来时，那一队游客，已被导游小姐引领着，穿过五座亭子，从最西边的浮翠亭里出去，登岸，去往更西边的"小西天"了……而在那队游客离开她倚柱坐栏的滋香亭时，他分明走在了后面，并在走到S形石堤时，还绝非无意地回头望了她一眼，仿佛仍在推敲：在哪儿见过？这老太婆是谁呢？！

……她不该就那么被惊雷钉住似的，在那滋香亭中待坐到天色晦暗吗？她应当义无反顾地追上那个旅游团，径直走到那二十出头的男子面前，直截了当地问他"贵姓"吗？……

一整夜里，像这样一些尚可用文字归纳的思绪，与根本不能用文字，并且在这个世界上尚根本无任何符号宣示的思绪，煎熬着秦娴珍，她那本已十分规律化的生活，与本已静如天池的心境，一下子全被搅乱、打破……

3

电话铃声把秦娴珍吓了一跳。

她本能地从床上跳下来，没接电话，去到窗前拉开窗帘，那猛然扑到她身上的阳光，还有扑进她眼里的熙来攘往的街景，以及扑进她耳里的嘈杂市声，更把她吓得不禁浑身一颤。

好几年了，她早晨总是在六点左右起床，起床后的第一件事，便是去拉开窗帘，正如她每晚十点半左右睡觉前，那一天中的最后一件事，便是拉拢全部窗帘一样。好几年了，她早起拉开窗帘，虽说四季各有不同色彩情调的晨景，但这些情形却总是相近的：天光总还晦暗或不及大亮，街上只有不多的行人、车辆，而市声也很轻微，或竟如同看无声电影般静谧……

电话铃声略停了几分钟，又响了起来，她从惊吓变成烦躁，走过去一把抓起耳机，本能地问："谁？！"

"我呀！……你怎么……病了吗？"

那是一个熟悉的声音，可不知为什么现在听到这声音却使她格外地厌烦。

"谁说我病了？！"她的声音传进她自己的耳朵，把她自己也吓了一跳。她的性格一贯温柔恬静，这几年她更简直不懂得何谓粗暴烦躁……

那边的听者显然惊奇得一时间语塞，嚅嗫了几秒，这才整理出一串整齐点的句子："……你今天怎么没来呢？……大伙儿都奇怪，不，都担心……别是病了……你现在怎么样？感觉怎么样？究竟哪儿不舒服？要不要上医院？……或者你遇上了什么事……要我帮忙吗？要，你发话，我这就去！……"

这声音现在不仅让她厌烦，而且简直让她恶心，她不假思索地说："我没病，也没什么事……请不要打搅我！我……我不过是想自己待着……想一个人自己……就这样，我要一个人坐坐！"

把电话撂下，她落坐在沙发上，用一只手托着腮帮，胳膊肘撑在沙发背上，望着对面窗边的一盆巴西木，那绿盈盈的长叶片，映进她眸子里，把一股清凉沁入她的心脾,她顿时清醒许多,理智起来。

来电话的,是"准将"。这是一位比她大五岁的离休干部。他们是在住地附近的绿地,晨练时结识的。那真是一片难得的绿地,不仅面积相当地大,而且颇具花木之盛,其间也包容着若干的活动区,每天早晨,以老年人为主的锻炼者,根据不同的爱好,分别占据不同的活动区,形成不同的晨练流派,基本上是两大流派,一派被戏称为"中餐派",大体是练太极拳、气功,另一派则相应被称为"西餐派",主要是跳交谊舞;刚形成晨练习惯的人,一般总要动摇于两派之间,而渐渐地,便确定下自己的取向,稳定地"吃"起一种"餐"来;据说这两派在晨练后所吃的早餐,也确实大体是:前一派吃油饼豆浆或稀饭馒头,佐以咸菜;而后一派讲究吃面包抹黄油果酱,喝牛奶,有的更加一只美式煎鸡蛋。秦娴珍是"西餐派"的元老之一,"准将"呢,他入派虽稍晚,但在这一派里,渐渐成为主心骨儿,这一年多来,大家跳舞时的伴奏音乐,都是由他从家里提来一架很不错的立体声放音机,而且他所选取的舞曲带子,基本上达到雅俗共赏,人们在他张罗下翩翩起舞,无不身心俱畅。不知从哪一天起,"准将"与秦娴珍结伴对跳的次数,渐渐多了起来,两人似乎也感觉到,唯有他们共舞,才如鱼游水中般自然欢愉。"西餐派"的成员多为离退休的机关干部与教师、工程技术人员,大家除了一起晨练,在聚散前后,既熟识了,自然不免也聊一聊,乃至于开开玩笑,有的更建立起晨练以外的来往关系。

"准将"的绰号,不知由谁带头叫起,被叫者既默认了,人们叫得更欢,许多人甚至不仅不知道他的真名,也懒得去弄清楚他的真名。为什么把他叫做"准将"?也闹不太清。一说是因为他在国家机关里的那个级别待遇,相当地高,"只比部队里的少将略低一点儿";另一说则是因为其人有个典型的"将军肚",曾有人叫他"将军",他摆手说:"那不行那不行!人家该说我假造军籍了!"于是改叫他"准将",中国人民解放军没准将这个衔儿,叫起他来就既传神又无副作用了……不管怎么说,"准将"人缘儿挺好,有时候一早下起小雨,不少人因此不去绿地了,可是那儿却六点二十分准时响起了舞曲的声音,结果引得"西餐派"的人们又纷纷去那里集结,在霏霏小雨中轻快地舞动起来……

"准将"是个鳏夫，秦娴珍是个寡妇，且都失偶八年以上，因此，"西餐派"里便出现了从开他们玩笑到认真给他们撮合的"多事者"，他们两个呢，虽都没有热络起来，却也发展到了互留电话号码的地步，说是"有事无妨联系"……

而直到这天以前，他们也并没怎么通过电话，更准确地说，是"准将"某日下午曾来过一个电话，内容是问她有没有看过一篇叫《秦可卿之死》的小说，她说看过，便进一步问她手边有没有，可不可以借他看看，答案也都是肯定的，第二天早晨去跳舞时，秦娴珍便将刊有那篇小说的杂志给他拿去了，也就是这样；除此以外并无另外的电话。记得过了几天，"准将"在晨练后还她杂志时，她问："你觉得怎么样？"那意思是问他，那篇小说企图补上《红楼梦》中因避"文字狱"而删去的有关秦可卿的文字，补得圆不圆，"准将"却笑着问："你是不是她那个秦家的传人啊？"当时她颇不快，但隐忍未发，扭过头且与别人说话，后来也就淡忘……

这天早上"准将"却来了电话，因她的缺席而担心她生了病或遇到什么为难之事……坐在沙发上回味，悟出那电话并不是"准将"回到家里打的，从与他的声音同时灌入话筒的杂音推测，他应是在绿地附近的公用电话打的电话……不管怎么说，人家是好心好意，怎么刚才那么粗暴地回答人家呢？……

可是秦娴珍到头来还是想起"准将"便无端地厌烦。

她猛地站起来，往卫生间去。一边挪动脚步，一边竟吐出了声来："……他凭什么来电话！他以为他是谁？！……"

4

在淋浴喷头温暖的水丝下，秦娴珍铭心刻骨地意识到，她昨天意外地遇上了赵秉钧，活生生的赵秉钧，四十年前的，却又分明存在于这四十年后的那个赵秉钧！

无可怀疑。眼见为实。

那可爱的人！那瘦而不弱、健而不粗的身板，那丰茂的头发，黑而不暗的皮肤，那深眼窝里的黑眸子，那微凸的颧骨，那一咬牙便跳动在两腭显得特别有男人味儿的粗筋，那有点发乌的嘴唇，那筋腱肌肉坚韧的脖颈，那尖突的喉结，那喉结边的一块黑记……

四十年前的那个初夏之夜，几乎就要一个细节一个细节地重现于眼前……

……忽然，秦娴珍在镜子里看见了自己，那可着实把她吓得差点滑倒在浴盆中！

本来卫生间的镜子很小，那是五年前，女儿还没到美国留学时，找人来改装成现在这样的——几乎占满一面墙，而且你站在浴盆里淋浴时，那就简直照出了你全身……

……头发被水淋湿，乱披着，显得格外稀疏，还且别说已白了小一半……那是谁的一张丑脸？难道那就是四十年前亲近过赵秉钧，并且被赵秉钧更热烈地亲近过的脸颊么？那轮廓线已然完全变形了吧？那些抹不平的皱纹，那些虽还淡淡，却挡不住越来越明显趋势的老年斑……可是，赵秉钧昨天确实在对视的刹那有过特殊的感应，并且在离开那滋香亭后确曾有过回顾……啊，眼睛！这眼睛基本上还是四十年前的眼睛！不要探究视力，不是那个问题，不是！看！看！这眼里，还有那种光芒！……

这卫生间的镜子虽改装得如此之大，回想起来，在这天早晨之前，秦娴珍竟从未如此地利用过它，尤其是淋浴的时候，又尤其是如此细致地检视自己的全身……

……秦娴珍惊讶地发现，她的胴体，竟还并未完全松弛变形，该紧凑的地方，居然还都基本富于弹性……而她全身的皮肤，也还相当白皙，该红润的地方，也都颇呈健康的玫瑰色……

她不记得自己是如何离开卫生间的……坐到梳妆台前时，她愣愣地望着自己那显得既陌生又可怕的面容……

一种钻心的耻感，涌上她的心头，并渐渐充塞于她整个胸腔……

……都多大年纪了！抱外孙子了！却居然会忽然……

她一把将梳妆台上的一个镜框按倒，扣在桌面上。那里镶着女儿从美国寄回的照片，上面是女儿女婿与小外孙。他们看到我的无耻表现了吗？她瑟瑟地发起抖来。

……用梳子梳理头发时，她理智起来。她皱眉寻思，我更年期都过了呀，怎么会呢？这是病吧？什么病呢？生理的？心理的？……

可是她不愿诅咒昨天的奇遇。一想起那活生生的赵秉钧，那二十啷当岁，却显得很老成的赵秉钧，她的心里便仿佛有电流通过，使她在生命力的抖擞中获得极大的快感……

会是幻觉吗？其实已自问过多次，再在心里大声地问，轰隆隆像打雷般地再郑重自问，却只能是一个答案，一个越来越坚定的答案——那绝不是幻觉，不是不是不是！

会是一个根本不姓赵，仅仅是偶然地与四十年前的那个赵秉钧极为相像的当代青年？或许……不不不不！那喉结边的黑记怎么解释？那毛蓝布裤呢？起码有二十年没这种布上市了！

……可是最令她自己惊讶的是，这场奇怪的相逢，所掀起的，不仅有强烈的感情浪涛，竟还有酽酽的这种欲望的蠢动！

……把一切都搞乱了！

天啊！

5

下午，天气同昨天一样地好，而且有轻柔的风，拂动着行道树的树冠，树上的绿色，便不断地变换着深浅。

秦娴珍穿过绿地，去搭乘公共汽车，在绿地边上，迎面遇上了"准将"。

"准将"其实早已埋伏在那里，而且，这之前，根本就在秦娴珍所住的那幢楼下，踱蹀良久，因此，当他看见秦娴珍终于露面，按捺不住"如获至宝"的心情，立马逼上去，喘咻咻地说："秦女士！你好哇！……你气色看上去很好啊！你哪儿有病啊！你很好很好嘛！"

"准将"本来准备了许多言辞，不仅得体，而且"艺术"，一时却不知怎么都随风而去，嘴里进出来的，竟如此地不伦不类。实在也是因为秦娴珍呈现了他眼前的形象，令他必须刮目而视，伊不仅不像他所揣想的那样，一副憔悴的病容，而且更比每日来绿地晨练时，还要精神抖擞，又哪里只是神清气旺，那红润的面容，放光的眸子，橘瓣般鲜灵的嘴唇，乃至于短袖衫外所露出的丰满圆紧的手臂，都令他眼亮的同时，如有一把尖锐的锥子，甜蜜而酸楚地扎进了他的心窝。刹那间，他充分地意识到自己对这个女人，已绝非一般地"关怀"，甚至也不是一般地"感兴趣"……

秦娴珍被"准将"截住，如临秽池，大败兴，愠怒于胸，却碍于在这远近皆有人的公共场所，不好发作，便本能地后退一步，敷衍说："……是呀，我挺好的……我去办点事……"她在对"准将"的一瞥中，颇自惊讶：以往怎么那么喜欢跟这么个男人跳舞？"准将"人不坏，也不算丑，可是他那并不魁梧的身躯上，却凸现着那么明显的一个"将军肚"，什么"将军肚"！"准将"有一回自己披露，一餐饭之前，能独自喝掉两瓶啤酒！那分明只是个"啤酒肚"，亦即"酒囊"，与任何令人联想到帅气的事物都没有关系……午后的阳光，把"准将"的不雅之处，不仅是那"啤酒肚"，还有不整齐的牙齿，左耳边一个长着好长一根黑毛的鼓痣……都格外地强调了出来，惹得秦娴珍头一回在心里给自己猛敲警钟：跟这个人可不能建立任何超过"晨练一派"的关系，甚至今后晨练时，也不必再跟他共舞……这个人浑身上下，仿佛泛出来一股馊咸菜的气味！

秦娴珍朝公共汽车站走，"准将"居然也随她往那儿移动，并且还喋喋不休地说："……是呀，多出来活动活动是对的，像咱们这种情况，一个人，儿女又不在身边，连孙子辈也不是随时能抱着逗着玩的……总待在屋子里，尤其是这钢筋混凝土的楼房，扁盒子似的，没病也捂病了……生理上的病痛倒也罢了，最不能让它发生的，是心理上的病症！我一个战友，从地质部退休的……原来什么病也没有，就是因为离休后总不愿下楼，老猫在楼里头，嘿，你猜怎么着？……"

秦娴珍当然不要猜，她昂着头，已走拢了汽车站。

"准将"居然也跟她停在了站前，她厌烦透顶，可也不能让他走开。也许"准将"

确实也要搭这趟车去什么地方呢……

一片云遮住了太阳，天光晦暗下去，吹过来的风，带有几分湿气。

"带伞了吗？这种天气，说不定的……"

"准将"这就太过分了！你是我什么人？用得着你管这个？秦娴珍只不理他。

汽车来了，秦娴珍上车时，很怕"准将"也跟上来，但汽车关门开动后，她发现"准将"并没有上来，还站在那站牌下，一脸的怅惘。

秦娴珍转过身子，把背朝向那远去的站牌。

6

北海公园北岸照例比较清静，秦娴珍沿着湖栏朝五龙亭走去。

湖水在小风中抖着不断向前推进的皱折，岸边柳丝全朝一个方向飘动，仿佛都想抓住某个无形的东西，几只灰喜鹊不知为什么逆风而飞，喳喳地叫着……

秦娴珍在一株倾斜的古柳下停住脚，倚栏远眺。

对岸的白塔山，显得熟悉而又陌生。

这是什么地方？现在是什么时候？我想做什么？要什么？

秦娴珍晃晃头发，她想让自己清醒。

她其实并没有坠入白日梦的渊薮。她对再次遇到赵秉钧不抱幻想。尤其在五龙亭那个地方。四十年前他们一起来过北海吗？当然！但她怎么也回忆不起他们一起在五龙亭消磨的情景，甚至于，当年他们根本就没上过五龙亭……

但那个回忆是极浓烈的：也是倚栏，不是这个位置，是在进北门后，往南去，也就是东岸起始的那一段，有一排高高的白杨树的地方，那个湖边的铁栏，她先倚着，扭头望白塔山，也就是琼岛，他呢，跟上去，离她一米远，也倚着，也望白塔山，她向他指点了什么，究竟是什么，忘了，这不要紧，应该忘，就像画一幅画，有的地方，你一定要"留白"一样，唯其删去了那不要紧的，主要的，不该忘的，才会凸现出来……

他就靠拢她，来望她指点的东西，忽然一下他靠她靠得是那样的紧，她倏地感觉到了他的体温，他的体臭，他那绷紧的肌肉，他那急促的脉搏，他的鼻息和他口里的吐气……哎，那是多么天旋地转的一刹！作为一个心性初熟的女儿，她触到了男人的"电"，电得她好酥，好麻，好痛，好醉……

……她放纵地回忆着。她为什么不尽兴地回忆？特别是，她现在已守寡八年多……

但内心里，还是拱出一种锐利的罪恶感。因为，当她回忆赵秉钧时，总有另一个男人的面影身形，浮出来打岔。那是她死去的丈夫。

婚前，确定关系后，丈夫与她，有一天互相"拷问"，互相"坦白"，也终于互相"赦免"……那一回，她说出了赵秉钧的名字，她承认，如果赵秉钧还在，她也许就会嫁给姓赵的；当问及："你们到了什么程度？"她坦然地说："相当亲密的程度！不过，没犯错误！"那个时代，婚前性行为，绝对是个错误，甚至会被认为是个大错误。"半斤对八两"，丈夫也曾有过恋爱史，自己招供："到了犯错误的边缘！"……他们婚后的生活，是平静的，感情上没有过大的裂痕，性生活也基本正常，他得肺癌而逝，她的悲痛，起码浓酽了三年……那为什么现在会产生罪恶感？

都是因为，昨天忽然遇上了赵秉钧，四十年前的赵秉钧，活生生的，实实在在的……

于是乎四十年前和赵秉钧的种种情事，平川放马般奔腾于心头……

……在昏暗的屋子里，他们忘记了窗门外随时可能侵入的干预，紧紧地、恨不能肉儿心肝揉成一团地拥抱……她解开他衬衣的纽扣，是的，是她先解开了他的……他的胸膛并不宽厚，然而没有一点多余的脂肪……他的喉结，喉结边的黑记，她闭着眼也能准确地把指头贴上去，滑动……

在丈夫去世八年多以后，在自己已然成为一个老太婆时，因为昨天五龙亭的邂逅，她这才忽然感到痛惜与怅惘：她与丈夫之间，竟从未有过那样的狂热……他们的性生活，中规中矩，绝对地道德，绝对地"正常"……不说丈夫方面，且问自己：你是怎么了？谁遏制了你的激情？即便有那遏制，自己家里，合法夫妻，为什么要像解代数题似的，那么样地理智与机械？……

湖水陡地剧烈掀动，一只汽艇，挟带着马达的噪音，冲过来，又画个弧线，在浪上飞走，把秦娴珍的思绪，顿然撕碎。

秦娴珍离开湖栏，朝五龙亭走去。为什么还去五龙亭？非去五龙亭？她并不企望什么，但她要去，不能不去。

7

世上的事，你越抱期望，便越不会迎面而来，你完全不再指望，却反会忽然降临于前。

秦娴珍刚走拢五龙亭，尚未过桥登亭，滋香亭上一个倚柱而立的男子，那侧面的剪影，便把她的心一剪子剪破了！

那分明是赵秉钧！分明是！无须再看清其眉眼！

四十年前，多少次，他在约定的地方等她，她还离他有相当一段距离，便总能看到他这样的一个剪影。他为什么总要倚住个什么东西呢？有时是一棵树，有时是站牌，有时是电线杆，有时候是亭柱——虽然不记得他倚没倚过这滋香亭的红柱……他倚着的姿态，很特别，让你望去，不是感觉到他很疲惫，很无力，很无聊，而是很精神，很帅气，很潇洒，就仿佛不是那物体在支撑他的重量，倒是他在给那所倚的物体"充气"似的！他的双臂，这时往往合抱胸前，一只腿前伸，一只腿往后，用鞋底蹬着背后的物体……

秦娴珍毫不犹豫地朝赵秉钧走去，她全身躯内的血，倒海翻江般地澎湃着，一刹那，她的视野里整个儿是一片殷红，但那心爱的人儿的剪影，却在殷红的背景上，凸现为边缘齐整的浓黑……

及至秦娴珍走进滋香亭，走到离赵秉钧三米来远的地方，她眼里的殷红才开始消褪，而对方的影像，也才由黑色的剪影，变化为具体的面目……

　　她在离对方约两米处站定。她发现对方也在注意地看她。

　　在对视中，秦娴珍的视觉恢复为平常的最佳状态。

　　她吃惊。那当然绝不是另一个人。喉结边那黑记，衬衫兜里插的老式钢笔，还有那毛蓝布的长裤……不会错，当然是他！……可是，今天所见的他，却又与昨天的他有明显的不同——不是四十年前，二十啷当岁的样子，倒像是四十来岁的模样，特别是，鼻下腮边，胡子拉碴的，还有眼角边，略有纹路……是的，她并未见到过四十来岁的他，梦里都总是二十啷当岁的样子，可现在面对着这个四十来岁的男子，她的心不需要跟任何人讨论，尤其不需要跟自己讨论，便可明白无误地确定：赵秉钧活到四十来岁，一定是这个样子，一定！可她吃惊，她惶惑不解：为什么昨天还是二十啷当岁，今天就四十出头了？！

　　但她不退缩，她往前移，那是很奇怪的，她移动到差不多距他一米五的地方，就再移动不了，那感觉，就仿佛有一堵透明的，看不见的，却很坚韧的墙，隔在他们之间，她再往前移，那墙便将她柔软而坚定地顶回来……

　　她直视着那熟悉的眸子，勇敢地问："你是谁？你姓赵吗？"

　　对方眉头微微动弹，那眼光，似乎很缺乏信任。

　　她平了平气，换了一种口吻："对不起……请问您贵姓？"

　　对方回应她："你是哪位呢？"

　　她吓了一大跳。首先是那声音。那当然是他的声音，不可能是另一个生命的声音！可瞬别四十年后，这声音响在她耳边时，却是如此地无情！

　　她的心，生痛生痛。她顿悟：即使所面对的是四十岁的赵秉钧，她现在，已逾花甲，仍比所面对的人，老上二十多岁！那双四十年前熟悉她的眼睛，怎能相信面前真是秦娴珍呢？

　　这五龙亭中的赵秉钧，或许在等一个四十年前的秦娴珍，她与那个鲜花初绽的秦娴珍，是一个人吗？在生命的变化嬗递中，且不说内心、灵魂，她那躯壳、相貌，与四十年前，恐怕是顶多只剩几丝几缕的相似之处罢了……

　　纵使她用语言令他信服了，她确实就是秦娴珍，又怎么样呢？他能爱这样的一个老太婆吗？又为什么要逼他来爱这样的一个老太婆呢？……而她，究竟想达到什么目的呢？能两次这样地与他邂逅，不已非常幸福了吗？难道，她还能与他，重续前缘吗？……

秦娴珍在回到理智的控制中后，转身，离去，走开了十来步，她又扭回头，下死眼，望了望赵秉钧。

那被他认定为赵秉钧的男子，倚柱的姿势没有大变，双眼也坦然地与她对视，但脸，呈现出明显的疑惑而朝否定倾斜的表情……

秦娴珍在心中不断地对自己说："我满足，我幸福，足够了，可以了……"

她再不回头，离五龙亭而去。

8

"姑妈！"

秦娴珍还没走上自己住的那一层，随着一声尖叫，一阵风，一团鲜艳的活物便从楼梯上扑向了她，由不得她抗拒，转瞬将她紧紧拥抱，而且不仅是拥抱，由不得她厌恶，还在她脸颊上，狠狠地一啄。

"姑妈呀！你要再不回来，我可就要动手撬门了啊！"

秦娴珍回过神来，首先是极大的不快。

她没想到荒荒偏在这个时候跑来。

"咦，姑妈，你不高兴？你不是说过，你的这扇门，随时会为我打开，这屋子里，永远会有我舒适的小床……还有冰箱里的东西，永远等着我来吃光……的吗？"

荒荒说这些话的时候，是站在开房门的她身后，不管她愿意不愿意，把双臂从她肩上环到她脖颈，不仅照例是撒娇的口气，还轮流顿着双脚。

秦娴珍打开门，重重地叹了口气。

……荒荒不是把自己的旅行包提进去，而是面向门外，弯下腰，屁股撅得高高的，嘴里呜呜叫着，倒退着把那旅行包拖了进去。这当然不是因为她的旅行包特别重，这是她固有的一种做派。

秦娴珍原来对荒荒的这类做派，虽然不以为然，却也无大鄙夷。这并非秦娴珍保守，不能欣赏年轻一代的浪漫潇洒。要知道这位侄女儿如今已经四十岁，应该不再算是个青年人，可荒荒似乎完全忘记了自己的年龄，你看她出差来北京的这身打扮，问题不在潮不潮上，问题是你这么个四十岁的人，怎么可以穿戴得跟十四岁的小姑娘一样？上身的紧短衫，开个"蝴蝶领"，下面的超短裙，短也罢了，却是杏黄色的，打些个"公主褶"……而从珠贝色宽发箍下泄出的一头长发，还有说话的哆劲儿，肢体语言的动画式夸张，实在更像个七岁的儿童……

荒荒在屋里还没站稳，已经打起了电话。

"……大作家在吗？……哈！又听不出我的声音了吗？……想想，想想！……呀，我是荒荒呀！……唐荒荒！对对对对对！偏偏我荒荒姓唐，荒荒唐，唐荒荒，更向荒唐演大荒！……想起来了想起来了……你再想不起来，我可就……可就，要么自杀，要么杀人了！哈哈哈哈……我怎么敢杀你呢？我是来朝拜你的呀！说吧，我什么时候去府上合适？……那当然，谁不知道大作家忙呢？忙中还要偷闲嘛，偷点闲接见接见崇拜者嘛！你自己偷不出来，我帮你偷嘛……是呀是呀你说得对，我一来北京，可就讹上你了，不见真佛面，我势不回还！"

秦娴珍沏好两杯茶，且坐在沙发上歇歇；荒荒的飘然而至，把她原有思绪，搅得混沌，现在她望着荒荒，厌恶渐渐衍化为容纳，她恍恍惚惚地感到，荒荒这一搅倒让她精神松快多了……荒荒又来北京约稿，又首先去纠缠那位著名作家，这景象，使秦娴珍感到，在她的隐秘的感情世界以外，还有广博而复杂的社会生活存在，而且，你听荒荒那些荒唐已极的话语，显然，在荒荒的灵魂里，涌动着比自己更难以理喻的情愫……

荒荒"有志者事竟成"，居然促使那位名作家跟她约定了第二天见面的时间。

"荒荒，来，别疯疯癫癫的了！先喝杯茶！"秦娴珍招呼着。

荒荒撂下电话，往沙发边来，但她路过秦娴珍的梳妆台时，照例双眼乱晃的她，那眼光就像两根针，一下子扎定在梳妆台上的一张旧照片上，而且，她的手，也便像一只钳子，极为迅捷地钳起了那张旧照片，并且，她的嘟噜嘴，马上吹号般嚷了起来："姑妈！这是什么照片呀！哈！怎么就一个女的呀！这女的是你吧！怎么穿得这么老气呀！头上戴的这是什么帽子？就是所谓的八角帽吧！……哪个是姑父？怎么哪个都不像他？……"

那是一早秦娴珍从箱子底儿翻出来的，仅有的一张有赵秉钧形象的旧照片，不是他们两个人拍的，他们两人从未拍过那样的照片，赵秉钧也没送过她自己的单人照，这张珍贵的旧照片，是当年他们科里的青年团支部，欢送一位团员参军奔赴朝鲜前线的合影……秦娴珍怎能预见到荒荒的突然到来？所以她出门时，就没有把那张照片收起来……

秦娴珍一见荒荒发现了照片，并抓在手里推敲起来，便不由得起身去阻止，因为起身很急，腿脚碰了茶几，一杯茶歪倒，发出锐响；她几步抢到荒荒面前，伸手夺那张照片，嘴里吼道："放下！给我！胡闹！不许！"荒荒闪身躲着，乐不可支，又双脚连蹦，尖叫起来："秘密！一定有秘密！哈！姑妈！要么跟我交代！要么拿宝贝来赎！"

"荒荒！！！"秦娴珍双拳紧握，紧贴胸前，双眼圆睁，拼力大吼。

荒荒慌了，忙将手中照片放回梳妆台。她毕竟并不是四岁十四岁而是四十岁，她马上用手扶住秦娴珍肩膀，一叠声地说："啊姑妈我不对我错了我抱歉我非常非常对不起……真的我完全没想到会惹得您这么生气……我实在是无意的我只不过想开个玩笑……我知道即使住在姑妈家也不应该这么随便这么放肆……啊姑妈你要原谅我原谅我……要不我难为情死了我无地自容了活不下去了……我跟您保证我再也不了真的真的真的……"

秦娴珍身体由强直而渐软。她有点后悔。

姑侄二人都非常尴尬。

9

荒荒又给另一位新近走红的作家打了电话，照例是用十四岁中学生对崇拜者的口吻，这回更立见奇效，那文坛新星约她一小时后见面。她像小姑娘得到糖果般地双脚蹦了起来。

荒荒临出门前亲热地拥抱了秦娴珍，还照例尖起嘴唇啄了她脸颊一下，双眼一副"姑妈我错了我再不敢了"的表情……

荒荒走后，秦娴珍坐到梳妆台前的圆凳上，拿起那张旧照片，端详着。她很后悔在荒荒面前的失态。其实她完全可以非常轻巧地掩饰过去，而不至于让貌似十四岁心已四十岁的荒荒将她的私秘掳获。

……赵秉钧站在照片后排最左侧，一副漫不经心的样子……秦娴珍用放大镜对准照片上的他，虽然所放大出来的是一个极粗糙的形象，她的心还是忍不住又狂跳起来……

电话铃响，把秦娴珍吓了一跳。她偏头望着放电话的小杌子，发愣。电话固执地一遍遍响着。秦娴珍意识里出现了"准将"，她皱眉，心里很是厌烦。

但她终于还是过去接了那电话。

是一位她的熟人，给她介绍到一所社会大学去教课的，现在通知她一切都联系好了，请她明天去那所社会大学见教务长……那本是她一直在等的消息，可是，现在她听来却似乎是一桩跟自己毫无关系的事……当然，她掩饰住了内心的冷漠，表示很高兴，向介绍者致谢，并且把那教务长名字的写法问得很清楚，拿笔记在纸片上……

放下电话，她坐到沙发上，双手伸到脑后拢着头发，她心中涌现出一种感觉，就是对自己感到惊异。整理完头发，她就势歪在沙发上，甩掉拖鞋，枕着沙发背。她沉思起来。

自从退休以后，尤其是女儿出国以后，她一个人生活，常常由两种情绪支配着她的行为，一种是"彻底解放"的痛快感，她终于不用为他人负责，不被他人牵扯，可以自由自在地生活了！另一种是失落感，就是说，虽然她有充分的自由，可她该怎样享用这份自由呢？她给自己安排了一套作息时间，包括每天清晨去绿地跳四十五分钟交谊舞，每天临睡前读两三页英文专业书，等等，可是，现在扪心自问：晨练的目的究竟何在？为了健康长寿？而长寿于她的终极意义又是什么？如此刻板地生存下去，多十年，少八年，又有何本质的区别？至于晚读，为什么非读英文专业书？为了"不丢掉专长"？可她的这种专长其实社会需求量并不大，而且，有一回，一个从大学刚毕业的女青年，当着她的面，竟然说：老的退了就该真退，不要再总想"重返岗位"——你们总不丢掉该丢的东西，我们年轻人连人带才，可往哪儿放？！……是的是的，她渴望"发挥余热"，像到社会大学去教点课，那可以使她不至于空虚、无聊……但这两天，由于与赵秉钧的奇逢，她憬悟：除了社会层面、功利层面、价值层面、心理层面、感情层面……的存在而外，她这一独特的个体生命，竟还有潜欲层面的涌动，她不知道与她同龄的妇女，特别是所置身的人文环境大体相近的职业妇女，其中是否也有人身怀与她相同的"难言之隐"？而这种潜欲，令她兴奋，又令她羞愧；予她甜蜜，又赐她痛苦；是一种幸福，却也似一桩罪恶……

……后来她的意识又超出理智，变得混沌，并且又逸出语言思维，呈现为非文字符码所能示意的浊流……她并没有睡去，但她侧躺在沙发上，一动不动，渐渐地，夕阳斜射进来，把殷红却无力的光束，铺到她的腰际……

很久之后，忽然她感到有一个声音响在耳畔："你是哪位呢？"

她一个惊悚，坐了起来。

10

天黑净了以后荒荒才回来，进门就兴奋地说："哎呀哎呀……姑妈你猜我今天晚上吃的什么？你猜你猜你猜嘛……"

"吃的人参果吧？"秦娴珍淡淡地回应着。她自己吃的康师傅方便面，吃完收拾了一下屋子,把旧照片收藏起来,把翻倒的女儿女婿"一加一等于三"的照片重新摆正……然后她冲了个淋浴,坐在沙发上,心猿意马地面对着打开的电视机。

"呀……天才就是天才,就是跟一般俗人不一样!你猜我去他那儿的时候,他在干什么?……当然当然,他在写一本新的小说,那是不消说的……可他那个屋子里,弥漫着一股打死你你也猜不出来的气味……唔,好闻,真好闻!可是,好闻得奇怪!你猜是什么气味?告诉你你也得发愣……闻见过煮牛肉的味道吧?那有什么稀奇?好,不稀奇!闻见过啤酒的气味吧?更不稀奇,对不?好,现在请你想象一下:用啤酒煮牛肉,对,用纯粹的啤酒,热腾腾地,煮大块的牛肉,那该是多奇妙的气味啊!……"

荒荒说着这些话时,早已落座在沙发上,并且挤到秦娴珍身边,不仅说着说着就用双臂去环绕秦娴珍的脖颈,还把自己的胸脯挺起来,让秦娴珍闻:"感觉出来了吗?啤酒煮牛肉的奇妙味道!你深呼吸一下!深呼吸呀!"

荒荒身上确实有一股奇怪的味道,可是既不能让人联想起牛肉,也不能让人联想起啤酒。

秦娴珍费力地从荒荒的纠缠中退出身子,挪开她一尺远,叹口气,问她:"志华怎么样?康康呢?"

志华是荒荒的丈夫,康康是他们的儿子——已经十岁了。

"都好都好……他们都让我问姑婆好……"荒荒条件反射地回答着,但其精神仍在为与文坛新星共食啤酒煮牛肉而亢奋不已。

那文坛新星已成家,但借了一个地方炮制他的新作,荒荒正是到那隐居地见的他,因为进入了别人难以踏入的"星际",并有共食啤酒煮牛肉之荣,又得到新星把下一部大作交她责编的允诺,所以她得大趣味、大欢喜!秦娴珍深知,她这个四十岁却作十四岁打扮的侄女儿,确实是个好编辑,而且并无抛夫弃子,"抱琵琶另上别船"那一类的想法,她就是崇拜名人,因崇拜而热衷于联系名人、接近名人、腻咕名人……在她来说,人生的最大快乐,莫过于昨天跟某个名流单独合了一个影,今天跟一颗耀眼的新星同吃了一锅别开生面的啤酒煮牛肉……

　　这时电视上，恰好开始播出一个专题节目，所请的嘉宾，恰好就是荒荒刚见过的那位亮星，荒荒一见，马上尖叫一声，让秦娴珍全身一麻；荒荒又跑去拨电话，刚接通，就惊惊咋咋、喋喋不休地说："……正看电视吧？什么？没？啊呀你呀你呀你呀！电视上正有你啦！你老先生正跟电视上大放光芒啦！快快快快！快把电视打开！什么？你懒得看？那天你还懒得去录？呀呀呀呀……要是我，巴不得呢！想去还去不成呢！你呀你呀你呀……哎哎哎，你告诉我，出名什么滋味儿？你当面说过了？再说再说重说重说……我在我姑妈这儿哩，当然啦，又是一个你的崇拜者！天下谁人不识君！现在电视上，好大一个大特写，当然是你啦！你在说什么？我是说你在电视上说什么呢？……呀呀呀呀我好荣幸好幸福好得意好好玩儿！人家顶多是从电视上听你说话，我现在可是又听你电视里的又听你电话里的！嘻嘻嘻……什么？！讨厌？我讨厌？啊吆吆……我能让你讨厌，天下有几个人能像我这么样，又跟你一块儿吃啤酒煮牛肉，又看着你在电视里当嘉宾，又打电话招得你讨厌呢？独一份了不是？……有什么事？你忙？啊啊啊你可伤我心了！哈，我让你给弄得伤心了！天下有几个人能像我这么伤心呢？连我姑妈都羡慕我了！呀呀呀呀你听我说听我再说……"

　　秦娴珍听得实在无法忍耐，要不是那边人家挂了电话，还不知道荒荒接下去还有多少荒唐话。荒荒无奈地搁下电话，秦娴珍愠怒地对她说："我看你是得病了！病得不轻！崇拜这么一个青年作家，值得吗？！而且，你崇拜你就一个人崇拜去，把我拉扯上，算怎么一回事儿？！岂有此理！"

　　荒荒竟未料到，姑妈有这样一种反应。她是真心实意地以为，世上所有的人，都该来崇拜这些名流名人明星大腕的……她把头一甩，撒娇地嚷："姑妈！你怎么赖账！你明明说过，他小说写得好漂亮！"

　　荒荒上次来北京组稿时，曾向秦娴珍推荐过这位才子的小说集，秦娴珍看过其中一篇，确实赞扬过几句，但这同荒荒的无条件崇拜，根本是两回事嘛！

　　荒荒又拨电话，这回是拨给她明天将去拜访的那位大作家，所谓大作家，在秦娴珍看来，不过是出名早点，年纪也较大罢了，可在荒荒心目当中，那"啊呀呀"

的程度，简直要把她的心弦儿绷断！

不知是大作家真不在家还是托辞不接她的电话，并且显然大作家家里人对荒荒极其冷淡，可荒荒自有其崇拜有术的一面，她却嗲声嗲气地快快活活地说："……您就跟他说有个唐荒要跟他联系，紧急的事儿，他回来，请他赶紧来个电话，号码是……"

秦娴珍生大气了，不等荒荒搁好电话，她就厉声地说："岂有此理！你怎么把我的电话号码随便告诉别人？你取得我同意了吗？"

荒荒不理解姑妈今天是怎么了，其实她以前下榻秦娴珍这里时，就请人家给她往这儿打过电话，只不过那时秦娴珍根本没在意罢了……

荒荒坐回沙发看电视，那位新星作为特约佳宾的专题节目还没完；她眼睛盯着荧屏，嘴里却满不在乎地应答着秦娴珍："姑妈你也不想想，有大作家拨您的电话号码，这样的美事儿，别人想还想不来呢！"

秦娴珍怒气冲天，劈裂的嗓音让荒荒和她自己都吓了一跳："胡说八道！我一点不稀罕！跟你说，不许你那些个乱七八糟的什么作家往我这儿挂电话！你以后也别再在我这儿给他们挂电话，我讨厌讨厌讨厌！你听清了吗？我讨厌！讨厌他们！也讨厌你！"

秦娴珍并且拿起遥控器，狠狠地一接键，关闭了电视。

荒荒这才进入情况，这在她来说是不可思议的，是亵渎神圣，是愚昧野蛮，犹如向她心口，狠扎了一刀，她双拳紧握，双脚乱蹬，尖叫一声，圆睁双眼，瞪着秦娴珍，秦娴珍便回报以更恶毒的瞪视，于是，荒荒愤懑而委屈地呜咽起来，由呜咽而又哭出声，哭着，便又冲进安顿她的那间屋子，把已然取出的一些衣物，往拉开拉链的旅行包里扔，凄厉地宣布："好好好我走我走我这就走……"

"走就走！你走又怎么样？走了就再不要来！"

秦娴珍冲到屋门边，恶狠狠地说。

"你有病！"荒荒反从浑噩中捞起了几缕理智，她瞪着秦娴珍说："你才有病！你真病了！……你赶我走！你竟然让我滚！……"

"谁说让你滚了？你为什么诬赖我？我说了'滚'吗？"

"你就是那个意思！你还赖账！"

"你少胡说！"

"那你要我说什么？！"

……

这么你来我去地又吵了十几句，两个人都忽然感到疲惫，都感到发懵。

电话铃锐响，一声接一声。

她们停战，一时都木雕泥塑般定在了那里。

11

月光像雾，迷迷蒙蒙地弥散进窗户。每夜秦娴珍都要关拢窗帘，关得严严地，才能入睡，可是这一夜她没有拉上窗帘，便胡乱地躺到了床上，晚上与侄女儿荒荒的冲突，使她深受刺激，虽躺下很久了，却怎么也不能入睡。当然，也还有更深层的缘由。

荒荒到头来并没有走。她在另一间屋里，横陈在床，也翻来覆去地睡不着。

这一夜很静。不知为什么，那些只有夜晚才许通行的载重汽车，这晚少有地没从楼下的马路上驶过，只偶尔有几辆拉砖的马车，悠悠闲闲地从远处而来，又从从容容地朝远处而去，那得得的马蹄声，清脆可闻，却不但没冲破夜的恬静，反倒使那份静寂立体化了，变为似乎可触摸可咀嚼的东西了……

荒荒从床上起来，轻轻走到秦娴珍卧房门口，倚门朝秦娴珍的床铺望去。

荒荒轻声地问："姑妈，你也睡不着吗？"

秦娴珍叹了口气："是呀。你进来吧！"

荒荒就走到秦娴珍床前。她没按秦娴珍的手势坐到床边的椅子上，而是爽性坐到了床边的地毯上。秦娴珍也就没有坐起来，只略略往枕头的方向移了移身子。

荒荒说："姑妈，真的真的对不起……"

秦娴珍说："算了算了……如果再说这个，你不如回去睡。"

荒荒就一时不再说什么。月光下，她低着头，长发披肩，一袭白色的睡裙，胸部以上全裸，只用细细的吊带吊在肩上，这时的她，才显现出四十岁的本色。

良久，荒荒说："姑妈，我心里难过……真的，非常非常难过……"

秦娴珍问她："难过什么呢？为什么？为谁？"

荒荒只是低着头："不知道……单知道为我自己，为我自己难过……"

两个人半晌没再说话。

又有拉车的马从楼下过，嘚嘚的马蹄声，碎进窗户。

秦娴珍说："荒荒，你究竟怎么回事，我真的不明白，你对北京的这么几个名人，崇拜得失魂落魄的，在他们面前，连一点人格尊严都没有了……你的价值标准，实在离奇！依我看，志华其实比这些个作家，更了不起……你让我想起了契诃夫的小说，那一篇，《跳来跳去的女人》，你还记得吗？小说里头那个女主角，她成天也是崇拜、迷恋名流，作家、艺术家什么的……后来，她丈夫死了，我还记得小说里她那个丈夫的名字，叫戴莫夫，那个戴莫夫死了，直到这个时候，她才稍稍明白了一点点，就是，把那些所谓的天才艺术家们，绑起来，撮堆儿算，也都不值戴莫夫的价值，戴莫夫才是一个了不起的人，一个医学家，一个大写的人……你看，契诃夫早写过了，写的就是你呀！你守着个志华，一个博士，一个在材料力学方面很有造诣的学者……可是你却把他视若粪土，反而去崇拜几个码字儿的人物，你这不是一个 90 年代的，完全国货的，跳来跳去的女人吗？……"

荒荒的下巴抵着胸口。她静静地听，等秦娴珍说完，才抬起头，沉思地说："……我就那么没有新意吗？……是的，志华在他的专业上是有一套，在他们那个专业圈子里，也算得上个人物，可搁到社会上呢？谁知道他是谁？别说不知道他的名儿，就是他搞的那一行，什么刚体材料的疲劳，他研究的还不是所有的刚体，而且也不是所有的疲劳……鬼才知道他们在研究些什么，有多大的用处……没有名，也没有利呀，他那儿一个月发下的钱，还没我从出版社拿的多！……跳来跳去，哼，我是跳来跳去的吗？说真的我也不知道究竟是怎么一回事，我真是崇拜这些名作家，一跟他们接触，我就仿佛置身在另一个世界，一个非世俗的精神花园里面……"

"真的仅仅停留在精神上吗？"

"您什么意思？"

"你跟他们，没别人在跟前的时候……没有身体接触？……没接过吻？……"

"一句话告诉你，没上过床！……可是，爽性说清楚，难得，难得我们之间，像今天这么开诚布公……如果，如果他……要我，那我是乐于当他情妇的！"

"他？那个请你吃啤酒煮牛肉的人？那个塌鼻子、矮胖子？"

"您懂得什么是男人的性感吗？你们那个时代，只有政治婚姻、经济婚姻、业务婚姻、为民族生产下一代的婚姻……"

"不尽然！我怎么就不能体会男人的性感？"

"真的？"

忽然都沉默了。

"姑妈，我想抽烟！"

"我哪儿来的烟！"

"我有，我去拿。"

荒荒取烟的空当里，秦娴珍闭着眼，眼里一片殷红的背景上，凸现着赵秉钧的剪影，那剪影迅即衍化为倚柱而立的鲜活可触的赵秉钧……充满性感的赵秉钧，甚至那尖尖的喉结，喉结边的那块黑记……

一股烟味袭进了秦娴珍的鼻孔。她张开眼，对荒荒说："你会引起火灾。"

荒荒仍坐在地毯上，手里夹着细长的凉烟，告诉她："我拿了个果盘来当烟碟。"

荒荒抽了两口烟，说："姑妈，我明白了，谁也别把谁看瘪了……你别把我看成个跳来跳去的女人，我也别把您看成个不懂得男人性感的老古板……今天恰巧让我逮住的那张旧照片，唔，我明白……那回忆里头，初恋吧，也一定不止是精神的东西，一定也有肉欲的东西……有男人的性感，性感的男人……奇怪的只是：您可都……这么个岁数了啊！"

"给我！"

"什么？"

"给我抽一口！"

荒荒把烟递过去，连同果盘。

秦娴珍坐起来，把枕头塞得高高的，垫在身后，倚着，她抽了好几口烟，并且一点没咳嗽。

"唉，姑妈，心里好难过，对吗？没有道理的难过……因为，我们都不知道，大白天里，我们为什么会是那样！现在我承认，我跳来跳去的，希望用我的天真，我的直率，我的赤诚，以及诸如此类的东西，让他们喜欢我，接纳我……这确实很荒唐，不是吗？可我没办法，没办法，没有一点办法！……"

"是呀，有时候，人在这类事情上，他就一点办法都没有……"

"姑妈，我的好姑妈，你怎么啦？那张旧照片……现在看来不止是那么一张旧照片的事……究竟出了什么事？您怎么啦？"

秦娴珍便一五一十地向荒荒和盘托出了她从前一天起，两次与赵秉钧邂逅的经过。末了她说："不许你跟我说，是我的幻觉……说我是因为心神恍惚，所以晚上才跟你发生了冲突……"

荒荒从地毯上站起来，转身坐到秦娴珍床上，她双眼闪闪地望着秦娴珍，激动地说："那当然不是幻觉！那就是真的！姑妈呀，你没听说过吗？这种情况在世界上出现了不止一次，这叫做'神秘再现'现象……"

荒荒就跟秦娴珍讲，他们出版社恰好刚出了那么一本书，专讲神秘消失和神秘再现的问题，这是目前困扰科学界的一大谜团！比如说，前几年，就是说，都进入90年代了，有人在海上救起来一个妇女，她穿着世纪初的长裙子，浑身透湿，自称是一只遇难的船上的旅客，人们就问她是哪一只船，她说是泰坦尼克号！不是有个英国电影叫《冰海沉船》吗？那演的就是泰坦尼克号豪华巨轮触到冰山沉没的事，可那事发生在哪年呢？1912年！八十年前！那女的怎么回事儿？开玩笑？骗子？精神病？……后来就检查，她神志没问题，在现存的泰坦尼克号的旅客名单里，确实有她这么一个人！她完全不知道世道已经过了八十年，据她说，从船沉下去，到她流落到那块浮冰上，见到救她的船，拼命呼救，被救起来，也就一夜的时间……当她在医院见到电视机时，吓得尖叫了起来；她让人们帮她与亲友联系，人们去打听，全是些入了坟墓的……

荒荒向秦娴珍介绍科学界有关的说法："据说有一个反物质的世界，就是所谓的'黑洞'，那里头有一个'时间隧道'，人摔进去以后，便神秘失踪，如果忽然退出来，就神秘再现……你那个初恋的赵先生，就是神秘失踪之后，又神秘地再现了！"

"他不是神秘失踪……"秦娴珍回忆起尘封的往事。那是四十年前的秋天，单位组织去西山秋游，他们两个本是都去的，可是偏赶上秦娴珍来例假，临到出发前，还比每次都厉害，于是，都到了汽车前头了，她打了退堂鼓，赵秉钧犹豫着，本想也找个理由留下来，陪她，可已经上了车的人在叫，秦娴珍心里也烦，便催着赵秉钧上了车……那不是辆面包车，是辆大卡车，那时候人们集体春游常坐那样的大卡车……春游的人们到了西山，玩得很痛快，中午大家在一个乡村小店吃饭，司机跟大家在一起，大家就都感谢他，说他辛苦，于是就有人敬他酒，开头他不喝，有人说喝一点没关系，他就喝了一点，又有人敬，他就再喝一点……在回来的路上，人们在卡车上唱歌，大笑，吹口哨……车子开得飞快，那是一个艳阳天，秋风里挟带着熟苹果的香味，人们要多快活有多快活……但是突然汽车偏离马路，一下子朝马路边的大杨树撞去，竟然一连撞倒撞折了三棵，才停住，而这时的卡车，已然完全变形，车上的人呢？那真是奇极怪极的事，司机被人从驾驶室里拖出来时，满头是淋漓的鲜血，可是把他送到医院，抢救过来以后，发现他只不过是额上撞破了一个口子，晕过去了而已；坐在司机旁边的一位科长，满头满脸嵌满了碎玻璃渣，死得惨不忍睹……车斗里有二十七个人，当场死了四个，在医院里又死了五个，重伤致残三个，留下后遗症的四个，轻伤五个，却也有六个人安然无恙，只是受了一惊……

这就引出了永恒的问题：在那车祸发生的一瞬间，是谁，决定着车上人们的命运？为什么这样分派生死残伤？如果说是上帝，老天爷，在决定着这一切，那么，裁决的标准是什么？……

来抢救的人们，先忙着把血哩嗞拉的人往担架上抬……后来，人们才去救一个倚坐在一棵树边的妇女，那妇女一点不见血，面带微笑，微眯着眼，仿佛在享受这明媚的秋光，假寐一时，但人们刚把她往起一抬，她的内脏便哗啦从她衣服里滚了出来……

那次车祸，真是太惨了，车斗里的人，绝大多数都被抛了出去，四溅各方，有被抛到路心的，有被抛到庄稼地的，有被抛到水渠里的……当抢救的人们带着被抢救的活人死人都要离去了，在那关口上，忽然有两个惊魂回窍、未受伤害的秋游者提出问题："赵秉钧呢？小赵呢？"是的，在活着的死去的被营救者里，都没见着赵秉钧……

"那不就是神秘失踪吗？"荒荒听得心口发紧。

"不是。他没失踪……神秘？是的，神秘倒真是神秘……当时人们就再四下里找，终于，有人指着一棵大杨树，叫了起来……原来，车祸发生的一刹那，他被抛到了空中，被大杨树的树杈，给挂住了！……为了把他从树上救下来，人们不得不又去找来了吊车……我在医院太平间里，看见了他，他身上盖着白被单，可他的脸露着，闭着的眼，闭得很紧，腭上的咬筋，咬得紧紧的，脖子上的喉结，尖尖的，喉结边上，是他那块黑记……当着另外的人，我能怎么样呢？我下死眼望了望他，就转身跑了出来，一边跑一边放声痛哭！"

秦娴珍说完，深深地吸了一口烟。荒荒从她手里取过那烟，也深深地吸了一口。两个人这时眼下的泪水，都被月光映得闪闪地泛着蓝光。

12

那天早上天阴，似乎蕴育着一场雨，但一早赶到绿地晨练的人们，仍都很积极。"中餐派"里新出现的"秧歌队"，伴奏音十分吵闹，他们虽自觉地远离其他的群体，缩在一隅，可还是惹得许多人频发怨言，"准将"所率领的"交谊舞兵团"，尤受其害，从小树林那边传过来的"秧歌"之声，打击乐所发出的节奏，与"准将"所带录音机中的舞步节奏"串秧",跳交谊舞的人们,就都又说该另换一个离"秧歌队"远远的场地。物色新场地的任务,不消说落在了"准将"身上,也有了眉目,但此时的"准将",完成这一任务的热情大大衰退,因为,昨天早上秦娴珍反常地没来,午后他虽见到了她,却更不能理解她的变化,并且,秦娴珍明白无误地显示出对他的厌烦,这很伤他的自尊心,也更令他诧异。

"准将"对秦娴珍来跳舞,本已不抱希望,可是正当他要打开录音机换磁带时,忽听有人叫他:"将军大人!"他一抬头,是一张不是小姑娘、胜似小姑娘的笑脸,正疑惑间,又听一个声音说:"不记得了吗?她是小唐,我的侄女儿……"这才又看见,另一张熟悉的脸,不错,正是秦娴珍,"准将"猛想起,秦娴珍是有个侄女儿,出差来北京总住她那儿,并且几次跟她一同来晨练,跳起快三步来,动作表情那个夸张!

"准将"心里高兴,表情上,控制在不卑不亢之间,说:"欢迎!一块儿跳吧!活动活动!"于是放起了录音,大家自由结合跳了起来,秦娴珍被一位"西餐派"元老邀走,"准将"正游移中,荒荒已经笑嘻嘻拉过了他的手,引他跳了起来;第一个曲子,不过是慢三步,本不宜跳出很多的花样,可是荒荒却怪式叠出,她自己笑,旁边一些舞友也笑;"准将"与她尽量配合,同时注意到,这位唐小姐的大黑眼圈,不像是眼影膏涂出来的,很显然是熬夜所致……当秦娴珍与同舞者掠过他身边时,他瞥见,秦娴珍的眼圈儿也很黑,但奇怪的是,秦娴珍的眸子却分外地亮,仿佛刚充了电似的,再一瞥,更发现她穿的,是一身紫红底子,撒满蔚蓝色小碎花的掐腰连体裙,脚上,登一双时髦的金色粗高跟,并且脖颈上戴着一串玛瑙项链,手腕上则是镶绿玉的金手链;而她的发型,也一改原来的古板拘束,变成了舞动间随风起落的自由潇洒的样式,嘴唇上,更显然涂了一种淡粉的唇膏……

"准将"总是偏头去注意秦娴珍,荒荒心中暗笑,转身旋了一圈后,她提醒"准将":"加快节奏,别让我踩了您脚!"……后来是快四步舞曲,秦娴珍他们那一对,竟风头最劲,双方都有若干脱手后大摇大摆腰臀的花哨舞姿,引得绿地中一些不跳舞的人围观;"准将"不禁问荒荒:"你姑妈……她今天怎么这么高兴啊?"荒荒马上亮开嗓门回答:"她呀!正讲恋爱啦!重堕爱河啦!"接着一声尖叫,"哎呀!你的'将军肚'撞着我啦！"

当又换成一首慢三步舞曲时，"准将"便邀秦娴珍共舞，秦娴珍嫣然一笑，熟练地与他配合起来。

于是，下面的对话便成为都想避免，却终于不能避免的了：

"……今天你很高兴！"

"当然！高兴点不好吗？我们都应该高兴啊！"

"你好像特别高兴！"

"是吗？你觉得我今天很特别吗？"

"是的……你好像年轻了……不止十岁……起码二十岁！"

"哈！……这其实，是神秘再现！"

"什么？"

"神、秘、再、现！就是，很神秘地，突然再次出现了！"

"再现了什么？……青春吗？"

"比那更神秘！"

"你真有意思！……我就总觉得，没办法，一天天地这么老下去！……"

"反抗它！"

"什么？"

"反抗坏心情！"

"……？"

"是的！人，其实是活在心情里！生活的质量，其实就是心情的质量！"

"说得真好！……可是……心情怎么才好得起来呢？"

"那全在你自己了！……最简便的药方，是你一定要爱，把爱装进心里头，那是什么样的心情！"

"像我们这么一把年纪，还谈恋爱吗？……你说的，是广义的爱吧？"

"也包括狭义的……男女之爱！"

"可是，你爱一个人，人家却并不爱你……那怎么办？"

"有回应的爱,是甜蜜的;没回应的爱,是苦涩的……可你还是应该爱,爱永远是一种好心情……"

"谢谢你……今天真是听君一席话,胜读十年书!"

"别客气!反正我们每天都有机会共舞,今天我启发你一下,明天你启发我一下……生命这本书,大家共读吧……"

舞曲已经终了,可是"准将"还舍不得放开秦娴珍的手。

13

飘起了霏霏细雨。这个季节本不该下这种雨的。但今年古怪的、反常的事情实在太多。这正是苏梅克-列维彗星碎片连续撞过木星之后不久,天文学家不敢,也没有充分的证据,向世人宣布这一天文现象对地球上人类生活的神秘介入,所以他们频发"安民告示":此事对地球不会有直接影响。

昨夜,秦娴珍与荒荒,在一种高度的亢奋与相互契合的交谈中,甚至也讨论到彗星撞击木星这一千年一遇的事件。她们并不是无聊的小市民,对此徒发一些危言,先把自己吓倒,再去耸听于他人,而是惊叹宇宙的神秘,与作为一个脆弱渺小的生命个体,对宇宙、人生,以及自身认知的艰难。

荒荒坦言,她有时候,会忽然从自己身上,剥离出一个另外的我来,这个我从旁观察那个以浑身"妹妹相"出没于名流新星间的"约稿编辑",不禁惊诧,不禁惶惑,于是这个我问那个我:为什么要如此这般地"装小"?于是这个我揭穿那个我:啊,是为了用这种四十岁的"孩子妈"化为十四岁"纯情少女"的方式,首先平衡自己的心理,同时,给予那些所崇拜的异性名流,一种绝无"性骚扰"的安全感,然后,再徐图之……虽然偶有这样的自审,却悟不通:这人生的戏剧,谁编的脚本?谁在导演?为何到头来身不由己?……荒荒坐在秦娴珍床上,珠泪涟涟,连说:"没办法,真的没办法,我无论如何,就是喜欢这样,不能不这样!……"秦娴珍便心生怜悯,握住她的手，劝慰她说："那你就随其自然，这样地崇拜他们，追逐他们好了……你是无罪的……这毕竟无害于他人，无害于社会，无害于你自己，起码无大害……也许，这就是命运……"

秦娴珍说到与赵秉钧的初恋，以及那突如其来的死亡打击，更感到命运的诡谲难测，光是这样，倒也罢了，问题是，现在竟又有赵秉钧的神秘再现……除了她自己，谁能相信，哪个动心？……荒荒便反过来，握住她的手，还拍打着，激动地说："我信！我信！我真的相信！"又说，"这是多美妙的一桩事啊！在地球上，能亲身体验到这份神秘的，人海里，恐怕只有很少很少很少很少……的比例，可偏就让您给赶上了！"

秦娴珍进一步向荒荒敞开心扉："我很慌……不仅是慌……我还害臊，我并不怕自己怀疑自己的神志是否清醒，我怕的是，自己看不起自己……荒荒呀荒荒！告诉你，我坦白，当赵秉钧突然神秘地再现之后，我心里头翻涌着的……主要是对他的性爱！这算怎么一回事儿？我都过六十了！……"

荒荒用拳头捶着秦娴珍的手背说："哪个天皇老子规定了一个年龄线？过了那年龄就不许有性爱？就是有那么个天皇老子规定了，你该有性爱，照有不误！何况你所爱的，还是初恋的对象，是一个从彼岸返回，特特来找你的人！"

秦娴珍便双眼大睁，闪闪地问——既是自问，也问荒荒："他真是……特特地回来……找我的吗？"

荒荒摇动着秦娴珍的手，一连串地说："那还用说，那还用问，那还有什么好怀疑的吗？"

秦娴珍愣愣地望着窗外，窗外有一轮变得黄黄的月亮，仿佛它照累了人间，故而收起了清光，只弥散出昏然的朦胧……秦娴珍问："那……他为什么非要到五龙亭呢？我实在想不起，那对当年的我们来说，有什么特别的意义？……"

荒荒便感叹："所以神秘呀……"

她们直到后半夜才睡。但她们约定好，第二天要更振作地生活，接受命运，并且享受命运……

跳完舞，在霏霏细雨中，她们去到马路边等"面的"，荒荒要去拜访那位大作家，秦娴珍要先去一下那所社会大学，会一下教务长。"准将"看见她们淋雨，便走过去，把他带的一把伞，心里想的是供给秦娴珍，嘴里却说："唐小姐，借你打吧！"荒荒只是笑，道谢，不要；"准将"便建议："其实时间还早，办什么事时间上都还绰绰有余……你们不如，先回去取两把伞，这雨，看来一时半会儿的，停不了……"荒荒只望着秦娴珍，笑得弯下了腰，秦娴珍也笑，对"准将"说："淋一点小雨，很有情调的，我们很喜欢……其实你要不是为了录音机，也不必打伞，淋着这样的小雨走回家，也是一种享受……"

荒荒先拦到一辆"面的"，走了；秦娴珍很快也拦到一辆，她上车后，发现"准将"居然真的把伞收拢，扭身离去，他手里所提的装录音机的旅行包，倒是一时半会儿湿不透的……

14

荒荒所拜望的那位著名作家，其貌不扬，特别是，他那下牙床很不整齐，与上牙床咬合时，下面的牙齿便一半在内，一半兜在外面；这位文坛大腕稿费收入颇丰，却仍抽一种四块钱一包的国产烟，这倒也不是吝啬，因为他用的烟缸，却是法国产的水晶烟缸，据他自己解释，这乃是他的一种独特风格，理解了他的这种习惯，也便获得了一把读通他作品的钥匙。

著名作家对荒荒的接待，一开始，懒洋洋的。荒荒却满眼放光，心情激荡。哎呀，这窗台上的两盆兰草，作为背景，跟大作家一起，在电视镜头上露过的呀！荒荒不禁用手抚摸那下垂的叶片，嗔怪地说："大作家呀大作家！该给兰草浇水啦！呀呀呀呀呀……干脆，我留在你这儿，专门负责给兰花浇水吧！"又不等人家应允，不仅在客厅里东张西望，还移动着颠连步，往人家别的屋里探头探脑，包括人家的卧室，并且嘻嘻哈哈地评论着："呀，就这么平常个书桌呀！能用它写出那么多大作来呀！……吆，卧室怎么装饰成冷色呀？这也是您的独特风格吗？……这是什么什么？

一串'蝌蚪文'！啊！世界名人录的证书呀？唉唉唉……世界级名人呀！对了对了
对了，你再跟我说说，美国那个汉学家，叫什么来着？头上卷卷毛，一双大金鱼眼，
他怎么评价你那本长篇来着？……你又懒得再说，你呀你呀你呀，你总懒洋洋的……
'是真名士自风流'，对吧？……"转悠到厨房门口，往里一探头，才发现作家的夫
人根本就在家，在水槽前洗菜，板着一张脸，仿佛根本就不知道家里来了个客，荒
荒一吐舌头，回到原位，落座沙发，双手指头往下，把衣裳的"少女袖"——就是
有意长及掌心的瘦衣袖——拽住，晃晃头发，对作家撒娇地说："你别的事上爱怎么
懒就怎么懒，我都不管，就是不许懒得给我稿子！"

　　那作家脸上淡淡的，看不出是个什么表情，光大口吸烟，含混地说："我有合适的，
自然会给你们寄去……"

　　荒荒便跺脚："坏蛋！你呀你呀你呀，我可知道你了！昨天要不是我一定要再跟
你通次话，把那最重要的一条报告你，你今天都说不定不见我了！……"

　　头天傍晚，荒荒正跟姑妈冲突时，作家应荒荒之约，给荒荒去了电话，荒荒拿
起电话，听出是他，便收敛起怒容，用"乖妹妹"的语气跟他说："呀，你看，我真
是名副其实的唐荒荒，荒荒唐……前次电话，我把最最重要的一条忘讲啦，就是我
们主编说啦，你们这样大腕的稿子，千字当然三位数以上啦！……我是怕明天去了，
你临时又忘了我们的约会，让我跑去扑空啊！……当然啦，你不在乎啦！可是我们
编辑现在要考核的呀！组不到你的稿子，我怎么回去呀？说不定就……就一头扎到
昆明湖里算啦！……"

　　作家抽完一支烟，再点燃一支，这才精神健旺起来，他一来神，话就多了，表
情也丰富起来，而荒荒这时，也便沉入了最迷醉的状态……

　　他们无所不聊，聊得那么痛快，以至作家夫人端着簸箕出单元去倒垃圾，倒完
又返回，他们都毫无感觉；夫人对他们，也报之以毫无感觉的木然表情；荒荒双手指
头用力扯着"少女袖"的袖口，用拳背撑着下巴，肘端撑在腿上，身体前倾，双眼
圆睁，舍不得眨动，如聆佛音。

　　由于荒荒提及神秘消失和神秘再现，作家议论说："……是呀，在宇宙里，除了

我们这个物质世界，其实还有一个反物质世界，这两个世界的事物一旦遇到，互相
接触，那就会产生湮灭现象……可惜我们弄的这个文学，对描述探究反物质世界，
完全无能为力……至于湮灭，我的理解，那其实才是货真价实的永恒！……"

又说及天文上的"黑洞"："……那也许就是物质世界，通向反物质世界的隧道……
死亡、彼岸、来生、另我……唉，谁说得清？谁悟得透？……"

荒荒听到这里，忽然有一种感觉，就如半夜里，她跟姑妈讲的那样，有另外一个我，
不"装小"的我，从她身上，剥离出来，并从旁冷冷地观望着她，作家的议论声，
变得渺远而迷蒙，这一个我，惊讶于那一个我对这些渺远而迷蒙的音响的痴迷……
她心里忽然非常难过，非常非常难过，锥心地难过……我究竟是谁呢？我在做什么？
最要命的是——我究竟要什么？！

荒荒眼里，涌满泪水。而作家还在侃侃而谈……

15

从社会大学出来，秦娴珍就去北海公园，进了北门，她便毫不犹豫地往五龙亭
方向走去。这时，霏霏细雨似停非停，似下非下，很有点"山中原无雨，空翠湿人衣"
的味道。

因为并非公休日，又兼阴雨天，所以北海公园里游人稀少，尤其北岸一带，秦
娴珍不紧不慢地往前走，越发有一种梦中游的感觉。

湖水很平静，但泛着无数细细的涟漪，仿佛有无数针尖，在痒痒地点刺着水面。
这恰似秦娴珍的心情。她没有大的激动，不抱大的期望，但感情与欲望的潜流，却
在每一寸流动中给她以酸楚的甜蜜，或者说甜蜜的酸楚。

五龙亭渐渐进入她的视野，细雨把亭瓦洗得格外鲜丽。亭子里似乎有几个人在
避雨：或是在那里遥望对岸，享受一份清静与幽丽。

这回秦娴珍特意从五座亭子里，中间叫龙泽亭的那座进入。进入以后，她站在

那亭子当心，左顾右盼，却又发现，五个亭子里，似乎都阒无人影。她移动脚步，脚步声在亭中回响，那声音很是怪异。

她选择了往西的方向，出龙泽亭，过 S 形石堤，进入涌瑞亭，再过一个 S 形石堤，进入浮翠亭……

怎么一个人都没有呢？

她正疑惑间，忽然，从那边亭柱后，忽然转出一个人来，不是别人，正是赵秉钧，依然穿着那件衬衫，衬衫胸兜里，依然插着那支旧钢笔，依然是中分头，依然是咬动着刚硬的牙筋，依然是尖尖的喉结，喉节边依然是那块黑记，并且依然穿着那条毛蓝布长裤，那双样式古老的黑凉鞋……只是比头一天更其胡子拉碴，眼角边多出几道纹路……不是二十啷当岁了么？是三四十岁了么？不管，那不要紧，要紧的是那确确实实不可能是另外的什么人……

赵秉钧的目光，起先并没有和她对接，但她能看出来，赵秉钧深眼窝里的黑眸子，闪着焦渴的光芒，那是久久地寻求什么而始终不获，接近于绝望的目光，那目光再进一步发展，也许便会燃成熊熊的火焰，烧毁他自己……

秦娴珍便果敢地迎上去，把赵秉钧的目光，引到自己的身上，并且朗声地对他说："赵秉钧，我是秦娴珍！秉钧，你细细地看我！四十年过去了，我老成这模样了，可我的心，还跟四十年前一样，里面盛满了对你的爱！真的，我真是秦娴珍！你忘了吗？那天，我们本是要一块儿去秋游的，我都跟你，走到那大卡车车帮边了，可我到那儿打了退堂鼓……你还记得吗？车上的人催我们，你几乎都决定留下了，可有车上的人拼命地叫你，有人还伸出手，要你把手递过去，我就推你，轻轻地，就那么推你一下，你就把手，伸给了车上拉你的人，他那么一拉，你就势往车轮上一踩，就跨到了车上，你在车上望着我，我就把自己手里的手帕包，递给了你，你就接了过去……想起来了吗？那里头，是六个煮鸡蛋……那天在西山，你吃了几个？给了别人几个？我猜，你多半全吃了，因为，那是我煮的，我递给你的蛋！……秉钧，你能忘吗？能忘我在你后背上，那一推吗？……几十年来，我总悔恨不尽，我那一推！你恨吗？要不，那天我一踩脚也爬上车去，也跟着去秋游，就好了……也许那就会是完全不同的情况！……秉钧，你还认不出我来吗？你的娴珍，她现在就站在你对面啊！"

赵秉钧先是望着她，呆呆地，听到一半，眉毛抖动，牙筋蹦得很快、很高，最后赵秉钧嘴里轻轻吐出来一声呼唤："——娴——珍！"

秦娴珍在这一声呼唤中，感到全身在迅速地酥裂。她把手伸了出去，而赵秉钧也伸出手，两人的手在接触之前，都仿佛遇到了一个无形的、坚韧的、具有反弹力的屏障，可是他们都毫无退缩，于是，他们的手终于扣到一起……

秦娴珍只觉得眼前一道闪电，闪电中，五龙亭竟晃动扭曲以至于画片般被卷了起来，而转瞬间，她和赵秉钧，都升腾于莫可名状的空间里，她眼睛里一时唯有赵秉钧，耳边是类似翅膀扇动的音响——许多的翅膀，很大的翅膀——她心里充盈着锥心的快感，舌头上是厚重的蜜意，肢体则是一种迅速酥裂而又迅速聚合的怪异感受……

16

雨停。天上好大好粗好艳的一条虹，倒映在北海明净的湖水中；琼岛顶上的喇嘛式佛塔，在净蓝的天宇衬托下白得醉人，而湖北趴伏水中的五龙亭，历经五百年沧桑间的千奇百诡而黯然无评。

1994 年 8 月 19 日写讫于绿叶居

仙人承露盘

在北京北海公园的琼华岛上，有一个被许多游人忽略的景点，那就是藏在一个僻静角落里的仙人承露盘。那是一个绝妙的艺术品。在一个不大的平台上，有一个大理石座，座上有一根大理石柱，石座上雕着花纹，石柱上雕着缠龙，那石柱很像华表，但上面不是云形石雕和怪兽，而是一个小平顶，仿佛一个高举的桌面，"桌面"上则巍立着一个古装的铜人，这铜人面对北海湖面，将其双臂高高举起，所举的，是一个硕大的铜盘，那便是所谓的承露盘。

她听爷爷讲过，这仙人承露盘的来历，得上推到很远很远以前，至少是汉朝，汉武帝想长生不老，想了好些个辙，都不灵，后来就有个方士，告诉他得喝仙露，就是天上很稀薄地泄下来的露水儿，不是雨、雪、霰、雹什么的，是大晴天里，夜里头，特别是临天亮以前，悄悄凝聚出的那种露水儿，所以他就让人造了好多个仙人承露盘，那仙人都是用金子打出来的，所高高托起来的大盘子，不用说更是纯金的……

汉武帝喝了那些金盘里的仙露，感觉到一种什么滋味，究竟是不是因此活了很久很久，她总是不大关心，她印象里最深的，不是喝露的人，而是接露的人——别看那北海接露的已经不是金子打的，只是个铜的，可据爷爷说，那可是成了精的；爷爷说，因为到清朝的时候，皇帝也没有汉武帝那时候阔了，只好用铜人代替金人，不过铜倒比金硬朗，所以北海琼华岛上接露的那个铜人，特别地结实，你以为他没日没夜地就那么傻举着两只胳膊，托着那铜盘吗？才不呢，他有时候，就偷偷地下到地上，走动起来哩⋯⋯

"他怎么走动呢？老托着那个盘子吗？"

爷爷头一回讲起这个秘密时，她便迫不及待地问。

"能那么傻吗？下来，为的就是轻省轻省嘛！"

"他把盘子放在哪儿？"

"哪儿也不放，就拿在手里，提捏在手里。"

"呀，那仙露不都流在地上哪！"

"干吗让仙露流地上！他先喝了它！所以，到头来，真能长生不老的，是那铜人！"

爷爷说这些话的时候，一点没有讲故事哄小孩的意思。她相信，那一定是真的。

上小学的时候，班上组织春游，去的北海。那是她头一回进北海，并且头晚第一次听爷爷讲到北海有仙人承露盘。

到了北海公园，她就问老师："仙人承露盘在哪儿？"

老师皱眉，老师不知道。她对那老师，尊敬心顿时减了好些。

后来还是爷爷带她去看了仙人承露盘。那确实是个古怪的旮旯，在充满怪石的山坡阴面，仿膳饭庄的墙根后，一般游人很难游到的地方，石柱上的铜人挺身举臂，两只向上摊平的铜掌稳稳地托着那只大钢盘。

一只乌鸦飞到了铜盘上。

"爷爷！"她激动地高呼，"这乌鸦长生不老啦！"

后来她长大了，大到人们称她为少女的程度。她的同辈人，不是酷爱琼瑶就是崇拜三毛，她却完全不同，她不爱读小说，也不喜欢诗，甚至也不迷恋歌星影星，她爱好什么呢？活在世界上，非得爱个什么不行吗？

可是，有一回，她和几个同班同学去北海，不是班上组织的活动，是她们一时兴起，自发地去的。正当她们在琼华岛漪澜堂也就是仿膳饭庄前的长廊上嬉笑时，忽然有一个戴法兰西帽的中年男人走过来，大大方方地招呼她们："姑娘们！"

这声招呼，非同小可。

据当时在一起的几个同学回忆，她们一时间心里头都涌出了强烈的反应。

有的马上进入一级戒备："不是好人吧？爸爸妈妈提醒得对，可不能随便跟生人搭话，特别是在大街上、公园里，特别是男人！……"

有的却喜出望外："我一眼就看出来，是个搞艺术的！这下机会可来了！……"

有的只觉得有趣："真逗！'姑娘们！'跟电影里演的似的！"

她呢？谁也想不到，她心里却猛一惊悚——呀！是承露的仙人吧！

别的同学都没太注意——那人手里提捏着一个褐色的飞盘。

那是个电视导演，说是正在物色某个电视剧里的角色。

姑娘们都很兴奋，除了她。她害怕。

那天她放学回家，爷爷还没发话，跟他们住在一起的叔叔就眉飞色舞地迎着她报告："嘿！亲侄儿！你就等着当明星去吧！"

她一时没反应过来。

爷爷也笑眯眯地说："……不是骗子，我看了工作证，正儿八经电视艺术中心的，说是想先做好本人和家长的工作，再开介绍信去学校，乖孙子，你就干这个也不赖啊，我可不是旧脑筋，如今演戏的可不是下九流！"

每当爷爷高兴的时候，就不叫她名儿，而叫她"乖孙子"或"亲孙子"，叔叔如法炮制，叫她"亲侄儿"。她懂。爷爷原希望有个孙子，可她不是。而叔叔总没结婚。所以爷爷把她当孙子般养大。

她放下书包，很不高兴。为什么不高兴，她自己也弄不清。她撅着嘴，只是说："我不！"

她一头跑进自己的房间，扑到床上，把脸埋进枕头里。

爷爷跟了进来，叫着她的小名，坐到她身边。

"好好的，这是怎么啦？"

"……"

"是个古装戏哩！……说是你气质不凡，很有后妃之像，跟演后头重头戏的大明星长得一个模子里刻出来似的，就是小一轮、嫩一轮，演头几集，正可好……"

她翻身起来，用双拳捶着床铺说："……他，他是那个仙人！"

爷爷吃了一惊："什么？！"

她冲爷爷瞪眼："要不，他，他为什么手里提捏着个盘子？"

"盘子？什么盘子？"

"飞盘，跟铜盘一个色儿！"

"飞……盘？什么盘？"

"什么长生不老？！……我害怕！"

爷爷伸手摸她的额头，她躲，她跺脚说："我没病！"

爷爷很沮丧，想了想，爷爷叹口气说："你大了！"

她怕爷爷说那样的话：把她拉扯这大，不容易，等等。她知道那是真理。她不是要反驳要讨论。她只是心里头乱糟糟的，像长满了野草，高低粗细形状不同并且纠结在一起的荒野之草。

爷爷要站起来，她不让，她咄咄逼人地问："我爸呢？"

爷爷望着她，很颓丧，很狼狈。

"为什么我打小就没爸爸？……这回要告诉我真的！真的真的真的！"

爷爷站了起来，她忽然可怜爷爷，她望着挪步的爷爷那臃肿的后背，放软声调说："我不问妈妈的事，这回我不问……"

偏叔叔不知发生了什么事，伸进头来说："吃饭吃饭！"

她心上忽然涌出前所未有的厌恶，极端的，誓不两立的，她把床头柜上的台灯一把擢撸到地上，灯泡砸碎的声音令她自己也吃了一惊。

爷爷转过身，叔叔跨进屋，四只眼睛射到她身上，那是四只无辜的眼睛，她感受到了那份无辜，她良心承受不了，她嚷："对不起对不起我对不起了还不行吗？……"

爷爷和叔叔对望，那神情更让她承受不了。她冲出房间，胡姨正闻声而站在门外，她扑进胡姨怀里，放声痛哭，胡姨搂紧她，用一只手爱抚地拍打着她的脊背……

胡姨是个钟点工，每天晚上来给她们家做一顿晚饭，逢星期日上午也来，给她们家洗衣服——虽然家里有洗衣机，可是一些大东西，床单被套什么的，爷爷还是愿意让胡姨先在洗衣盆里打上肥皂用搓衣板搓了，再放到洗衣机里清涮甩干。

开头她对胡姨很不在意。可是有一个星期日，爷爷带她上街，走到汽车站了，爷爷发现忘带老花镜，那是他不能离身的，于是让她回家取去，她打开单元门以后，走进了爷爷那间屋子，找爷爷的眼镜，忽然有很奇怪的声音，她走出一看，叔叔急匆匆地从厨房里跑出，红涨着脸，奔卫生间里去了，她走到厨房门边，往里探头，胡姨坐在洗衣盆旁，表情很蹊跷，正扣着衬衣的纽扣，一瞥之中，她很惊讶，她在这以前，万没想到脸皮粗糙的胡姨，会有那么饱满白皙的乳房……

那天和爷爷从外面回来，胡姨和叔叔都不在，后来叔叔回来了，一定喝了很多酒，呵气熏人，给她和爷爷带回来两份盒饭，说胡姨洗完衣服，告了假，是……不是病了，是老家来人了，所以这天做不了晚饭了……

爷爷无所谓。她去厨房热盒饭，叔叔不知为什么跟了进来，站在她身边，喘气。她把头一扭说："臭！"叔叔就走了。

第二天胡姨照常来做晚饭，爷爷和叔叔都跟往常一样，老一套。

可是过了两天叔叔送给她很漂亮的一条丝巾，她很高兴，立即围上，照镜子，问叔叔："干吗？我生日还早着呢！"

……从此她注意胡姨，胡姨卷起袖子，在搓衣板上搓被单，那两只胳膊，让她倏地想到，语文课本上，鲁迅的《祝福》里，写到祥林嫂的胳膊，用了四个字：红活圆实。呀，真的是红活圆实啊！

她去了摄制组，她忽然很喜欢，她意识到，那有多么荣幸，多么令人羡慕，令人嫉妒。把她家地址说出去的那个女同学很后悔，还找到她，酸溜溜地说，她应该"意思意思"，她也就果然把那天在北海公园的几位都请了，在肯德基炸鸡店请的，临散的时候，她们都说："演出来，出了名，可别不理我们吭！"

导演在她试镜头以前，问她还有什么问题。

她想了想，问："那天，您为什么……手里提捏着一个飞盘？"

导演吃一惊："哪天？飞盘？"

……试来试去，导演摇头，说实在遗憾，拿眼睛看她，怎么看怎么合适，可是用摄像机看她，怎么着都不顺眼。她根本不懂什么是戏。也许耐心地雕刻，她会成为一块美玉，可是没那个时间，也就是没那个闲钱，摄制组不是演员培养所，耽误一天就是上千块的开支。

她被"好说好散"了。

爷爷说："其实当演员也不是什么好职业。"

叔叔说："这导演二把刀，赶明儿遇上真好的，演成明星大腕，看他脸红不脸红！"

她用摄制组付给她的钱，再请那几个同学，这回是在"必胜客"吃披萨饼，大家特别开心。

"白来的！白来的！"同学们又起披萨饼，嬉笑着。

"讨厌！"她在心里说。

中学毕业，她没考上大学。

爷爷安慰她说："现在大学毕业也挣不了几个钱……"

叔叔说："连教授还穷得卖煎饼呢！"

她就去考了大饭店。

面试的时候，主考的副经理，一个谢了顶的男人，西装笔挺，扎着一条鲜红的领带，看看她填的表格，抬起头问她："你父母呢？"

"我爸死了。"

"你母亲呢？"

"她也死了。"

副经理望着她，很诧异。这种情况在应考的年轻人里很少有，怎么这样巧？

她感到副经理的眼光烫她的脸。她都不想被录用了。

可是那一回的招考，刷去了一多半，她却在录取名单的前列。

叔叔结婚了。

她给联系的，在她们那家饭店订了个单间，请了两桌客。一多半是新娘家的人，一小半是爷爷的老朋友和叔叔单位里的人。价钱很优惠，不过，经理不破例——本饭店的员工不能在饭店里消费，连站着喝杯喜酒经理也认为"影响不好"，要不，就请到别处定餐。叔叔听说经理这么"矫情"，便打算另找地方，可是新娘子觉得那家大饭店实在体面，而且优惠得很不少，别处用这份钱席上绝对摆不出龙虾来，加上她说其实那天有没有她都无所谓，不是还在自己家里摆一席吗？最后就还是在她们那个饭店摆席。那天她在餐厅服务也不好，干脆回避，她就用那天"倒休"。

她一个人去了北海。

不知不觉就到了仙人承露盘底下。

她仰头看，仙人的脊背挺得直直的，双臂还那么高举着，两只大手掌托着的铜盘里，可有仙露？

入秋了，金风吹过来，小叶枫上的叶子黄了，还有些脆弱的叶片，旋转着，静静地飘落下来。她在山石上坐下。

她不知道心里是怎么回事，不是空落落的，也不是塞得满满的，像秋天的野地，草半枯半黄，在风里瑟瑟地抖。

叔叔总算结婚了。他都已经三十五岁。人为什么非得结婚呢？……爸爸妈妈他们是怎么结婚的？为什么爷爷拿出来的照片，都只是爸爸一个人的，或者是爸爸和她很小很小时候的？妈妈究竟什么模样？……爷爷奶奶在一起的相片倒留下不少，据说奶奶抱过她，可是她一点印象也没有……她小时候的相片，只有一张是放大的，相片上她穿着一身"军装"，红五星，红领章，还挎着一只冲锋枪，看不出是个女孩子；爷爷曾很长时间把这张相片挂在他那间屋子的墙上，爷爷喜欢"乖孙子"的那副模样，她可越来越不喜欢……胡姨不再来做饭洗衣服了，反正不知是哪一天，她不在家的时候，是爷爷还是叔叔辞了她，为什么一定辞了她呢……红活圆实！是的，鲁迅先生怎么想出这四个字来的？这可不是字典里的现成的词儿……还有，那天，给爷爷取眼镜那天，啊，胡姨她，她那儿怎么那么那个！……一定是叔叔把胡姨辞掉的……这都是些什么事儿？人都是从哪儿学来的？没人教，自己就会？

那我怎么……我怎么啦？！……

她想哭，她眼里果真流出了黏糊糊的水儿。

那是万没想到的事，大勺突然那样对她说话。

大勺是厨房里的红案。职高出来，又跟香港名厨学了两年，如今已经是饭店里挣得最多的主儿之一，能做一手没挑头的潮州菜。他大名她就简直不清楚，大家伙都叫他大勺，这么叫他，他也就答应。

虽说厨房里的和餐厅里的都熟，有时候除了工作上的配合，也说点别的，也开开玩笑，可是细想起来，她跟大勺并没特别地过过话儿。

那天，大勺却突然跟她一个人说了话。

她穿过厨房，是为了到尽里头，专门为职工准备的内部卫生间去，大勺突然离开炉灶，几步走过来把她截住。她吃了一惊。

"嘿，下了班，咱俩东门会齐，怎么着？"

大勺脸就像烧透的锅，还挂满了——不能叫汗，只能叫油。

"德性！"那是她本能的反应。

"不见不散，对不？"

她就绕过大勺，往后头去了。她不记得自己点了头，可是事后大勺说她点了头，挺痛快地点了头。

她记得的，只是无比地惊异，大勺找她约会的时候，手是提着好大一个……大勺后来非说是锅铲，但她觉得，仿佛是一个盘子……仙人承露盘！不知道是吉利还是不吉利，她只是感到很神秘，为什么找到她的人，总有点像那个从北海石柱上跳下来的铜人？

东门是饭店的一个非公莫入的内部出入口。倒是她在那门外足足等了大勺十多分钟。

大勺一出来走拢她就直道歉："我不对，我不对不对……"

她笑了。大勺换上西服革履，自然费事。

"没锅碗瓢勺的味儿了吧？"

她笑得更深。她闻出来，大勺往身上洒了香水。

"咱们看电影去吧！"

她还是笑："也行。"

可是他们并没看电影，他们就顺着大街往前走。边走边聊。

"……你对我印象怎么样？"大勺说着说着，问。

"不怎么样！"确实，她简直没有专门想过，该对大勺有个印象，该有个什么样
的印象。

又走了一段，又瞎扯了好多，大勺问："……不怎么样，你干吗愿意跟我……这么着？"

她只是笑。她答不出来。好像她也该这么着了。跟她一块进饭店的小姐，除了她，
早就这样，比这样还这样了……前几天在家里，饭桌上，婶婶问她："……有小伙子
追你了吧？"她过二十了，她懂，那是试探。虽说爷爷把自己那间最大的屋子，换
给叔叔当了新房，虽说她并不碍叔叔婶婶他们多大的事，可是这么四个人——很快
会成为五个——常住在一个单元，也不是个事儿……她该走那每个小姐都得走的路；
婶婶问完，爷爷和叔叔就都把眼光移到她脸上，她不忍心跟那四只眼睛对视，就低
头扒饭，含混地说："那自然……"现在自然出个大勺来。她对他什么印象？为什么
接受这约会？她心里木木的。

"你就不能挎着我胳膊吗？"大勺说，"看看人家……一男一女没咱们这么轧马
路的，好像谁押送谁呢！"

她看看路上的行人，果然，凡一男一女在一块，多半女的挎着男人的臂弯，有
那半老的男女也如是。她照方抓药，挎住了大勺的胳膊。

"你爸，知识分子吧？"

"他早没了！"

"怎么会呢？什么病？"

"不是病……爷爷说，是过马路的时候，车祸……"

"那……够惨的……你妈把你带大？"

"不是……她也早没了……我跟爷爷过……"

"跟爷爷？……老干部吧？教授？专家？"

"很一般，离休以前，只是个处长……"

"老牌的处长，比如今这一撮一簸箕的局长待遇还高呢！"大勺很内行的声气。

"你呢？"

"我们家？典型的北京小市民！我爸，我妈，我姥姥，我哥，我嫂子，我侄子……都还住在胡同大杂院里……还有我姐，姐夫，外甥女儿，他们可是住在三环边上的楼里头……"

"呵……"

"门不当、户不对么？"

"不是……"

他们一直走到街上，行人稀少起来。

在绿地边上，路灯照不到的阴影里，大勺突然把她拥到怀里。

她挣扎，并不怎么用劲，大勺觉得那其实是一种鼓励，便喘吁吁地对她说："怪了怪了……咱们那儿，我就觉着你好……我爱你，好久了……你也早觉出来了，是吧？"

"我……没……"她说的是实话，可她心里有一种满足，毕竟今天真有小伙子追她了，她也真该有了……

他们的呼吸互相冲撞，大勺抖着声问："我……可以吗？"她并没有回答，大勺的嘴唇便猛地烙到了她的嘴唇上，她感到被烫了一下，紧跟着发麻……这回她认真挣扎起来。

她挣脱大勺，后退两步。大勺不知所措，瞪大眼睛想望清楚她是怎么了。

"我不……不不不不……"

她扭身跑掉。刚好前面有个车站，刚好来了辆公共汽车，她跳了上去。

她听见大勺在车外大声呼唤她，后来看见大勺跟在车后跑……

她觉得心在腔子里滚动，她把嘴唇咬得紧紧的。

第二天在班上，她避免和大勺接触，尤其是眼光的相遇。好在接触相遇的几率也并不高，一般像她那样的前堂服务小姐用不着进厨房，另有几个老小姐专门负责把做好的菜端到一进前堂的大案子上。那天有好几位顾客对做的菜肴不满意，而且都是老主顾，他们抱怨说没想到这里今天竟大失水准，问："是不是换了红案？"

一连三天都是这样。后来传出消息，餐饮部经理找大勺谈了话。

第四天，大勺从东门出来，意外地发现她走拢跟前。

"你怎么回事？你不愿意，你好好说嘛……你干吗一百八十度大拐弯，把我咔嚓一下就甩了？"

"大勺，我对不起你……"

大勺惊疑地望着她。

她想表达一个意思，可是表达不清。

"你别耍我啊！"

"不，不是……"

大勺摸摸后脑勺："你是也罢，不是也罢……谁让我大勺喜欢你呢？没办法……我大勺就由着你用完了扔、耍完了甩吧……唉，今天怎么着？咱们看电影去吧！我一准斯斯文文的……你不也闷得慌吗？咱们先做个一般的朋友吧……看看电影总没坏处吧？"

她不是为这个在东门等他的。她本是想……可是她跟大勺去看了电影。

那是要多糟糕有多糟糕的一部国产片。其实片子好坏都无所谓，在那个小放映厅里，全是情侣座，一共只有七八对观众，除了他俩，全都搂抱着，眼睛心思全都不在银幕上。银幕上是床上戏，底下好几对都啃了起来。大勺就忍不住挤紧了她，又忍不住用一只胳膊围住她，再后，就把嘴唇谨谨慎慎地往她脸上贴，她没有躲闪挣扎，大勺便用劲地吻她的脸颊……

出了电影院，她挎着大勺的胳膊，漫无目的地往前走，半天，两人都没说话。

迎面的风很凉，大勺竖起了风衣领子，她把纱巾从脖颈移到头上，在下巴处扎紧。在打结的时候，她猛地意识到那纱巾是叔叔送给她的，一些锥心的念头掠过她的脑际。她不由得闪开大勺一步。

大勺一把把她拉回身边。

"这算怎么回事儿？……咱们！"

她低头不语。

"你究竟什么意思？咱们是……对象吗？你别一出又一出地……耍我！"

她用手指头抹眼睛。

"不行，就拉倒！这是干什么？我喜欢痛快人！"

她抬起头来，和高她半头的大勺对视。她心慌意乱地说："我对不起你……"

大勺使劲甩手："什么呀！你干脆点儿！你愿不愿意跟我好？！"

她费劲地说："我不是不愿意……"

"那你这是怎么回事呀？"

"我……"

"你跟别人搞过？上床睡过？我不在乎！只要你现在……"

"不是不是……你胡说！我是头一回……"

"不好意思？咳，有什么呀！人人不都这样吗？咱们又没犯法！你这人！……"

"不是……"

"那你怎么回事儿？"

"我……我跟你在一块，找不到感觉！"

大勺愣住了。

她思路豁通，忽然很流利很透彻地解释说："是这样，我知道，你是真心实意的，你的条件也挺好，如果爷爷知道了，他会赞成……我也真是挺愿意跟你好，真的，昨天我一个人待着的时候，我自己跟自己一个劲地说：好人！大勺是个大好人！我应该爱这个人！跟这个人！靠这个人啦！……可是，没办法，真的没办法……大勺！我跟你在一起，不管你怎么对我好，怎么亲热我，我就是产生不了那个感觉！我使劲找，可我找不到感觉，怎么也找不到感觉……所以，我没法子跟你对象，我们只能做一般的朋友！"

大勺呆呆地定在那儿，泥塑木雕一般。

她找了经理，自动要求调到了客房部。
客房部收入不如餐饮部。可是她爱那一份清静。

夜里十一点，柜台电话铃响。
是爷爷来的电话。
"你怎么样？为什么好久不回来？"
"开春了，旺季来了，实在忙，真的！"
"那你也不能不着家！"
她不知道该怎么说。都这么大了，总把爷爷的家当成自己的家，算怎么回事儿？
"你叔叔他们搬走仨月了，也不怎么露面……都撇下我，我好寂寞！"
她心里一动。爷爷啊爷爷！
"爷爷，我明天就回去看您！"
"你说话要算数！"
"爷爷……一准儿！……您别寂寞！对了，没准儿北海那个仙人，今晚上就给您送仙露去！您喝了，长命百岁！"
……撂下电话，她很伤感。
她走进柜台后的值班室。徐姐正坐在床上抽一根细细的洋女烟。
徐姐是这家大饭店的元老。饭店还没完全盖好，试营业的时候，她就来了，先在前堂接待处，后来到西餐厅，再后到地下超市，再再后是这一层客房的接待，但现在连这个也不是了，那是干什么的？是推车给客房补充各种配用品的女工。按说她应当明天一早来，可是她晚上就没走，反正值班室有两张床，她常在靠里的那张床上歇，经理们对她比较宽容，比如这里是严禁吸烟的，可是就算经理来抽查，撞上了，也只好大面上数落她几句，她毕竟是元老，是有功之臣。
"怎么啦？"徐姐问她。

她凄凉地笑笑。

"你有什么不开心的？"徐姐说，"你什么还都来得及！"

她叹了口气。

"你总算还有爷爷疼你！"

徐姐三十好几了，还是单身，并且好像也没什么亲人。

她问徐姐："腰还疼吗？"徐姐总说腰疼，有时候就俯卧在床上，让她给按摩腰部。

徐姐深深吸进一口烟，徐徐地吐出，企图吐成烟圈，但不成功。

徐姐说："我就是这样，总成不了事儿！"

她同情徐姐。她一直不明白，徐姐为什么总当不上部门经理，越调工种越孬。其实徐姐干事很麻利，心眼儿也好。

"咱们这工作……卖青春啊！青春你怎么也保不了值，又不能存银行，也不能搁冰箱！趁早打主意吧！别都跟我似的……那词儿怎么说？每况愈下！……下一步，我就该到 WC，WOMAN，那里头混事由去了！"

她不想再问，徐姐为什么非死守着这家饭店？人人都有说不清道不明的事儿。

她听见电梯门打开的声音，按规矩这样晚了，她一定要出去看一眼是什么人，必要时还要问一声儿，可是徐姐给她使眼色，让她坐着别动。

她扭过头，朝门外望，分明是两个打扮得很妖艳的可疑女子。

她想站起来，徐姐一把将她拉过去，同坐在床上，那两个女子的身影悄然无声地消失了。徐姐叹口气说："吃青春饭啊！……咱们别这么吃就得了，管她们哩！其实，谁又真管得了？……有人买，所以就有人卖；有人卖，也就有人买……"

她心里酸酸的。

"来，给我捋捋腰吧。"

徐姐掐了烟，趴在床上。她给徐姐按摩。

徐姐忽然翻身坐起，一把抓住她的手，哭了。

"你对我太好了！这世界上，只有你对我这么好了！"

她的左胳膊同徐姐的右胳膊贴在一起，她没听清徐姐继续说些什么，她只是惊讶地感受到，徐姐的胳膊，那露出来的部分，是……红活圆实！

和爷爷说了好多好多话。好久没跟任何人说过这么多的话。

确实，跟爷爷在一起，她有一种超凡脱俗的感觉。不是每个人都能摊上这么一个爷爷的。

"爷爷，再讲讲仙人承露盘的事吧！"

"你总记得？……有时候，他举累了，就下来走走……"

"他会变成各种各样的人物，对吗？……他手里的盘子，会缩小，变成各种各样的东西……"

爷爷笑了。她从沙发滑到地毯上，背靠沙发座底，伸直双腿，把身子略往爷爷腿边歪，双臂都搁到爷爷小桌般的大腿上，一只胳臂弯起，枕着头，爷爷感动地用手抚摩着她一头秀发，喃喃地说："……乖孙子，我的乖宝贝啊……"

祖孙俩心中都涌出了无数的回忆，眼睛都潮湿了。

"……爷爷，那仙人，他活得多自在啊……"

"是呀，他就管接露，别的全不管……像我们，人，好啰嗦啊……"

"可是，他老那么接露，究竟有什么意义呢？……所以，他有时候就下来，耍弄人！"

"耍弄谁啦？"

"他接露，可皇帝，慈禧什么的，谁也没长生不老，一个个的，到头来还是都死了……"

"哈！长生不老的，是他自己！"

"这就好吗？……不死，就好？……爷爷，人，活着，究竟为个什么？"

"为什么？……为人民服务呀！建设祖国呀！……"

"知道！……我是问，他为自己……图个什么？……"

"为自己？……图的是幸福吧？……"

"什么是幸福？"

"……嗯，不愁吃穿，富裕，找个好伴侣，结婚，生儿育女，事业有成，不做亏心事……"

"爷爷，您幸福吗？"

"我？……"爷爷的手，只是抚摩她的头发，半晌，说，"我,算得上是幸福的了……"爷爷发现她在流眼泪，有点慌。

"我的天，怎么了？……你……不顺心？"

她点下巴。

"初恋失败啦？……不算什么，人都打那失败上过来的……"

她不言语。

"工作不好？……随你……上个英语班吧，往文秘上发展，也是条路……其实，就在你们那儿发展，当个部门经理，也不错……怪爷爷吗？退了这些年，越发地没路子了……"

她轻轻摇头。

"人……为什么活着？……人总不能自杀去……生下来了，就得顺其自然，走完人生的路……唉，不该跟你说这个话……可这是真真实实的话啊！乖孙子，除了英雄豪杰，还有坏蛋恶人，像我们这样的平常人，所谓的芸芸众生，活着就是为了……不碍英雄豪杰的事，也别让坏蛋恶人妨碍……自自然然、平平常常地活着！"

她哭得很伤心。

"你这是为什么？……年轻人，心气盛，听不得这样的消极颓丧的话？其实，这也还是积极的！你想想历史上……多少平常人，不都这样活过？世界上，无数的人，不都还这么活？"

她用手背擦干眼泪，抬起头来，说："我为的不是这些……"

"那你是怎么啦？"

她心中无比悲痛。

"你到底怎么啦？"

她凄然地笑笑："爷爷，您告诉我，那承露的仙人，他……究竟是男的，还是女的？"

"什么？……仙人是不大分男女的……"

"人为什么要分男女？"

"这……"

"谁给分的？谁！"

"……西方人说是上帝……"

"上帝？……他，他的活儿不是太糙了吗？"

"什么？"爷爷听不懂了。

她站起来，摇摇头发。

"爷爷，您放心，我继续活！……我给您热我带来的比萨饼吧！"

她帮徐姐推小车，进了电梯。那是专为内部运送物品的电梯。需要用小车去补充用于客房的香皂、牙膏、牙刷、浴液、梳子、浴帽、厕纸、洗衣袋……什么的。

她已经下班。徐姐还得再上来干活。

在电梯里，她们本是很松弛地待着。各自想心事，或暂时什么也不想。

突然，电梯很不得体地猛然停住，一片漆黑！

她不由得惊叫一声，往徐姐身上一靠，然后本能地抱住徐姐，徐姐也本能地搂住了她。

都意识到，是偶然的事故性停电。很少有的。

她们完全看不见对方，但这一回她们互相所闻见的身体气味，格外真切而浓烈……

徐姐的嘴唇贴到她脸颊上，并马上寻到了她的嘴唇……不停息的热吻……

……她的意识如烟散开，氤氲着陶醉……

徐姐的手指在解她的衣扣，她略有躲避，徐姐用梦一般的声气对她说："……我们无罪……没办法……你也爱我，不是吗？……互相的……爱是无罪的……"

……她觉得自己在痛楚的甜蜜中融化……

她回报，并时而更加主动……

不知道过了多久。

忽然，灯亮，那是一个隐秘世界的毁灭，一个狰狞现实的返回。

她们本能地整顿衣衫。不敢对视。

徐姐从容地按了指示键。电梯朝下运行。她离开徐姐一步。

电梯停了，门开，工程部的师傅大声斥责她们："笨蛋！为什么不及时打电话？一伸手就能摸着！瞧你们那脓包像！真该给你们关里头过一夜！"

她和徐姐去内部淋浴室淋浴。

她们专拣一般别人很少去的时候去。

她们的关系，已经摆脱了耻感、罪感。只剩下一种感觉：不安全感。

……她想起爷爷的话。自自然然地活着！对于她来说，这便是自然。顺其自然。这是她的活法。与社会、他人无关，并且还有益于爱她的人。

……她先出来一步，去存衣柜取衣服。

忽然响起一声呼唤，令她吃了一惊。

她循声一望，几步外站着一个已经脱完衣服准备去淋浴的妇人。

"胡姨！"

"哈！没想到吧！"

"你怎么在这儿！"

"都来了一个星期啦！在洗衣房！好不容易才要了我呢！……我就总想找你去，知道你在这儿嘛！可是不让我们到前头，更不许上楼！……哎哟哟，可把我想死了！真想你呀！越长越漂亮啦！我的乖侄儿哟……"

胡姨热情地拉住了她的手。她很尴尬，万没想到会这样和胡姨邂逅。可是胡姨没有裸体和非裸体的区别概念，还使劲地用一只手拍打她的肩头。

"我不能找你去，你闲了要找我去啊！"胡姨叮嘱着。

"好好好……"

"莫哄我啊！"

胡姨去淋浴了。

她开始穿衣。忽然感应到一种异样的东西，施加到自己身上。

她一扭头，是徐姐在她身后，两眼直愣愣地瞪着她，眼光里有那么强烈、那么丰富的含意，令她不寒而栗……

她们并肩走出饭店东门。

走离饭店一百来米后，终于大爆发。

徐姐青着脸问："你们什么关系？"

"她在我们家当过钟点工。"

"还有啦？"

"还能有什么？"

"没什么？……那怎么这样亲热？！"

"你胡想些什么？"

"她为什么叫你'乖侄儿'？"

"我叔叔这样叫我，她跟着叫罢了……"

"没那么单纯吧！"

"那你说是怎么个复杂？"

"谁知道，人都很复杂！……"

"我没你那么复杂！"

"你……你不能欺骗我！"

"我欺骗你？我为什么要欺骗你？我欺骗你干什么？"

"那谁知道？……你要去找她？"

"我找她，找她又怎么样？我凭什么不能找她？！"

"果然！……原来你……你们……"

"怎么样？我，她，我们……我们难道就不能见面？不能找找？"

"是这样！……你，你们，没想到……"

"你根本就不该想什么！"

"你怎么可以这样？！"

"我怎么不可以这样？！"

她们都站住了，对视，那眼光越来越敌对。

谁都不愿先把眼光移开。

徐姐咬着牙说："你原来是……这样的！"

她也咬牙："没想到，你竟会这样！"

徐姐闪开眼光，使劲眨眼。

"……你……你对不起我！……"

"我？我怎么了？……再说，你要我怎么对得起你？奇怪！你以为……我们两个……我是你什么人？！"

"爱，就必须专一……"

"你以为……我们是……我们算什么呢？！你疯了！"

"是你！你疯了！你不可以这样对我！我对你是真心实意的！"

"我……我是……我为什么……你凭什么……凭什么限制我？"

"好好好好……你就见一个跟一个去吧……下贱！"

"你才下贱！是你先……"

徐姐"啪"地捆了她一记耳光，转过身，跑了。

她双手捂着脸，啜泣起来。

她决心离开饭店。

和爷爷吃完饭，她宣布："爷爷，我再也不在外头值班过夜了。我要换一个工作。"

"那好呀！换到哪个部门呢？"

"不是换部门。我想换单位，到别的地方，干别的去！"

"很好！找到具体单位了吗？"

"我就不信找不到！"

"当然！树挪死，人挪活！"

心里松快多了。

"爷爷，我还当您会反对呢！"

"为什么？我总是主张顺其自然的！"

"好爷爷！"

爷爷情绪也格外好起来。

"爷爷也有一件事，要跟你宣布……"

"是吗？跟我……宣布！"

"你猜不到吗？"

"我不猜！爷爷你马上告诉我！"

"你……没感觉到……什么迹象吗？"

"迹象？"

"……如果……如果……爷爷找个老伴回家……"

原来是这样一件事！她感到惊诧，不是惊诧爷爷要这样做，而是惊诧她竟毫无感觉，连想也没有想到过……

"爷爷！"

"怎么？"

"很好！非常好！好极了！"她是真心的，爷爷活得比她好！活得比她正常！

"你叔叔也是这么说，不过你的态度更重要。毕竟，她进来，你们要相处的……她老伴没了五年了，儿女都大了，也退休了……我们是在公园的气功班上好起来的，半年多了……她心眼好，爽朗，还会做一手的好川菜！"

"爷爷，你就不怕把我们辣死吗？"

"哈……"

……可是这晚上她失眠了。她竟忽略了爷爷的这方面需求……是的，爷爷，还有那个该叫奶奶的人，他们会对自己很好，可是，这里毕竟是爷爷的家，是他们的家！我怎么能总把这里当家呢？……她本是要回到这个空间里来，却蓦地意识到，这个空间并不属于她……她的生存空间，究竟在哪里呢？

……真希望，去当那个承露的仙人！

爷爷的婚礼是在仿膳饭庄举行的，很排场。

仙人承露盘就在仿膳一个厨房杂物间的后墙外。那仙人知道人间的这桩喜事吗？

……宴席才进行到一半，肉末火烧还没上桌，叔叔忽然发现不见了她，东张西望，婶婶便说："哎呀……她兴许是方便去啦！"

叔叔是怕她心里不好受。爷爷私下里也说：该是先给她办了事，自己再办……

她忽然又出现了，客人们一时都认不出她，她租用了供客人穿来照相的古装袍子，还戴了个双翅冠，把一只大盘子，用双掌高举过头，踱着方步，走拢爷爷和老伴身旁，爷爷先是吓了一跳，回过神来，便不禁呵呵大笑……

她把盘子平移下来，用唱戏般的声调说："二老：请饮长生不老露！"

全席哗然，爷爷高声解释，奶奶笑得仰脖，婶婶对叔叔说："你看你看，担的哪门子心啊！"

……爷爷奶奶真把那盘子里的"仙露"喝了——其实就是"雪碧"。人们欢呼、鼓掌。爷爷原来的老同事们都很羡慕，他有这样幸福的晚年，这样孝顺的晚辈……

她出奇地活泼，出格地饕餮，出边地痛饮……

她很惊讶，自己怎么会一点没醉。

她把爷爷奶奶送上了租来的小轿车。她又送叔叔婶婶到公共汽车站。叔叔婶婶都让她先去他们那里歇歇，她说不，她说还想一个人到北海里逛逛。

"你还逛什么啊？"叔叔不解。

"是有约会吧？有人在里头哪儿等你吧？"婶婶笑嘻嘻地说。

"对啦！"她高声应和婶婶。

……叔叔婶婶走了，她果真回到北海公园里面。

走过罗锅桥，迎面的风，把荷香送进她的鼻孔。她扶住石栏。

生活就算不那么特别美好，也实在并不能算糟糕……只是，只是……为什么，为什么她跟别的人，就那么不同？！

为什么？！谁把她，谁让她，成了这样？竟不能跟别人开口……除非，跟她有一样毛病的人……可那能算是毛病吗？！

她感到锥心之痛。

……她不知不觉来到琼华岛，不知不觉绕到了长廊后，来到了那个旮旯，来到了仙人承露盘下。

仙人还是那个姿式，默默地举盘屹立着。

悲从中来。她想流泪，却没有泪。

忽然，她感应到背后有一种东西，给予她莫可名状的辐射。

她扭过头，立刻面对一双哀怨凄苦的眼睛……

那是徐姐。

一个鲜花礼品店在街角开张了。小小的门脸，却雅致俏丽。

这是她和徐姐合伙开的。她们一起辞去了饭店的工作，两人共同用存款投资，办妥了所有手续，租下了这个原是杂货店的门面，兴致勃勃地经营起来。

除了前面的店堂，后面还有可以住人的地方。前后两进，面积不大，却麻雀般五脏俱全。

因为附近有个妇产医院，所以花卖得挺火，特别是红玫瑰、粉鸢尾和满天星。

各种港式风铃销得也不错。

她婶婶恰好在那家妇产医院生下个女儿，叔叔婶婶两边去看望的同事都在她们那儿买花，都并不知道她和他们的关系，因此她也就都没优惠，光这一项就赚了不少钱。

婶婶是难产，预后不良，所以住院好久。出院那天，她帮忙接婶婶回家，在出租车上，婶婶附在她耳朵上说："别再耽搁了！别跟我似的，三十岁才当新娘子……你看生起来有多难！差点要了命！"

她只是嘻嘻地笑："我现在是独身主义了！"

婶婶不信，撇嘴："挑吧！挑花眼了！有你罪受的！"

她不再说话。心像黄连般苦。

人们都以为她这下发财了，所以眼光高得更不近情理了，她一定是想找个比自己更牛的大款，要不，就是梦想嫁个知名人物。

连爷爷也这样误会她。有一天爷爷奶奶路过花店，进来看花，奶奶直夸那些七毛钱一朵的黄菊好看，爷爷就语带双敲地说："你就是一双喜欢物美价廉的眼睛！人家可是既要物美，也要价高！"

谁能知道，她确实不是奉行什么独身主义，她怎么是独身？她和徐姐，实际上是在过同居的生活。

她们两个人的世界，是绝对不容他人窥测的。

她们自愿。与他人无关，也对他人无碍。

似乎没有人特别注意过她们的这一层关系。相当长的时间里，她们也都没受到过他人惊扰。

可是有一天一个顾客走进花店，不看花，只是看她。

那人的面庞背光，五官一时看不清，身材轮廓线十分真切。

她的心一动。

"真是你！"

"大勺！你……买花！"

"买！包圆了！"

……聊起来，大勺也早辞了饭店，自己开了家餐馆，在南城，生意很火，这花店没法子比，处处显得是小打小闹。

"大勺，你跟谁合伙呢？"

"合伙？干吗合伙？要干就独资！难道你这小小不言的花店，还是合伙的？"

"可不！我一个人哪儿来那么多资本？"

"那跟谁？跟你的……如今时兴叫'先生'，对不？你们两口子开的？"

"……差不多。"

"差不多是差多少？跟你爷爷？叔叔？"

"也是原来咱们一个饭店的……"

"谁？"

"徐姐。"

"谁？"

"你怎么连她都不知道？是那的元老！"

"想不起来！我管她'圆老''方老'呢！你怎么找这么个人合伙？"

"我乐意！好稀！"

"她投的多，还是你投的多！"

"一般多，各一半！"

"嗨，干吗呀，这么小个买卖！你要干一个人干得了！……我帮你把那一半顶过来！"

"你想干什么？你管哪门子闲事！讨厌！"

在边说边转动中，他们俩换了位置。现在大勺的脸迎着光。他真的很英俊。不过再英俊也没有用，她不为英俊的男儿动心。只是他的眼里有一种光，那是超越男女之类区别的光，一种历久不衰的真诚与执著。她垂下眼帘，不知该再说什么。

她也没再听清他下面的话。

……她把他往外送。这才看见，门外马路边上停着一辆血红的夏利牌小轿车。

"我还是一个人……"大勺说。

"那又怎么样？"

"你——？"

她本想说她结婚了，都有孩子了……可她硬撒不出那个谎来，结果她说了句事后越想越失策的话："你一个人你也不晚……"

"你们女的要还是一个人，那可就太晚了！"

"晚什么？一个人就一个人！一个人照样活！"

"你……"大勺有点喜出望外，"你还是一个人？"

她不言语。

大勺摸着后脑勺，很认真地说："你……再找找感觉！你应该找着感觉了！怎么能总找不着感觉呢？你得知道，像我这么痴心，总忘不了你的男人，这世上可不多，也许，整个世界上就我这么个傻老帽！"

大勺从西装兜里掏出一张名片，递给她："我等你电话，随叫随到！"

她接过了名片，嘴里却说："你做梦去吧！"

"那我还会来！"

"你甭来！"

"我来买花!"

"不卖给你!"

正在这时,押着鲜花取货回来的徐姐他们那辆面包车到了,司机嫌大勺的夏利车挡了停车位,使劲地按喇叭,大勺便上了自己的车,开走了。

……把所有的花都搬了进来,安放好,喷上水,只剩下她和徐姐两个了,徐姐问:"那是谁?"

"你是问那开夏利车的?你没认出来吗?也在咱们那个饭店干过,做潮州菜的红案,大勺嘛!"

"啊!他!他怎么跑这儿来了?"

"他也辞了,早辞了,如今自己开饭馆,呐,这是他的名片……"

徐姐接过名片,看完扔到柜台上。

"我是问,他怎么忽然来了?"

"谁知道,他路过,偶然,凑巧!"

"他来干什么?"

"我怎么知道?"

"没见他买花……"

"他没买花。"

"来看你的?"

"也许,他从车里,恰巧看见我,就停下了。"

徐姐愣了愣,不再吱声。

可是吃完晚饭以后,徐姐再也忍不住了。

"大勺究竟为什么忽然出现?"

"这很神秘吗?"

"你们……从前……?"

"他追过我……"

"追过你?你怎么从没告诉过我?"

"为什么非得告诉你？"

徐姐咬着嘴唇，手指在桌上神经质地敲着。

"我们根本没什么，我拒绝了他！我能不拒绝吗？"

"对不起……这是你的……你有权不跟任何人说……"

"我也不知道他为什么突然出现……也许，是仙人让他来的……"

"谁？谁让他来？"

"我是想说，这都是命！天哪，怪命！"

她双手捂脸，肩膀抖动。

徐姐站起来，走到她身后，轻轻揉动她的肩膀。

几天后，她去花乡取花，徐姐留在店里。

来了个电话。

"您哪儿？您找谁？她出去了，不在……"

"我是大勺！您徐姐吧？咱们原来都是同事啊！你是元老啊！……能不记得您吗？忘了谁也忘不了您呀！"

"忘不了她吧？……你们原来怎么回事儿？"

"嗨！跟您实说吧，都快成了……不知谁使的坏，愣到最后一分钟的时候，吹了！"

"最后一分钟？正干什么呢？你们？"

"嗨……左不过男女那点子事儿……她早该是我媳妇儿了！"

"那你怎么不娶了她？"

"说的是哪……徐姐，您跟我实说，她现在没恋上别人吧？"

"那……我怎么知道？"

"你们搭伙搞买卖，能不门儿清？"

"……知人知面，不一定就知心！"

"反正，她只要没跟别的人登记，我就非娶了她不可！这么多日子我都耗过来了，还怕再耗吗？"

"你死了心吧！她不爱你！"

"爱是能培养的呀！徐姐，您干吗不帮帮我呢？您的话，她一准听！您可以先来了解了解我！欢迎您来我这饭馆品尝品尝……我亲自给您弄几样拿手的！……知道知道，您也不是没尝过珍馐美味的主儿，不为吃吃喝喝，为的是帮她考察考察我嘛！"

"还考察什么？她那天不是跟你说了，让他别再来找她吗？"

"她没这意思呀！"

"她没跟你断？"

"当然，她很犹豫……她没找到，没找到……那个感觉……她说她会再努力，努力找到跟我在一起时候的感觉……"

"那是什么感觉？"

"嗨，电影里也尽演嘛，左不过是……床上的那点子感觉呗……"

"你们上过床？"

"嗨，都 90 年代了，这号事值当您这么大惊小怪的吗？"

"流氓！"

徐姐简直是把电话耳机摔到了叉座上。

这个晚上，一起吃饭时，她胃口大开，而徐姐简直什么也吃不进去。

她问徐姐："不舒服吗？"

徐姐嘴角下弯，只是用勺子轻轻扣着桌子。

"又怎么啦？"

徐姐把勺子往桌上使劲一丢。

她停止咀嚼，惊讶地望着徐姐。

徐姐的眉毛挑得很高："你跟他，上过床？"

"谁？什么？！"

"你跟大勺有过……？"

"怎么啦？！"

"你跟他……找过感觉？"

"你怎么回事儿？大勺又来过？"

"你给他留了我们电话？"

"没有！他来电话了？……这电话一查就能查出来嘛！"

"……你把他的名片，珍藏起来了？"

"什么意思？我藏起来干什么？"

"你对我不忠实！"

"又来了！……你以为你有权要求我！……你凭什么要我……我是你什么？……是狗？得像狗那么样吗？！"

"我有权！……因为，因为，我把我的一切……都给了你！"

"我也给了你！"

"可不是一切！"

"凭什么你要我一切？"

"你是两面人！"

"什么？……那总比……总比你……单能一面……单能跟同性的……怪物……强！"

"怪物？你骂我怪物？……我心里坦坦荡荡！我敢做敢当！不像你，总跟做贼似的……那才是不伦不类的怪物哩！"

"我是怪物？！既然这样你吃什么醋？你为什么还跟我这个怪物待在一起？为什么还不滚开？"

"你要我滚开？"

"你逼的我！"

"该滚的是你！你去找他吧！到他那儿找你的感觉去吧！"

她就把碗一推，站起来往铺面走，徐姐激动地跟在她后面，她把一个花瓶碰倒了，徐姐大叫一声："好哇！都别过了！"便顺脚把一个装玫瑰的桶踢翻，她见状，也便顺手把一大撮满天星扯到地上，用脚踩，这样一来，两个人都疯狂起来，这个摔，那个砸，连最值钱的锡兰兰花和英国细瓷摆设全都毁得稀巴烂。

……她在疯狂中，也不知哪儿来的一丝理智，竟把柜台的一只抽屉抓出来，把钞票薅了满地,单拣出那天大勺留下的名片,还没等徐姐反应过来,便冲出了店门……

花店里传出尖锐的人声,又像嚎哭又像狞笑,还夹杂着砸东西的声音……

夜幕里,她跳到马路中央,也不管开过来的是什么车,嘶叫着:"TAXI!"

她用双拳砸门。

饭馆里值班的一个半老的男人隔着门跟她吼:"干什么的?抢劫吗?"

她嚷:"找你们老板!"

那男人还是不开门:"他不在!"她嚷:"把他给我找来!"

那男人从门缝里看她,心中纳闷,这女人好大口气!男人隔着门缝问她:"你是他什么人?"

"爱人!"

这回答把男人吓了一跳。他谨防有诈,还是不开门,问:"那你怎么不家里去?他不是回家了吗?"

"你给他挂电话,让他来这儿接我!"

"你谁呀?怎么称呼?"

她告诉他名字,同时捶门:"让我先进去!"

那男人还是不开门:"他下过死命令,除了他来,任谁也不能开门!……你等等,我给你挂个电话试试……"

她站在门外大喘气。吸进一种化学涂料的气味,很难闻,她呛得咳嗽。这饭馆正在再次装修,还没完工。

那男人拨通了大勺住处的电话。

"……来了个女的,说是您爱人……"

"胡说!给她轰走!"

"我也是这么说呀,都知道您还没结婚啦……"

"这日子头,门户一定要谨慎!……就她一个人吗?别后头还藏着一窝子!"

"所以我不敢轻易开门呀?别是'美人倒'什么的!……"

"行啦行啦！……你把她对付走吧！让她不管什么事儿，明天再去等我！"

"她要死活不走呢？"

"怪事！她有什么事？她怎么说？"

"她非进来，非让找你，她说她叫……"

大勺听到报出她的名字，猛地从沙发上蹦起来："什么什么……你再重复一下……是她？！……她还在吗？没走吧？混蛋！为什么不让她进？！她……就是我爱人！是！你赶紧把她请进去，好好招待！我这就，马上，开车接她回家！我告诉你，你要放跑了她，我跟你没完！"

大勺在那边一颗心狂跳，几乎要撞破他那厚实的胸膛。他简直是冲了出去。

这边的她已经不堪等待。她在狂怒癫痴中已发散出了绝大部分能量，她突然感到极度疲乏，并且失去了目的感，只想赶快找个绵软的地方坐下来歇息。

正当她转过身离开时，那男人慌忙地开了饭馆的门，一个劲地跟她道歉，谦卑地请她进去，报告她老板马上就来……

大勺果然很快开车赶到……她刚站起来，大勺就拉开风衣的一翼，上前把她围裹到了自己怀里……

她和大勺在床上。

大勺对待她，仿佛像面对一件无法估价的易碎古瓷，一件不知该如何欣赏的艺术瑰宝……大勺轻声地问她，把心里的爱怜告诉给她，她只是闭着眼，不吐一个字……

但她全身的每一个细节，都在向大勺表示：她献出一切一切，任由大勺享用……

……承露的仙人，可在黑暗中注视着他们？……这一对可怜的男女！……

大勺惊悚于自己这回的无能……为什么为什么为什么？偏偏跟自己朝思暮想的女子做爱，却毫无润滑紧密的酥裂感……为什么那样缺乏回应与默契？是他太急躁还是他太斯文？他究竟该把握怎样的尺度？这种事儿一计算就全没味道了！……

眼泪从她的眼角泄出……她找、找、找……天哪，她就是找不到感觉！为什么为什么为什么？她身为女人，却来不了那种感觉？而且，比那还要可怕！她不仅是上不来应有的感觉，她从心底还翻涌出相反的感觉！……

……她不由得挣扎着坐起，大勺惶惑地打开了床头灯……

……一瞥中，她看见大勺的胸膛，汗渍渍的……她惊异，男人为什么也要生乳头，那不是没用处吗？所以那么小，那么不成形儿，那么丑陋……

她恶心……她穿上拖鞋，跑进卫生间……对着恭桶，她呕吐起来。

大勺来到她身后，不知所措。

大勺给她煮了皮蛋瘦肉粥。还摆出一桌的开胃小菜。

……她静静地对大勺说："没办法……我尽了最大的努力……我还是找不到感觉！"

大勺低着头，很懊悔："昨晚上怪我……是我没能给你应该有的感觉……我原来不是这样的……我太怕失去你了，所以反倒弄巧成拙……我会改进的！咱们日子还长……"

她淡淡一笑："不能再试了……咱们俩不合适！"

大勺眼圈红了："……怪，我心里头，偏就愿意跟你……一个！"

她眼圈也红了。她小口小口喝粥。她想，真有上帝什么的吗？那上帝，他是怎么管事的？他为什么要造这样的孽？

大勺痴痴地望着她。大勺万万想不到，她此刻竟是那样一些思绪。大勺有自己的思路。大勺估计她是怀孕了。大勺决心不打听那孩子的父亲，除非她主动说出，而且她说多少他就听多少，她愿意把那孩子生出来，他就甘愿当那孩子的养父……

离开的时候，她说："千万别到花店找我，我不干了，也别给我乱挂电话……可是我会主动再跟你联系的……"

大勺把她拥在怀里，热烈地吻她，她任他吻够。大勺稍一停息，她便说："大勺，你真好！真的！我这辈子……没白遇上你！"

她这句话使大勺心中又燃起了熊熊的希望之火。

她回到爷爷家就病倒了。爷爷奶奶都很尽心地照顾她。

两天以后，奶奶问："那徐姐人不露面，怎么也不来个电话？"

她说："我们散伙了！"

奶奶就说："哎呀，合作得好好的嘛，这是怎么说的！干吗轻易散伙哩！"

爷爷给奶奶使个眼色，奶奶就不提这事了。

在厨房里，爷爷对奶奶说："她打小就这个脾气，她要不想说，你打死她她也不开口。花店的事我们不插嘴吧，我看她身体很糟，还是动员她到医院全面检查一下的好！"

可是她拒绝去医院。她说："我自己清楚自己是怎么回事儿。医院、医生都解决不了我的问题。我其实也没什么病。我是太累太累了，想歇歇，一个人静静。你们就随我在家懒散一段吧！"

爷爷奶奶就随她懒散。他们进她屋以前，都先敲门，她回应说"请进"，才推门进去。

二老做完饭，便敲门唤她吃饭。

她吃现成饭的时候，常常过意不去，停下筷子说："我这是太不像话了！……你们对我，真太好了！"

爷爷便说："谁们？谁跟谁？……你这阵不是不大合适嘛！"

奶奶也说："我就还最爱做个饭炒个菜的！你不在家，我们不吃啦？你能吃几口？多摆双筷子的事儿！"

别看爷爷奶奶都退休了，他们还挺忙的。

一大早，天刚蒙蒙亮，他们就联袂下楼，先去附近公园，练完气功，又跳会儿老年交谊舞，出了公园，小街上的早市还没散，他们便一起买菜，据说这时候价钱最平，因为快收市了，摊贩们都急着把推来的菜蔬全部出手……

回到家里，爷爷便收拾屋子、浇花，奶奶便收拾出待烹的菜蔬鱼肉之类，然后他们一起喝茶，或给也是退了休的同事打打电话……中午吃完饭，稍事活动，便睡个大午觉，起来，两人往往又联袂上街，到下午五点左右必又回来……晚饭后，根据电视报节目单上事先画好的记号，收看他们选定的节目，常是一些古装肥皂剧或戏曲曲艺节目……当然，还要给叔叔那边挂电话，或是那边打过来，其中最开心的一刻，是由他们的小孙女儿用稚嫩的口舌呼唤他们……

爷爷奶奶有他们自己的，虽平庸然而是十分正常的生活。

她呢？

她有病？那是病吗？

她活着，可那是什么样的生活啊！

爷爷把一大摞杂志拿给她解闷。那是他订的和借的，全是些健康医疗养生之类的杂志。

她从那些杂志上看到了几篇与她的隐秘有关联的文章，有一篇文章后面还附有一个咨询的电话号码。

那天她拨通了那个电话。

是一个男子的声音。

她马上挂断。

爷爷奶奶上街了，单元里静静的，阳光从窗外斜铺进来，照亮的空气里有若干细丝在袅袅飘动，令她感到身外的世界不以她的悲苦而有丝毫的改变。

……也许，只有北海的那个仙人承露盘，那个仙人，能面对她无尽的、绝望的询问，并以神秘的缄默，回应她的心灵……

忽然电话铃响，她本能地接听："喂，哪位？"

那边没回答，但并没挂断。

"谁？说话！"

大勺绝不会这样……

"你怎么回事儿？找谁？"

那边挂断了。

她的心往下一沉，跟着又往上撞，一直撞到嗓子眼儿。

……肯定的，徐姐！

叔叔婶婶带着小女儿来，叫完爷爷奶奶，让叫她。

"阿姨——"

爷爷他们都笑了。

奶奶说:"要叫姐姐!"

婶婶看她脸色不对,忙说:"哎,谁让你叔叔那么晚才结婚呢?"

小妹妹不懂事,天真地叫着:"阿姨姐姐!"

都笑了,只有她阴沉着脸。

她说不想吃饭,躲进自己屋子,关上门。

爷爷他们围桌吃饭,气氛不同以往,有点低沉。

"阿姨姐姐呢?"小姑娘哆声哆气地问,嗓音很响亮。

婶婶拍了她一下:"不许乱叫!"

小姑娘立刻歪着嘴,唱歌般哭起来。

叔叔瞪了婶婶一眼:"她懂什么?"

婶婶也拉下脸来。

奶奶把孙女儿抱过去,哄,喂她吃拔丝山药。

叔叔用下巴指指她的屋门,轻声问爷爷:"……还没交上……?"

爷爷叹了口气。

婶婶小声唠叨:"还要怎么样?……众星捧月似的!我算受够了!"

她拨那个电话号码。

这回接听的是个女人。

"您好!……很乐意为您服务!您请说吧,我听着呢……"

她又放下了电话。

上回,是个男人……其实,男人对她更合适。她有什么必要非跟女的诉说?弄不好再遇上个徐姐!

……可是,细想起来,真还不如向徐姐咨询!徐姐那份多疑、嫉妒、神经质,确实让人无法忍耐,但是徐姐在这件事情上,并不像我这么自我怪罪!徐姐也有罪感,那是因为她知道一般的世人，不能理解、容忍这种感情，甚至会给定罪，她是怕被别人发现，而就她自己，就她跟我的关系而言，她是坚信不仅无罪，并且坦然无畏的……徐姐绝不会往这种地方打电话，属于自己的，或仅仅属于两个相爱者的这份纯粹的隐私，怎么能向第三者，更何况是面都没见过的，本不相干的一个什么搞心理咨询的"志愿者"，去公布呢？……

　　大白天，她倚在枕上睡着了。

　　……她知道是在做梦。她很高兴，高兴自己知道这一切都是梦。"你看，骗谁？这不是真的，这是梦！"她在梦中深深呼吸，感到极度松弛。

　　……海边，真的海，不是叫做"北海"而实际上只是个湖那种地方……她在海水上走，踩下去总有一种马上要往下沉的危机感，但换一只脚时，就又弹起来了，她就不停地走，她懂，如果她停下来，她就会沉到海底……她是要到哪儿去呢？她边走边想，想不出来，很累，很累……她累得受不了，她就干脆停下来，嘿，一停，她就往下沉，原来沉下去一点都不可怕，海水变得像云一样轻柔，从身边飘散开去……她对自己说：你看你看，梦总是这样的，一往下沉，就没完没了了！……忽然她是在一个树林里面，有许多野兽，在摆摊卖东西，有一条蟒蛇，盘成一团，伸出一截身子，摆摊卖红颜色的塑料盆，很平常很粗糙的那种塑料盆，那大蟒非让她买塑料盆，还冲她吐信子，她一点不怕，她朝大蟒扮鬼脸，大蟒也没办法，她说，不知是对谁说：这算什么梦呀，一点水平也没有！说完，就有一个老太太坐在她面前，她不认识那老太太，老太太却认识她，她一下子认出来，老太太手里拿的那张放大的照片，是她小时候的照片，就是穿军装的那张，还挎着一支冲锋枪，她就去抢那照片，老太太不撒手，还说："我是你妈！"她笑，笑得前仰后合，别逗了！我妈死的时候才多大？能是干瘪老太婆吗？可那老太婆冲她点头，清清楚楚地说："闺女！我吃错药了！"她一听就哭了，她提起一只花篮，卖花，买花的人好眼熟，谁呀？为什么没扣好衣扣，系扣子，"胡姨！"她就嚷，她嚷："红活圆实！圆字里面是青年团员的那个员，不是一元钱两元钱的那个元！"语文老师就对她点头，说："回答正确，加十分！"同学们都笑了，电视主持人便跟大家道歉，说是报错了，梦里面嘛，什么错不错的……她一屁股坐下，坐在一只箱子上，她拼命想，箱子里装着什么，想不出来，就看见……这就对了对了对了！是仙人，承露的仙人走到她面前，呵呵呵呵，这是正经八百的梦啊，她问："您到底是男的还是女的？"仙人沉稳地说："我是铜的。"仙人把举着的大铜盘放下，她一眼看见铜盘里是些湿乎乎的陈年老泥，她替仙人说了："哪儿有什么仙露，全是想象，是一种愿望……"她拿起电话，对着话筒问："我这是怎么啦？"铜仙人就在她面前，可也抓起个电话筒，对着话筒问她："你是凡跟你一样的女人，看见了心里都想跟她亲热吗？"她回答说："不不不不，我可刁啦！没几个看得上的！……可我承认，有的，单是一部分，比如……红活圆实……什么的，有点儿想……可我绝不胡来！真的！"仙人就说："你没病呀！"她心里松快一大截，仙人又问："你想变成男的吗？"她使劲摇头，爷爷给的那些个杂志，上头登过变性手术什么的乱七八糟的文章，她把有那样文章的一本杂志撕成两半，说："我没那个想法，我跟她们两回事儿！"铜仙人就放下电话，对她说："你没事儿！"她就打开一扇门，门外是一个黑影儿，裹住黑影儿的黑纱往下掉，露出一个裸体来，她吓得尖叫一声……

她猛地从床上坐起，心里怦怦然，屋子里亮堂得让她害怕。她把梦里别的情节都忘记了，只留下尾巴的一点印象，但模模糊糊，她努力回想，是一个人，光着身子站在她面前，谁呢？……又有点像徐姐，又有点像大勺……她头痛，非常痛……

她就又躺下，她感到丢失了非常宝贵的东西，什么东西呢？她努力地回想。

半夜里，忽然电话铃锐响。电话平时放在过厅里，只有她用的时候，才拿进她那个屋，因为有长长的连线，所以电话可以临时挪到单元里几乎每一个角落。

电话铃深夜里在空无一人的过厅响，显得特别吓人，他们家很少这样的情形。爷爷去接，刚听完他就慌忙推开她那屋的门，冲进去大声呼唤她，把她从睡梦里拽出来。

她很不情愿地睁开眼，爷爷的声音劈了岔："……花店，花店着火啦！"

她顿时彻底清醒过来。

几分钟以后，她已经出现在楼下马路上，像那天离开花店时一样，她不管驶过是什么车，嘶吼着："TAXI！"

两辆救火车停在花店外的马路边上，满地汪着水，围着许多人，声音嘈杂。

她刚跳下出租车，就有好几个声音，也不知是在向谁报告："来了来了……就是她就是她……"

有人走过来，招呼她，要跟她说什么，她只疯狂地往花店里冲，有人拦她，她奋力挣扎，大声地叫："徐姐！徐——姐——！"

……在她的意识里，第一次如此痛切地凸现出，徐姐可亲可爱的形象，还不止是形象，那是换了任何人都不可能体验到的一种存在……徐姐于她，原来竟是那么重要，不仅是重要，更是珍贵，不仅是珍贵，更是无可比拟地充塞于她的整个灵魂……她这许多天拼命地压抑压抑压抑，企图把徐姐淡忘、排除，现在才知道适得其反，现在徐姐竟同她的灵魂粘连到了一起，在这个谁都无法解释得明白的世界上，唯有她和徐姐，徐姐和她，竟是须无需解释的！……

她冲决了头一层阻拦，进到店堂，一片狼藉，但似乎还没有太多火烧过的痕迹，她要再突进到后室，那曾经是她和徐姐共创的一个世外桃源，被两个人强行抱住了，恍惚中，她闻到火烧过的焦糊味，并且看到烧得坍塌成一堆的废墟……

她判定徐姐已埋葬于那废墟之中，并且悚然地意识到，徐姐已化为了焦炭！

"徐——姐——啊——"

她狂呼，她昏死在阻拦者臂膊中。

是隔壁邻居发现了花店后部冒出的浓烟，不仅及时地打电话报了警，而且自发地抱着灭火器冲进去率先救火，救火车非常及时地赶到，没等到火势蔓延开便将其扑灭了。左右邻居稍有损失，万幸！如果不能及时采取措施，火势发展起来，那后果不堪设想！说不定半条街都得接二连三牵五挂四地搭进去！

隔壁邻居说，花店很多天都没开业，为什么，不清楚；去救火时，店门锁着，显然店主都不在，只好强行撞开门冲进去……

火是怎么燃起来的？邻居分析不清，当时也顾不得多想，倒过灭火器就扑救；

有的邻居说可能是进去了盗贼，没盗到多少钱财，一赌气，便放了一把火……

有关部门马上查到店主姓名、家庭住址和电话，给徐姐住处打，没人接……消防队的事后分析，是煤气泄露致燃，后面厨房间有个煤气罐，煤气罐竟没爆炸，大概是存气不多了吧……

究竟后面烧没烧死人？事后清理现场，没发现尸体。

她一个人细细地想，时而豁通，时而狐疑。

难道自从那天她和徐姐吵完，疯了似的去找大勺，徐姐也就再无心恢复一切，把店门一锁，便不再回头？

或者，是徐姐在大苦闷中返回到无花的花店，自己放了一把火？

徐姐后来那许多天，是怎么过的？

为什么火灾发生后，她一直不露面？她会不会死在了她那个独间单元里面？为什么任何人拨那里的电话，总无人接？

要不要去那儿，把门撬开？徐姐会是沉睡在床上吗？还是更可怕的一种样子？

徐姐究竟到哪儿去了？也许，她不愿死在家里，她是到人们难以想象到的地方，用一种人们难以想象的方式，离开了这个世界？

是我杀死了徐姐吗？我抛弃了她，羞辱了她，窒息了她……她曾说过，她不能失去我，她这话不是随随便便说的……

这是什么样的爱与死啊！

承露仙人，请你告诉我告诉我告诉我……

她不断地拨徐姐住处的电话。

总无人接。

看不过她那疯狂的劲头，爷爷对她说："要不，我替你去管这号事的部门申请，撬开她的屋门，看个究竟？"

奶奶比较理智。她劝阻说："人家不会批准的。我们算她什么人？……就是为了合伙账目什么的事儿，人家也不会让你去撬锁的啊！"

那天却忽然接到了徐姐的信。

信是爷爷奶奶下午从外面回来，从一进楼门的信箱里发现的，他们带上来，递给她，她直到拆开前，还都没想到是徐姐的信。

信封上的邮戳说明，是寄自南方一个很不出名的县份。……她捏着信纸，仿佛捏着一个完整的生命。她的眼光贪婪而滞重地从信纸上的每一个字上划过：

我唯一的亲爱的人：

　　我知道你心里正煎熬着什么，我也曾经像你一样，受过这份煎熬。其实我们不必这样。

　　是的，不公平。我也不知道那个对我们不公平的，该怎么称呼他。有一回你跟我讲过，北海里的那个仙人承露盘，我们还一起在他下头，哭过。也许就是那样的神仙，上帝，佛爷，什么的，他让我们，心里的一份感情，跟好多的人，大不一样。这不是我们的罪过，除非我们，强求别人，要人家倒来跟我们一样。我可是从没这么做过。你也没有。

　　我现在心里头，很平静。我想通了，没法子，我还是那么爱你，可你连原来那份爱我的心，也保不住了。这是因为，我明白我不能跟别人一样，在个人感情这种事情上，归到他们的堆里去。我认命，我活我的。就这么着了。可是你不一样，你一直不死心，总想归到他们那一群的堆里头去。你要真能实现就好了！可我，不是劝你，你实现不了！当然，实现不了，也要去实现，这是各人的自由。

　　我不想活了。这你该想到才是。像我这样的，得到你，多不容易啊！你抛开我走了，真走了，一刀两断了，我的心，也就被你剜走了。再遇到你这么一个，我也幻想过，可是太难了，难到不可能的地步。就感情上说，我这人，死了。这个深藏着感情的肉身子，留不留呢？也真不想留了！

　　我跑到这么远的地方，本是为了，报销掉自己。可我，你从这乱七八槽的句子里能看出来，我犹豫了，改主意了。这些天，不管我愿意不愿意，我看见了好些新东西，好些人的活法，生活确实不光是要爱，要享受感情，生活的内容很多很多！其实我们的生活原来也不光是爱，只是我们的爱，太特别，太那个，把我们弄糊涂了！人活在世上，没了这份爱，也不是就没法子挺住。这几天我偶然看见本书，就跟遇上接露的仙人，开口说了让人能长寿的话一样，那书上说，世界上，中外古今，好多，不老少，有成就的人，其实感情上，都跟我们一样，古怪，特别，他们也都遇上过，痛苦，苦得活不下去，受煎熬的时候，叫做生命危机，他们都挺过去了，把那痛苦，化成另外的，奇奇怪怪的思路，奇奇怪怪的做法，结果，他们反而有发明，有创造，成了感情上不奇怪的人们，也佩服的人物！

　　所以，我给你写这封信，告诉你，我又不想死了。我也许就留在这南方，不一定是现在的这个地方，肯定不是这个我写信寄信的地方。是哪儿我现在也说不清，反正原来认识我的人，谁也找不到我了，我要在原来不知道我不认识我的人群里，做些个很新鲜的事！

　　我无比怀念，我们曾有过的花店，前面有花，后面有爱，那是些什么样的日子啊！一辈子里，有那么一段，也知足了！

　　不要找我！写信你往哪儿寄？我不会再给你打电话，碎了的东西，就是碎了。我现在不再犯傻！

　　我临走以前，把花店该付的账，该缴的税，都清了，你的那份，都留账号上了，我的那份，我都提出来了，本想给你多留一点，可是一想，不好，就严格地对半劈了。花店你也不想开，就把房退了吧，反正，随你。写了这些，心里松快多了。过去，像一场梦。不是好梦吧，可也不是恶梦。我认这个死理了：我生来跟一般人不一样，这不是我的错，更没罪，我改不了，也不打算改了，只好在隐蔽的痛苦里，做一番事，也许，一般人的所谓成功，我能得到，甚至还超过一些！

你跟我，又一样又不一样，我的话，你也不一定都适用。我跟你说，连请你参考的意思也没有，有，也不过一丢丢。各人活下去！可是，得记住：我们爱过！真心实意地，不碍别人地，爱过！

我还爱你！你还爱不爱我，不想了，因为我现在，是在心的最深最深的地方，存着那爱。也不一定再拿出来了！

再见仙人的时候，替我问好。我们的事，只有他知道！

记着我，忘了我，怎么记，怎么忘，都随便了！

徐姐

读完一遍，她又读一遍。开头，她想哭，后来，她平静下来。爷爷奶奶都没去打搅她。她一个人关在屋子里，坐在椅子上。开头，阳光斜射到她身上，她的发丝，镶着金边，后来，天色晦暗下来，她成了一个剪影。

奶奶做好晚饭，小声问爷爷："叫不叫她？"

爷爷举棋不定。

可是她的房门打开了，她从里面走了出来。

两位老人听到她非常悦耳的声音："爷爷，奶奶，徐姐还在，她到南方去了，没事儿！……花店的房子我们保过险，保险公司该赔我们的，我们该赔房主的，过两天我就都去给了结……我还有一笔资金，暂时不动……爷爷您前几天说的那个信息，是哪个地方教德语？这个语种会的人少，我打算尽快去学，别看我这人……脾气怪，学这个也许比一般人灵！……我不能再这么闷在家里头了，生活要重新开头！一切都还来得及吧？来不及我也要试试！明天我先……奶奶，今晚上吃什么？我闻见了，好香！"

她没说出，明天先要做什么。

其实，很简单：先去北海，在仙人承露盘底下坐坐。

1994 年 4 月 18 日

戳　破

1

天色甫明，他便出现在街道上。他右手抱着一个报纸裹着的东西，左手拿着一把不可折叠的黑伞，有着尖尖的不锈钢伞头；他将那瘦长的伞体当拐杖使用，每当伞尖着地，便在水泥砖铺敷的人行道上发出咝咝的声音。

那是城市近郊某处。街上虽已梭行着不算少的汽车，但除了车轮摩擦路面的嚓嚓声，显得颇为宁静。人行道上没几个人影。偶尔有路人与他交错而过，也都没有同他对眼的。各走各的路。

他不胖也不瘦，不高也不矮，穿着一件米黄色风衣，没戴帽子，剃了个寸头，因为头发欠丰茂，露出了头皮；他的脸瘦而长，眼小，鼻大，唇薄，额头上凝着几道不可平复的皱纹；他行走时双眼直视前方，很少眨眼；但他行走的轨迹不够平直。他就那么一直朝前走。

他只是走。他什么也不想。不过他脑子里并非空空洞洞，恰恰相反，此刻的他脑子里塞满了一个单一而坚固的东西。想，需要意念的流动。而他脑子里的东西稠厚滞重而不流动，因此并非空虚，却也并非在想。

他步履均匀地朝前走。他有目的地。

……忽然，一样东西滚到了他的脚下。谈不到吃惊。但他站住了。那是一只小狗。很小的一只西施犬。头上、身上披满了长长的毛。毛的颜色近乎金黄，但不匀称，有些区域泛着白光。

他愣在那里。脑子里仍无流动的东西。可是他没有踢开那狗，也没有绕开那狗。小狗却嗅开了他的皮鞋和裤腿。

一个小姑娘，其实不能算太小，有了苗苗条条的身段了，映入他的眼帘。小姑娘先用责备的语气唤着小狗的名字，又走拢他跟前，跟他道对不起。那小狗脖子上的链子，终端还在小姑娘手里。

小狗被小姑娘牵开了。他不动声色地继续走他的路。

往下走，他的眼珠略有了些转动。他看到有人穿着背心、短裤沿着马路牙子跑步。其实早就有那样的晨练者那样子跑过他的身边。他还看到有个老太婆，推着一辆满是鲜花的手推车从对面而来，与他交错而过后，一阵湿淋淋的香气袭入他的鼻孔。

他脚步放慢了些。他的脑子里，稍稍有些东西缓缓地流动起来。他感到恐怖。

……贞子的出现，也是以小西施犬为前导的，而且，那西施犬的毛色，也是介于金黄与米白之间……那是哪一年的事了？……

他忽然极度恐怖。他站住，僵在那里。浓酽的罪感弥漫于全身。

他想起了教宗的训谕：泯灭前史！

不仅要泯灭自己的前史，也要泯灭他人的前史，而首要的是泯灭自己的前史！

教宗用宏量的声音宣布过：所有人的前史，不仅一概是污浊的，而且是毫无记忆价值的。提倡忏悔的宗教是伪宗教。我们的救赎之路，不是忏悔，而是抹煞。前史既然无聊，后史也就毫无价值。当前所正在进行的呢？那意义只在完成这堕落的人类的末日总体性解决！

他紧紧地闭上双眼。然而更加恐怖的是，他的视网膜上有着仿佛照片底版上那样的痕迹，开头是西施犬，然后是贞子……

他睁开眼，周围显得格外狰狞。街上的汽车是巨大的臭虫。人行道上走过去迈过来的是些蠕动着肮脏的肠胃,并且肛门上面分明是屎袋子的臭肉之躯。他扬起脖子,高楼的玻璃幕墙映入他的眼睛,那墙面仿佛是尸体的腐皮,透视进去,钢筋水泥与化工合成的结构分明是巨大的髑髅。由衷地感谢教宗,教会他如此这般地看世界。他将恐怖感转化为了鄙夷感。

于是他继续迈步朝前走。

2

对面来了个人,亲切地招呼他。

他站住,毫无表情。

"……君,你好!很久没见到你了,你一向可好?……你这是到哪儿去?去邮局寄包裹吗?你像是拿不大动了,要不要我帮忙?我今天出来得早些,有些个工夫……今天天很晴啊……预报是没有雨的,不过昨天报的阵雨,下起来可有大半天呢……你的气色,好像不算太好,是不是最近太疲劳了?我可是疲惫不堪啊,这一段还算稍好一些,上个月……唉呀呀,别提了……你要我帮忙吗?不要?……"

他望着招呼他的人,忽然微微一笑,口中轻轻呐出一句:"是我要帮你了……"

对方不得要领。他也不再表示什么。他们分手了。他继续朝前走。那人走离他身后几步,不由得回头望他的背影与步态。

他的脑子里仍谈不到有什么流动的东西。但那塞满他脑子里的东西多少有点汗津津的。他遇到的是大学里的同学,并且他们还曾获得同一专业的博士学位,也曾在同一机构同事过若干年。他们一起为晋升提薪而奋斗过。先后娶妻生子。前后脚买了分期付款的房子。上班时拼命干。下了班到酒铺喝酒。参加学术会议,宣读论文。在假期要么躺在床上补觉,要么带上老婆孩子去风景名胜地度假,开头是国内,然后是国外。银行里存款渐多,但离成为富豪不仅还远,而且看不到清晰的前景。上司是那么讨厌。工作总没完没了。人际上,开头是假笑酸坏了颜面匝肌,后来是瞪眼挣裂了眦肉。于是，在某一天，他跟他有了区别。他，离婚，酗酒，辞职，流浪，纵欲……而忽然，又在某一天，偶然地，不，极有缘地，进入了一个小小，然而神圣的圈子，于是，修炼，苦行，辟谷，打坐，虚心，断欲……终于，有一天，教宗接见了他，他激动地说了许许多多的话，教宗静静地听完，却什么也没有说，只是从绝对的静默状态，倏地抓起桌子上的水杯，将一杯热水用力泼到他的脸上，他伸出舌尖舔着热辣辣的水珠，顿悟的快乐令他瑟瑟发抖……

回望他的那个老同学、老同事，矮矮胖胖的，直到他走到快拐弯的街角了，还站在那儿，凝望着他的背影步履，百感交集，眼眶里竟滑动出些许黏湿的液体。此人回想起，那一年，他和他，还有另外十来个人，对，那时候已经不是几百上千，而是仅仅十几个，真的，连二十个都不到，他们，举着他们所崇敬的伟人的像，还有标语牌，这也都不算新鲜，街上的人们早见惯了，成百上千地举着许许多多，都见过的，但是那天他们还举得有四张像，两张的举法也不稀奇，另两张的举法却别开生面——那像倒置着，并且还打着黑叉，那是两个叛徒！他们为之痛心疾首！他们没喊口号，却引来了不算少的注视目光……但攘攘俗世的芸芸众生，即使偶将目光集注到他们身上，又怎么样呢？还不是很快就狼奔豕突地钻进挂满大减价的百货店去，抢购那些资本家用来从他们身上榨取利润的所谓的便宜货！……他记得，有一天，他来他的住处，见他正在厨房按中国菜谱煎一条鱼，气愤得浑身乱哆嗦："你……你你你……竟然还有心煎鱼！"当时，他听了，一瞬间也真是自觉罪孽深重，跟那像片倒置画黑叉的犹大简直是一丘之貉！……但是他还是煎完了那条鱼……天哪，为什么，为什么到头来，我们还是妥协了？那一起奔赴南美，将格瓦拉未竟的事业推行到底的瑰丽而圣洁的愿望，为什么不仅不曾实现，甚至于在满街的霓虹灯闪烁与货架子上满坑满谷的花花绿绿的商品压迫下，竟越来越模糊，终至如烟如雾！……他现在早已从一个戴着艳红袖章的激昂青年变成了一个循规蹈矩，尤其是依法完税的，所谓的标准白领，或者说典型的中产阶级……而那远去的背影呢？他后来，究竟又找到了什么？他仿佛在说，他这回要来帮助我了，他能帮助我么？他可知道，最可怕的是，到头来我竟并不知道，现在的我，究竟需要什么帮助！我下星期可望升为主任，下个月将去看秦始皇的兵马俑，并且年底便能终于将购买私宅的全部贷款还清，甚至于还又有了一个绝对不带艾滋病毒的新情人……但是，这又终究有什么意义？这一切，便是我的人生么？个体生命，不断地进行细胞再生，内分泌不停地滋循，难道就是为了这些？……他走远了，拐过街角了，或者，我真该陪他去邮局，在那里，我们至少可以多多少少讨论几句：什么叫活着？……

抱着包裹、拄着伞的他，已在另一条街上行进。

3

从巷子里斜刺着冲出一个人，撞到他身上，几乎将他撞倒。他搂紧包裹，气愤地瞪视那撞他的人。那是一个浑身酒气的粗人。还没等他看清，那莽汉便朝马路那面跑去了。

倒是另外一张脸晃进了他的眼帘。那是一个妇人，显然还没来得及洗漱，头发乱蓬蓬的，衣衫也不整，甚至连睡衣也没脱，只是套了一件廉价的外衣。那妇人显然是追赶那莽男的，她用嘶哑的声音喊着他的名字，并且凄厉地叫道："……你别……别呀！……"

他冷笑着继续前行。无论莽男还是妇人都不再入于他的视野。他们根本不值得他作出更多的反应。他有短暂的气愤，那是因为莽男险些撞落他右臂所抱的那个东西。现在东西无虞，他也就不再气愤。

他走着。虽然他脑子里仍无流动的东西，可是那妇人的面影不知为什么却仍浅浅地潴留在他的视网膜上。他想如同挥开一只蚊子似的挥开那个视网膜上的秽物，却不能成功。那莽男撞到他时，他所闻到的那些酒气，确实消失殆尽，然而那妇人并没撞到他身上，只是差一点跟他身体有所接触，所散发到他鼻腔里的一种肉的气息，却偏仍氤氲在他鼻息里。这一丝丝的妇人气息，竟如同细小而尖利的钩子，钩动了他脑子里的那团硬硬的东西，使得那东西不仅是出汗，而且，有了些小小的流动。

他记得教宗曾言简意赅地说过："女人不该有肉外气息。"是的，进入他们那个教门的女子，不仅必须泯灭前史，而且绝不能再使用任何扰乱其天然肉息的洗涤化妆用品，当她们以最正当的方式向教宗膜拜时，她们倘若不慎带入了一丝半星异味，教宗便会将她们打入惩戒室，那是一种关上门便绝对墨黑的小屋，他也曾被关进去过，因为忽然有一天，他在打坐时，无论如何不能排除一种关于气息的想象，那是纯净的气息，贞子的……而除了教宗，谁有资格享受哪怕是无染的女体肉气呢？唯有教宗方能在肉与肉的契合中，给予这个堕落的世界，以及芸芸贱类，以伟大的拯救……可是教宗最近悲壮地宣布，这世界和芸芸贱类都已无可拯救，因此，大毁灭的日程，格外紧迫……

他竟在这紧迫的关头，鼻息中蹿进了一个披发妇人的肉气，并且贞子，对了，这个俗世中最早同他以肉报肉的女子，忽然又有了星星点点的，复活的记忆……罪感撞击着他的心，他用伞尖重重地杵地，仿佛那样便能击退罪恶的火星……

他成功了。起码是暂时成功了。他脑中微微流动的一点点东西，又半固态化地滞住。他继续前行。

倘若是在他入教之前，那莽男和那披发妇人，不仅会令他高扬起好奇心，而且，凭着他一时的兴致，他或许还会盯住不放，去缠住他们访谈，要么他会发挥想象力，写成小说，甚至会瞄着芥川奖而去……是的，从一粒米，可解析出大千世界，这男子这妇人，该有着他们虽卑琐却生动的前史，是多少种因素，社会的，家庭的，理性与非理性的，生理的，以及作为肉块的物理性的冲撞，才令他们演出了巷子里冲出的一幕？……然而他现在皈依的是最神圣的至高无尚的也应是宇宙唯一的信仰，他不能再堕入佛教等教义的渊薮，现在他懂得，滥情的理解、怜悯、沟通、赦免都是绝对的错误，对这莽男粗女这类的贱肉，其实只需很简单地加以通盘解决，便一了百了了。现在的他，高踞于芸芸贱生，那都是些什么东西？！

人行道上的路人多了起来，有些人几乎是与他擦肩而过，他鼻息里有了尸臭。罪感消失。

他心中弥散开了彻悟的快感。

4

　　街道的商业气息越来越浓。一家门面颇大的百货公司，应当是九点才开门，却公然已燃亮着一大溜玻璃箱灯的广告。这种商品化景观，给人一种白昼宣淫而恬不知耻的猥亵感。百货商店的橱窗里，正有员工在为一些搔首弄姿的服装模特人形换上最新的时装。

　　如果不是迎面来了个瞎子，竹竿点地一往直前，他不得不让避一下，他的眼光是不会晃到橱窗里面去的。那些摸拟的白种与黑种的妖妇令他作呕，然而，有一种，是披示最昂贵的套装的，那人形架的头部，却只有半个瘪缩的脸面，或仅是用不锈钢圆棍扭成一个示意的面影，却令他不禁多注视了几眼。对，他心里说，对，这才是人应有的面目。

　　百货公司的一侧，是附设的快餐部。刚刚又易主，重装了门脸，改了一种新的餐式，并且派了几个穿着特制服装的小姐在附近人行道上派送优惠卷。从浓妆艳抹的大玻窗望进去，吃那新式早点的人并不踊跃。有个小姐想把优惠卷递给他，见他双手都没空，便鞠躬到标准的九十度，脆生生地说："先生请进，先生请照顾，我们七折酬宾……先生赏脸……"他目不斜视地走了过去。那小姐身上的非肉气息，与快餐部里飘出的某种被扭曲了的肉味，令他气愤。这可恶的俗世！

　　他往前走。忽然有一阵近年来罕见的喧哗声传递进他的耳朵。这声音令他早已压抑下去的个人前史，乃至于他曾跻身其中的那个群体的前史，倏地冒冲了上来，当然，只是滋出了一些碎屑，但这又足以使他脑子里的某些停滞的半固态忽然又流动起来。

　　前面是个三岔路口，呈现出一片混乱的状态。一群学生，或者以学生为主的年轻人，正在与一小队警察发生着冲突。几个警察强行抓持着一个狂暴的学生，他身躯已然离开地面，却依然疯癫地波动着。他瞥见了血。这染进他眼中的血令他脑中流动的东西更热而且趋辣。几个警察挥动着电棍驱散人群。有几个学生与警察对打。还有的退到了马路那一头，捡起些杂物朝警察投掷。然而，更多的，是在四散奔逃躲藏……

刹那间他泵入心脏的血充溢着前史中的味道。他甚至有种抛开手中的东西，冲上去与警察拼搏的念头。但这念头只存在了大约两秒钟。他只是站在那里，右手依然抱着那个报纸裹住的东西，左手依然拄着那把雨伞。

一些驶到路口的汽车停在那里。车里没有人出来，也没有人从车窗里往外探头。很耐心的样子。也有不耐心的，朝后面退，试图调头另择良径。至于人行道上的人，很少有驻足观望的，一个个只是加快了远离开冲突区域的步伐。他身后不远的那家快餐部门口的小姐，仍很尽职地派送着优惠卷。

他却停在那里，望着。他看见警察气势汹汹，而已没有任何青年人再进行抵抗，一些逃遁的身影潴留在他的视网膜上。街角的警车訇然关上了后门，那个被搬进去的学生肯定已被铐上了手铐。

他脑中流动的前史忽然关闭。他有了一种强烈的憎恨。那憎恨很自然地将警察撂到了一边。他恨那些学生，那些年轻人。他们为什么逃遁？其实他们的总人数，大大超过在场警察的人数；固然警察有警棍，甚至有枪，警车里还准备了催泪弹，可是，你们为什么就不能义无反顾地冲上去，用你们的身体耗尽那警棍的电流，以你们的肉躯糊住那警察的枪口？为什么不愿意当烈士？为什么竟然退却？包括那个被抓进去的学生，你为什么不一头撞死在警车车壁上，以你喷洒的、鲜花般开放的艳血，来完成一首洁净的反抗之诗？你们这些孬种！屠头！胆小鬼！下流胚！贱货！叛徒！你们还配活着吗？！更不要说那满街居然无动于衷的芸芸俗众，你们不是行尸走肉，是什么？！

他瑟瑟发抖。他进入到教宗诲育出的那至高至洁的境界之中。是的是的，依照这个铁的，不，钢的，不，钛钢的……逻辑，这些孬种屠头胆小鬼下流胚骨头是不配活着的！警察不能灭了他们，我们来灭掉他们！倘若我们人手不够，那么，雇人来灭他们也是应当的！雇谁呢？有一种人，他们有现成的工具与技术，雇他们最省事最方便，那就是……警察！

此刻的他，的的确确，是一个新我。倘仍在前史之中，他所恨的，必是警察。然而现在令他恨得牙痒的是这些学生，这些年轻人，这些孬种屠头胆小鬼下流胚……

这说明,他已真正领悟了教宗的宣谕。他为自己在活生生的考验面前思路正确而清晰、坚定而精猛深深地自豪。

那三岔路口恢复了平静。车流又顺畅起来。有清扫工来清扫地面。

忽然跑来了几个背照相机的男女。是报馆闻讯而来的记者。都喘吁吁的。口中呐出遗憾的话语。于是开始纠缠路人。而大多数路人都不愿合作。有几位便走到他面前,要他作为目击者回答连珠炮般的问题。他面如钛钢,一语不发,用臂弯搪开记者,径直朝前走。

他刚摆脱了面前的记者,忽然,有人握住他的左臂,引他朝前走。他想用力甩开那人,但一侧眼间,他脑中那硬硬的一团忽然如遭雷击。

那握住他左臂的,是贞子。

5

贞子所租的小单元,就在这条街上。她住四楼。她从窗里望见了街上小小的骚乱。

这是多年不见的情景。她仿佛回到了青春时期。她并没弄清那场冲突的因果,但她在头一眼时便坚定不移地站在学生和青年人一边。她抓起临窗的桌上果盘里的西红柿,用力地朝警察那边掷去,可是有两个却误掷到了跟警察对峙的学生身上,她在狂怒中又跑去打开冰箱,抓起一把鸡蛋,一个接一个地拼力扔了出去。

她在一种莫名的激昂中,扶着窗栏,久久地颤抖。

后来,她注意到人行道上有个古怪的身影,久未移动。她望着那身影,先是疑惑,后来仔细推敲,终于得出结论——那是多年不见的他!

她冲下楼,将他引到了她的居处。后来她才知道,他竟随她导引地来了,这是个十足的奇迹。

他梦游般随她上了四楼,进了她那小小的单元。单元里的每一个细节,都标志着一个白领丽人的失败,和一个自由撰稿女性的窘迫。

她问："你抱着什么？你为什么不放下它？"她从他手中，半强行地取下了那个包裹，搁在门边。她恍惚觉得那是些酒。她回想起当年，每次这类的事经过之后，当然不是旁观式的经过，而是身体力行之后，一些同志总去某处喝酒，而他俩，却总是有种急不可耐的冲动，不要酒，而要对方，他硬梆梆的只想长驱直入，她湿黏黏的只盼永不消退……那是些什么样的日子啊！

他呆呆的。左手还没放下雨伞。她望着他，惊异，却并不以为有所疏离。其实她早觉得他总会出现的，只不过是出现在这一天的早晨，而且是在这样的情形下，估计上小有不足罢了。她把双臂搭上他的双肩，盯住他的眼睛，问："你为什么还盼下雨？"

现在的他，是一块钛钢。要不是有个毛茸茸的东西挨到他的脚上，他不会软化。然而他本能地低头一看，那是一只小狗，一只西施犬，一只毛色介于金黄与米白之间的西施犬。前史浸蚀着他的心，他的脑。他的思维极不得体地流动出这样的话语来："是另一只吧？"

"当然！"贞子说，"不过，它会跟从前那只一样，绝不干扰我们的事！"

贞子取下他手中的那把伞，顺手挂到一旁衣架上，然后扑到他身上，紧紧地箍住了他。那只西施犬仍在蹭他的裤腿。

贞子觉得他出乎意料地冰冷。贞子啃着他的脖子，喃喃地问："你怎么了，你怎么了……"

西施犬走开了，走得不远，蹲在一边，仰头，朝他们上方看。

贞子伸出一只手，往下，去抓他那玩意儿。竟然是软的。贞子使劲抓，狂躁地问："为什么？为什么？……"她竟骂出了粗话，嚷了起来，"我要！我要！我要！……"

他的身子化为烟雾似的。脑子里流动的东西并未增多，而且也仿佛烟化了。但他那玩意儿突然暴怒，以至令贞子惊喜不及……

6

他满身都是汗，衣服都粘在身上，仿佛爬动着团团的蚯蚓。他甚至连大衣都没有脱，只是被贞子解开了裤子上的文明扣，把那玩意儿掏出来，捏了又揉，揉了又捏，然后郑重其事地搁进她赤裸裸的身子的凹部去。他们一直站着。他背抵着墙，眼光一直盯着对面的电脑工作台。那黑糊糊的电脑监视器上反映出她的一部分腰上的皮肤。她使劲往前撞击，一次又一次，并发出一阵阵介乎哭笑之间的呻吟。

他在这种情况下，脑子里有节奏地流动起前史，当然只是一些碎片，不过是一些较大的碎片，像是从狗嘴边上掉下的肉渣。

贞子很久才进入高潮。终于瘫在了他身上，只用双臂挂着他的脖颈。

后来他依然靠在墙上，连裤子上的文明扣也没有去系。只是眼光随着贞子移动。贞子依然一丝不挂，然而已然恢复了那件事以外的神态。她找出香烟，点燃，抽。在屋子里走过来，走过去，不快，也不慢。她吐出了一个又一个，甚至一个套一个的烟圈。她并不望着他，然而固执地向他索取答案："为什么？为了什么？该为什么？……"

他伸手扣上文明扣，系紧裤带，脊背离开墙，抖了抖肩膀。贞子问："你要不要洗洗？"他不回答。贞子又问："你抽吗？"他也不回答。贞子不再问，而是命令："你喝点水。"贞子给他倒了一杯蒸馏水。他接过来，一饮而尽。贞子就再给他倒了一杯。

贞子找了件睡衣穿上，坐到沙发椅上，望着他说："你以为我……怎么样？"

他头部不动，眼睛转了一圈。他看见满墙的架子上乱插着各式各样的书。

贞子扔掉烟蒂，双手捧着脸，眼角溢出泪水。

他站在墙边，手里拿着水杯，望着贞子。贞子的脸却朝着墙上的一幅油画。那幅画将浮世绘与米罗风格杂糅在一起，却镶着古典得没有道理的西洋式大画框。

贞子说，像是对他，更是对自己，或者竟是对那幅不伦不类的画："究竟是为什么？我们的青春，是它害了我们，还是我们害了它？……你记得那年在那个山村里吗？我们和他们一起修小水库，我们的裤腿都结了冰，可是我们笑得有多开心！……我们坚决要留下，我们咬破了手指头，写血书……可是他们说，我们是外国人，他们不能让外国人插队……是的，我们明白了，我们不能当摘桃派，我们怎么能坐享他们的果实？我们要自己栽树……于是我们回来以后，就开展了城市游击队的战斗……我们先后被捕，不是那些混蛋审判我们，而是我们审判了他们，漂亮极了！……可是，为什么为什么……罪恶的社会它没有倒下，它用铺天盖地的人造物，美丽的，魅惑的，甚至也是越来越精致的，巧妙的，方便的，有趣的，各种各样的，涉及你生存的每一个细微方面的……一直充塞到你的灵魂……他妈的！……这也还罢了，可怕的是，当我们再要去那个山村，接待我们的人，却用嘲笑的口吻说：你们是城市游击队的吧？他们似乎更愿意接待那些城市大亨！……更滑稽的是，我们在新宿遇见了那个村长，那个曾经以一辈子扎根山村的理想光辉照耀得我们目眩神迷的偶像，他来干什么？据说是来留学，下课后他到这边的一家饭馆打工！……说来说去最最可怕的是我们自己……这些年来，我们在我们以全部青春生命抗争过的价值标准下俯首称臣，我们被赦免，其实也便是被我们自己放逐……不不不，不能再这样！于是……我选择了现在这种生存方式，起码，我还保持着一支心灵游击队！……你呢？你呢？我说你这个混蛋！你以为我不知道吗？你他妈的背叛无神论了！我一眼就把你看穿了！你这个懦夫……"

直到贞子说到最后那两句，他才从如烟如雾的状态中变化过来。那两句话像尖针般戳进了他的心中。他全身忽然凝缩为坚硬的一块。

贞子站起来，拉开柜子上的一只抽屉，拿出一些大麻，用烟纸卷起来，点燃，狠吸了一口。她吸完仰着头，闭着双眼，下巴抖动着。

他转过头，看别处。他看见贞子那还没有整理过的床上，撂着一个仿佛特长香蕉的东西，两头都很像他刚才露出的那玩意儿。贞子确是与另一女子在同居。那女子一早便出去了。他还瞥见离他很近的小圆桌上撂着的几本英文书。

他大叫一声："你这臭娘儿们！"先把手里的水杯朝那电脑的监视器砸去，随即，便迈上一大步，没等睁开眼睛的贞子反应过来，便重重地甩了她一记耳光，紧接着，他便扭身，到门边抱起那个报纸包的东西，并从衣架上取下那把雨伞，转动把手打开单元门，冲了出去……

7

前面的街市已经没有丝毫的郊区特点。虽然在往昔那还不能算是进了城。所谓的现代文明本来只盘踞在市中心，这些年来，却仿佛一条光怪陆离的蟒蛇，越来越放肆地伸长它那暴长的身躯。

他朝既定方向走去。右臂依然抱持着那报纸包的东西。左手中仍拿着那把伞，当拐杖用。

他知道他还有比较充裕的时间。他出来得早。他要按既定的计划行动。不是不必提前，而是必不能提前——这是分派他这项任务的大臣的叮嘱。他严格照办。这真神圣。

前方有家书店。有人在做营业前的准备，拉开挡橱窗的金属闸，往门外摆廉价处理书刊的摊位。橱窗里展示的新书，还有摊位上摆出的旧书与过期书刊，从他的视网膜往他的心里输送着囫囵的信息，他并不想搞清楚那都是些什么印刷品，便觉得秽气熏心。垃圾！都是些垃圾！文字垃圾！纸张垃圾！印刷垃圾！名人垃圾！……这些东西比那百货公司里所有的那些莫名其妙的人造物品，都更让他作十日呕！他的前史中嵌满了多少这些垃圾啊！

那时候他却误以为那是些金珠宝贝、高级营养品……现在他泯灭了前史，他由衷地认为，这世界上只有一种印刷品存在就够了，那便是教宗的那部著作，除此以外统统是垃圾！是领导俗世贱众堕落的垃圾！他刚才在贞子那里也看到了那么多的垃圾，他在那里不能再待下去的主要原因，便是垃圾堵心，那大麻的气息还在其次！

他愤然地经过那家书店，由于不能忍耐那冲鼻的秽气，他差一点挥起雨伞将那书店的橱窗玻璃击碎。他发现，橱窗里所陈列的几本书，恰是刚才从贞子那油腻腻的小圆桌上映入他眼中的那几本。垃圾！最新垃圾！时髦垃圾！他不是作十日呕，而是要作百日呕！

亏得他从那橱窗的反照里，望见了他右臂右手所抱持的那样东西，他左手挥起的手杖，才没有朝那玻璃击去。小不忍乱大谋。他小忍，放下了雨伞，转身继续走向他的目的地。他把雨伞尖在人行道上戳出一串激烈的咄咄声。书店的人望着他的背影，在胸前画着十字，口中吁出一道长气。

他每用伞尖戳一下地，心里便骂出一声来，实际上他的嘴唇也翕动着。垃圾！垃圾！垃圾！扫荡垃圾！烧毁垃圾！什么法兰克福学派！狗屁！什么后结构后现代！什么解构！什么赛义德！什么亨廷顿！什么福柯、福山、霍米巴巴！都是狗粪！什么大江健三郎什么《廊桥遗梦》！什么《辛德勒的名单》！什么中野孝次的《清贫生活》！统统都该一把火烧成灰烬！

这是最后的裁决，终审，末日宣判！

他简直是气势汹汹地往前走。但周围并没多少人注意他。一个乞丐，几乎对每一位路人都伸出反着的鸭舌帽，却偏在他过旁时将手缩了回去。

8

前方建筑物上有一面大钟。居然才七点四十。可是那个地铁站站口就在那钟面往前几十米的地方。

他停住。转动眼珠。附近有个咖啡馆。他决定进去喝一杯咖啡。那样再出来，进入地铁站，登上列车，可以恰是八点整。那才是高峰的峰尖。

咖啡馆里冷冷清清。他寻了个临窗的角落。咖啡送上来了。他用小勺搅着"卡布奇诺"，那是一种掺热奶油的意大利浓咖啡。从他座位那个角度正好能看见那面公共钟。

为保险起见，他伸腕对了对表。一致。他把那包东西紧放在他那座位旁边。伞挂在了椅背上。他呷了一口咖啡。那味道冲击他的味蕾，热度冲击他的胃囊，几乎又让他那前史的碎片翻腾到脑际。他惭愧。都逼近这一天的八点了，他的修炼度竟还不到火候。

他挺直腰板，梗着脖颈，闭上眼睛，扫除杂念。

　　然而有异味袭进他的鼻孔。并且有异声冲进他的耳膜。

　　那是两个男人，一个金发碧眼，一个黑发棕眼，三十岁出头，提着去飞机场的行李，进来喝咖啡。是其中一个，送另一个飞。他们坐在了离他很近的座位上，要了两杯爱尔兰咖啡，那种热咖啡散发的气息里有威士忌的成分。

　　那两个人热烈地交谈着。声音不大得体地响亮。他们用掺杂着中文的英语交谈，偶尔也掺进一些日语。排除这样怪异的干扰于他是困难的。在他的前史里，中文和英文都曾令他心仪。这种混语的交谈仿佛是专门来让他旁听的。他费了很大力气来把好奇转化为厌恶。人性之堕落，之不堪改造，自己便是突出的一例。他自觉形秽。以教主的崇高来审判自己，他浑身又渗出汗来。他努力让教主那披发长须、闭目关唇的圣容浮在心头，不淡不摇。然而那两人的交谈声仍然断断续续飘进他的耳际。

　　"……是的，"那黑头发的说，"我懂，依据你们所创立的价值观念，知识分子应该当仁不让地反现实，甚至应当先验地反现实，这是知识分子的使命，或者说，宿命……否则，只能算是受过知识与技能训练的社会工具。所谓知识分子的独立人格，便是批判的人格，在专制面前固然要批判专制，在民主面前也还要批判民主，离开了直言不讳的批判，也就无所谓作为知识分子的存在了！再好的社会，再进步了的社会，再具有进步意义的社会转型，说到底，就是到了大同社会，知识分子无论作为个人还是群体，他都应当是挑刺儿的，独立不倚的，狂放不羁的，他只听命于良知，服从绝对命令……"

　　"你为什么这样激动？"

　　"我不能不激动。因为……我懂得，你为什么不激动，因为，在你们那儿，老早就是这样了，这有什么稀奇的？从总统，到平民，甚至于从狱卒，到强盗，对知识分子，都有这样的共识，不一定喜欢他们，却一定不会把他们的直言怪论视为犯罪……比如你们那个乔姆斯基，他现在并不怎么攻击政府，因为政府反正也就那么一回儿，骂政府简直算不了什么新把戏，骂也难骂出彩来了，于是，他骂传媒，骂大传媒，大传媒不会高兴，可是懂得知识分子反正就是骂强权的货色，不管是官方的强权，还是民间的强权，所以他们不会因此将乔姆斯基灭掉，而乔姆斯基也便稳当他的大学教授，那大学或许还会把他引以为荣！……"

"难道你们那儿不是这样？我理解……"

"你很难理解！现在我们那儿有些人，民间的，一个族类的，他们就因为把你们关于知识分子的概念照搬了过来，因此，他们对任何一种对转型中的社会持亲和态度的人士，都宣布为投降、堕落、背叛、无耻……他们认为，应该一样地批判一切，甚至越猛烈越好！他们的自我感觉，仿佛就已经成为你们那个知识分子族群中的一员了！俗世的芸芸众生，能做的事只有一桩，便是排成大队，络绎不绝地来给他们鞠躬致敬……"

"我不明白……"

"你当然很难明白。或者你只能从一个角度上明白，却一定会忽略掉另一个角度，那便是，你们是第一世界的国家，甚至于你们国家所印制发行的钞票，便是国际通用的货币，我们那里的亿万富翁，如果他持有的只是我们那边的货币，无法兑换成你们的货币，那么，他到了你们的世界里，便是个穷光蛋！可是你们街头的每一个乞丐所讨来的小钱，拿到我们那边，都能使用！你们每一个人所说的话，都简直便是世界语，即使是文盲，他也算是会说一种世界通行的语言，可是我们那边，即使很有名的人物，比如说著名的学者、作家、艺术家，他们不会说你们的话，在国际性的文化交流中，便处于非常尴尬的地位，所以在我们那个世界里，到处是教说你们这种话的学校，收钱，你们那里很平常的一个人，都可以到我们那里当口语教师，挣高于本国教师很多的钱！……"

"然而，这又说明了什么呢？"

"说明我们那个世界的文化，竟是如今这个世界上的弱势文化，而你们，西方文化，竟是强势文化……"

"你赞成赛义德的东方主义、后殖民主义的论述？"

"赛义德也是你们的文化人，他的著作、学说也是你们文化当中的一部分，他只不过是站在你们西方文化的边缘地带，朝你们的主流文化、居中文化，开火罢了！他并不是站在我们这个世界的立场，尤其更不是，完全不是站在我们这个民族的立场上，来思考问题的……因此，我不采取他的学说，来诠释我的苦闷……"

"你究竟为什么这样苦闷？"

"一言难尽！非要说清楚，不是那么容易的。首先，你要知道，近十多年在我们那儿所发生的变化，以我个人的生命体验，我是不能不产生出亲和心理的，不管怎么说，经济发展了，货架子上的商品充盈了，而且，最主要的是，民间社会空间大大地得到展拓，出现了半个世纪以来真正意义上的俗世……特别是，由于这种局面的来之不易，而且，更由于体制内还有颇不可忽视的反对派，他们不是没有可能让这种进步中止与倒退的，因此，我作为一个民族的知识分子，我便不能完全按你们西方的那个知识分子定义，来扮演我的社会角色，对于在我们那里所出现的商品经济，所呈现的俗世景观，所发生、发展着的与外部世界的沟通与一体化，包括跨国资本的进入、高速公路、立体交叉桥、高楼大厦……的涌现，以及种种通俗的文化消费现象，旧的观念的解构，新观念未架构出时的混乱，等等，我便不能不持冷静的、分析的、平和的，乃至于适度妥协的态度，当然我要批评、批判乃至抵制某些我看准了的东西、倾向，然而我不能取一种先验的，甚至只是为了证实自己归属于西方知识分子群体的，那么一种唯批判的态度……"

"你们为什么要统一态度呢？其实，在西方，也还是有各种各样的知识分子啊！"

"对，为什么要统一态度？各人完全可以有自己的态度。但是我们这个民族是崇尚一统的。本来，我们的知识分子，应当是直面现实，各自针对现实，发表自己的见解，可是，不知怎么一来，倒成了首先去呵斥那些跟自己站位不同的同类了，大有现实可以暂缓批判，而这些同类不可不率先猛批一番的劲头……你不觉得这很古怪吗？"

"是很奇怪。据我所知，我们的知识分子，很少这样。讲后现代的就讲他的后现代理论。搞女权批评的就搞他的女权批评。也有争论，但很少有攻击人家站位的。只是在同一理论范畴中进行学理争论。我以为一个知识分子，他就是根据他的良心，凭借他的知识，坦率地说出他对事物、世界、人类的认知，也不一定非要批判和否定。"

"说到底，是这样一个问题：人类究竟存不存在一个整齐划一的价值标准？特别是，西方的价值标准，究竟能不能作为整个人类的价值标准？或者说，在西方的价值标准里，究竟可以提纯出哪些来，作为人类共享文明的一部分？……"

"同样地，东方的文明，哪些可以算作是人类的共享文明？哪些跟某些西方文明一样，就是只属于他自己的，不兼容的？……但是我们这样讨论，是不是又进入到亨廷顿的那个命题了？下一个世纪，真的是我们西方基督教文化，还有伊斯兰文化，跟你们东亚儒教文化之间的冲突吗？"

"我们那边有个老前辈，是位东西文化都精通的大儒，他说，三十年河东，三十年河西，别看20世纪是西方文化占强势地位，21世纪里，东方文化必定成为强势！……可是按他这个逻辑，人类文化的交融，形成一种共享文明，不仅极其遥远，甚至根本没有必要了……人类只能在忽东忽西的文化摆动中生存……"

……这些话语渐渐在他耳廓中化为一些混沌的聒噪。他嘴角浮出冷笑。这种无聊并且浮浅的议论，也曾是他在某些酒气氤氲的沙龙里不仅耳熟能详，并且抢着话茬儿高谈阔论过的，只不过，他与他的那些如今想来不过是臭烘烘的沙丁鱼般的谈伴，基本上都是从他们所置身的这种其实更加古怪的现实出发罢了——明明属于东方，却被公认为是西方列强之一！光凭这一点，这世界、人类的混乱与悖理便夫复何言！

他闭眼入定中，教主的面影越加清晰起来。他终于达于非语言所能表达的静穆中。

他一睁眼，七点五十五分。他拿起那包东西，取下雨伞，麻利地走出咖啡馆，直奔地铁站口。

9

地铁站里游动着那么多罪孽深重的俗世贱民！

在滚梯上，他自高处朝低处移动时，有一段俯视的时间，在那段时间里，他脑中的硬块辐射出最强烈的批判，不，说批判已经不够，是宣判，而且是最终裁决，他代表教宗，宣判这些浮动的肉团没有资格继续存活！

他的脑中流动起浓稠的意识，但这与那种俗世俗人的思维是两回事，那或者可以比喻为水的流淌，即使是裹挟着污浊的流水，总还是平易自得的；此时他脑子里流动的却仿佛是才从火山口溢出的岩浆，凡经他流过之处，格灭无论，乃至于他脑子里充满了哧哧的烫烙炮熔之声；他获得一种借教宗的神圣而达于超人状态的大快感。啊！末日审判时的刽子手，这是多么激动人心的角色！

从进入地铁，到经过滚梯来到站台，到在站台中部一侧等候驶往市中心的车列，他的这种终极审判与格杀无赦的岩浆意识，越来越暴烈，越来越急迫。

……那边那个一身笔挺的杰尼亚西服，手提昂贵的铁诗东尼公文包的家伙，一副煞有介事的虔诚做派，一望而知是个奸诈的政客；他身边的那个年轻人，分明是他的秘书，脸上的虚假笑面可以一把扯将下来！而最令人齿冷的是，离他较远的圆柱那里，有个新闻记者在用变焦镜头"偷拍"他的"微服出行"……狗屁！那分明是演就好的把戏，今天晚上如果登出某议员"平民作风"的"玉照"，那便是这世界又多出一堆狗屎！呸！……不过，今天晚报上所应刊登的，也许是这几个家伙的尸照吧？什么东西！他妈的！城市游击队没把你们灭掉，看我今天怎么收拾你们！……

……你们几个在那里笑什么？一望而知是几个无聊透顶也无耻透顶的白领族，真他妈的是皮笑肉不笑，或者是肉笑皮不笑，笑什么呢？笑你们的上司？笑昨夜酒吧里，隔着曲尺形柜台，坐在高脚转凳上，跟那脸上厚粉填不平皱纹的老板娘的打情骂俏？那便是你们给资本家当马仔之余的，唯一的，可怜巴巴的，卑微的乐趣！现在你们又得去那监狱般划为一格又一格小小空间的 OFFICE，面对几乎无所不能宰制的，资本恶魔的化身，也就是电脑，被迫在所谓的信息高速公路上，或批发或拆零地出卖你们的灵魂……你们这些经济娼妓！光凭你们那消不掉的黑眼圈，就足以判定你们为败类！都他妈的跟我摆平！……

……还有你们，这几个不伦不类的娼妇！是的，你们自以为比真正的娼妓正经、高贵，其实一眼便能看穿，这位，丰臀厚乳的肥婆，你居然还没有嫁出去吗？你他妈的其实整个儿是个涂满蚯蚓肉的钓饵，你以为你真有一天能钓上条傻鱼，便从此以后赖在他身上，让他没日没夜地给你到外头去挣房子、车子……你就俨然扮演起贤妻良母来了，到了百货公司，你仪态万方，因为你的鳄鱼皮手袋里，有三种以上的信用卡……你他妈的确实不偷汉，可是你丈夫哪次想跟你来那事儿，你提升过冰度？整个儿闹成一场婚内强奸！……那边那个搓衣板胸的娘儿们，你以为你就不是贱货？瞧你那副捏酸假醋的德性！你或许是个服装设计师之类的破玩意儿的！跟你说，这堕落的人类根本没有资格包装！把你先扒光了算！……还有那边那个半老徐娘，戴着顶什么帽子！上头居然还插着根蓝颜色的羽毛！你活着便是一种多余！为什么？还用问为什么吗？你居然那样心平气和地细看铁轨那边的灯箱广告！那全是披着"现代化"花皮的恶狼嘴里露出的獠牙！你竟蠢然地任它吸引！可恨！铲除那些广告倒在其次，我先瞎掉你的眼睛！……

……你耳朵里塞着回环立体声的小耳塞，他妈的，这所谓新一代产品的馈线和机体竟纤细小巧到难觅痕迹的地步！你竟随着那耳塞里的罪恶节奏扭动你的腰臀！什么青春不青春，少跟我拿这个讨饶！青春应当用来堵枪口！以青春的血肉糊住枪口锈掉炮筒！为什么不用你的热血去喷溅出火辣辣黏糊糊的崇高之花？！……你们既然不懂得皈依我宗，那么你们便比那些血已经温冷的家伙们更应该受到惩罚！……

……你少掉一条腿，还活着干什么？还有你，走什么走？往哪儿躲？你一张脸那么丑！还有你，跟我他妈的照什么眼？现在点到的就是你！你一只耳朵上挂着个耳环，分明是个同性恋者，你这变态的猪猡！嘿，眼珠子乱转个什么劲儿？邋遢鬼！甭跟我来这套！什么"是真名士自风流"！什么艺术家！统统是些精神垃圾的制造者！……跟你们说，懂吗？这个世界已到末日，模样儿周正的所谓健康的躯体尚且没有生存的余地，何况你们这些公开的丑类！

滚开！我连你们变成尸体前的挣扎都懒得看！……

……还有这些提着大包小包的外地人，乡巴佬！东张西望什么？不好好待在你们老家，跑这儿来凑什么热闹？还嫌这大都会的尸气不浓吗？……来了也好，倒省去轮到你们那地方时的好多工夫了！……

……什么？明星？什么明星？真正的星只有一颗，只能有一颗，那唯一的一颗，便是教宗！唯有他有资格披长发、蓄长须……那些愚昧之极的俗世贱民围过去干什么？找那个臭皮囊签名？签他那个臭名？……怎么说？是因为街面上堵车，为了赶时间，赶九点钟的阳光，所以才改为了乘地铁……可笑！九点钟？九点钟还能有你的太阳？你们的太阳？……你这也披长发、蓄长须的僭越者！我诅咒你！我他妈的头一个灭了你！

……还有那个掏出手帕揩嘴的人，你虽然没有跟过去追星，可是你一样也没有资格活着！为什么？不为什么！你们没有资格问为什么！非要问清楚，那就爽性告诉你们，你们太平庸！小男人！追求卑微琐屑人生小乐趣的草芥！好死不如赖活着的行尸！只懂得诸如人与人之间应当互相理解、谅解，应当互尊互爱……一类岂止是肤浅，简直是有毒的你们所谓的常情常理！你们懂得教宗的普世之恨么？懂得为他献身的神圣与永恒的真谛么？……

……还有这边的几个，那边的一群，走过的几位，挪开去的两个……你们都不配再苟活下去！我奉教宗之命，来验证你们的无价值乃至于负价值！下流胚！贱货！……

开往远郊的列车从那边隆隆而至。开往闹市区的列车马上也要从这边驶来。神圣的使命，马上便要进入具体实施的阶段……

这时却有一个削瘦而奇高的黑衣男子，出现在站台上，向过往以及候车的人们散发一种印刷品，口中不停地说："……世界末日将临，请您选择您的最佳归宿……"人们大多并不理他，只有少数人在他强行塞施时接过他那印刷品；不过接过的也大都看了几眼便将那东西抛入了站台上的弃物筒中。

他看见那情景，气得发抖。倘若不是他手腾不开，况且时间上也不允许，他一定冲过去将那家伙驱赶。

他以前见过那家伙，并且同教友一起揍过那块臭肉。那家伙根本就不是正经的信徒，他来自北方小城，想出名想疯了，于是从教宗的著作里东摘西录，又掺上自己杜撰的胡言乱语，印成小册子，封面上印着他自己的相片，下面却把教宗的一段话作为语录；鬼知道他怎么说动了一家殡仪公司，把广告印在了他那小册子封底，这样既解决了他的印费，他还从中捞到了一些钱，他便以"非卖品"名义，四处散发他的小册子…现在他居然又来这里鱼目混珠！他妈的！你这也算是批判俗世拯救世人？你这整个儿操作手段，是俗世中最下作的一种！你不仅构成了对教宗的僭越忤逆，也重创了我们真正信徒的感情！他和教友早向教宗作了汇报，并拟定了将他实际解决的具体方案，但是教宗听了，没有任何表情，也没有哪怕是细微的动作启示……后来大臣也没有批准他们那个"实际解决"的计划，说是"一切有待于通盘解决"……

从那边走过来一个地铁工作人员，开始禁止那冒牌货的行为，冒牌货居然振振有词地为自己的散发举动辩护……他不仅痛恨那个黑衣瘦子，他也讨厌那个穿制服的魁梧汉子……也轮不到你耀武扬威！你这俗众走狗！这污浊的俗世恰是因为你们的值勤维护，才居然绵延至今！说真的，欲灭彼，倒先需灭你！你这一身臭酱肉的所谓公勤人员！哼，哈哈，"一切有待于通盘解决"，今天，此刻，我就是来通盘解决的！……

通往闹市区的列车，已经就要钻出遮蔽的巷道了……

10

有一个头发花白的妇女，在站台那边的小店为她的孙子买巧克力。

买了一盒金莎巧克力，用心形盒子装的那种。孙子看到一种蛇形软糖，要买，那妇人拉着他手，对他说："马上车就来了，走，我们去坐车。下了车，还会有这样的糖，我们再买，好吗？"

那小男孩便乖乖地跟她去上车。车确实到了，他们正赶上当中那一节的车门大开，下车的人没几个，上车的人很不少，有点挤，他们几乎和他，一起迈进了车厢。

他迈进车厢，没往里走，就站在车门旁的座椅旁，然后，没等关门开车，便把右臂一直抱着的那个报纸包着的东西，弯身放到了座椅旁。那东西搁在那儿，有些妨碍别的乘客往车厢里面移动，于是他便又将那东西，以脚帮忙，朝座椅下面，移了移。这节车厢的座椅是那种沿车窗一长溜的形式，座椅上坐满了人，站着的也很不少，座在座椅最靠门一侧的是位中年男子，脸朝着对面车窗，根本没注意到他的到来，以及搁放东西的动作；其他的人也都没注意；人们虽然距离非常之近，乃至于因为拥挤而有肢体的接触，可是，在这种公共场合，人们的心理距离往往极其遥远，或者竟根本不在一个时空中；这也确是俗世之所以熙熙攘攘而莫衷一是的鲜明一例……

他直起腰来，仿佛举重运动员终于举起了杠铃，并在坚持了三秒后，听清了裁判宣告有效的铃声，方才从容地放下杠铃，那般地志满意得。他看看腕上的表，是八点零三分。

他感到臂部和背部都有别人的肢体或衣衫与他接触，这说明恰是地铁高峰期的峰尖，这当中一节的乘客既然丰满，两边的车厢里想必更装载着殷实的待宰败类……

剩下的事，便简单之极了。待车至下一站，下车之前，他用左手中的那把雨伞的伞尖，将那搁放在地下的包裹使劲一戳，戳破后，他下车，若无其事地出站……便大功告成。

那个用报纸包着的不起眼的包裹，里面装满了液态的沙林毒气。一旦戳破了包裹，液态沙林泄出，很快地，便会挥发，挥发的速度会很快。沙林毒气的正式化学名称，叫甲氟磷酸异丙脂，是在 1938 年，由德国人施拉德、安布罗斯、吕第格和林德首次研制成功的，沙林这个名称即由这几个人姓氏的头一字母构成；它无色、无嗅、无形，但弥散开后，不仅能够随着人的呼吸进入呼吸道，而且还能浸透人的皮肤渗入人的肌体，甚至可以通过人的眼结膜侵入人体，使人很快地呼吸困难、瞳孔缩小、窒息抽搐，直至死亡。这是日内瓦化学武器公约所严禁生产使用的一种毒气。当年纳粹德国虽生产出了这种毒气，却也始终没有投用。

现在，他以教宗的崇高而神圣的名义，马上便要戳破那个包裹，他们所精心研制生产的沙林毒气，将显示第一轮的威力，以头一批死尸郑重宣布：世界末日来临，堕落的众生理应灭绝！

列车风驰电掣。下一站很快便要到达。

然而，出现了一个他万没料到的情况。同他一起进入车厢的那个老年妇女，牵着她那拿着心形盒装金莎巧克力的孙子，在进入车厢以后，便试图朝里移动，可是，坐在一进门右边座位上的那位中年男子，并没看见他安放包裹，却看见了那妇人和那孩子，于是，便起来给祖孙俩让座；妇人道谢后坐下了，本想让孙子就倚靠在自己身前，这时旁边一位年轻的女子也站了起来，让那小孩子坐，奶奶和孙子都道过谢后，便坐妥，这时当了奶奶的妇人便得以喘口气，松弛下来，抬眼张望，而在偶一张望中，便发现了他，发现者喜出望外，不由得唤名称君，他本能地闻声与呼唤者一对眼，糟糕！他脑中的那些火山岩浆，竟陡地滞住了。

那唤他的妇人，是他上小学时的恩师。

11

他此时本应万人不理，却不由得回应了一声："八重老师……"

八重老师坐着，他站着。八重老师仰视着他，眯着眼，眼角有些细碎的纹路，可是八重老师并不怎么显老，她的颜面大体上还是那么光润细腻，她的微笑还是那么样地像初春的晴阳，她那不说话时总是抿住的嘴，嘴角稍稍上翘，总仿佛在表达着丰富的胜似话语的善意体察……

八重老师很高兴。她并没马上发现他的异常。她甚至并没有注意到他左手挂着一把古怪的雨伞。她当然更不知道有一大包沙林毒气就搁在了她脚下。她只是由衷地感到高兴，竟意外地遇到了多年不见的学生，并且是当年她花过很多心血培养的学生。

怎么？怎么？怎么回事？怎么会……八重老师？……那八重老师的出现，竟如在他脑中爆了个炸弹，炸出了无数他的前史……那固然是些碎片，然而却是些丰厚茁实、血丝鲜漉的生命碎片……

他的父亲是个一生永远升不到课长以上的公司职员，在他的印象里，那是一个无声的父亲，不仅每天下班回到家里阴沉着脸，难发一语，就是喝得烂醉，揪住母亲头发又打又摔时，他也顶多是大喘气，而并没什么话语……人们都说倘若夫妻一方口拙，另一方必话多，然而他的母亲也并非长舌，只是很爱出声地哭泣，不仅挨了父亲打会哭，就是他在学校里考了坏分数，也会叹一声："为什么我的儿就这么不争气啊……"之后便掩面哭起来……这样的一个家，使得他自上学以后，就宁愿多在学校里待着，放学后不是留在教室做作业，便是到操场跟男同们一起打棒球……

那时候八重老师很年轻，她教国文，兼他们班的班主任，她的嗓音并不清脆圆润，然而却给他一种天鹅绒般的感觉，那声音传进他的灵魂，给他极大的慰藉，仿佛有一只纤秀的手，在慢慢地抚平他心上的皱纹……有一回她在课堂上给他们朗诵正冈子规的俳句：

> 泥工打瞌睡，
> 燕子正交飞。

就这么两句，飘飞进他的魂魄，竟令他忍不住流泪，使劲咬嘴唇忍，怎么也忍不住，便像母亲一样，出声哭了起来……同学们莫名惊诧，可是八重老师并没有表现出惊怪，她继续朗诵：

> 蝴蝶翩翩飞去，
> 风吹又飞回。

> 蝴蝶碰荆棘，
> 刺破了翅膀。

并且很自然地走到他的身边，用她一只手，很轻柔地拍了拍他的肩膀……

他简直是默默地爱上了八重老师。虽是混混沌沌的爱，因为默默隐忍，便很有岩浆在火山下备受压抑的巨痛。八重老师上课提问到他，他明明会，却也只是站起来，紧闭嘴唇。八重老师也不深责他，因为凡是笔试，他总几乎全对。

……是小学快毕业那年，学校选拔棒球手，组成校队，好争取到区里的联赛中获取好名次……他的技术与速度以及应变能力都无可挑剔，然而体育老师嫌他即使在最昂奋的状态下也不张口呐喊，认为这是个很大的缺点，不能在赛场上与队友互相激励士气，就这样，校队没有要他；是八重老师去找的体育老师……他在窗外听见了，八重老师很郑重地对体育老师说："……应该要他，他肯定能立汗马功劳，我保证……"体育老师竟说："我们不是去参加聋哑人运动会……"八重老师的声音变得非常地不天鹅绒，他听见她抗争道："……这对他非常非常重要！……有时候，就在这种似乎很小的事情上，我们伤害了学生，那伤痕，会久久不愈，甚至影响他的一生！……"体育老师却说："八重君，您言过其实了……对我来说，最最重要的是，我带出去的校队不仅必须出成绩，而且要有声有色！"

……他没能加入校队，那果然是他心上的一道永未愈合的伤疤吗？……然而也许真算得伤疤的是，他们毕业时，八重老师也便结婚了，是西式的婚礼，他和一些同学，在教堂外，看见八重老师穿着仙人般的婚纱，挽着一个其貌不扬的男人，款款地走了出来……有女同学撒了大把大把的花瓣和彩纸……他在无人注意的情况下，跑到僻静的小树林里，趴在一棵大树上，叹了一声，便哭出了声来……

……他不喜欢中学的所有老师……中学毕业前，父亲突然查出癌症，并且很快死去。丧事办得中规中矩。然而丧事过后，母亲居然再也没哭过，起码是再没在他面前哭过……

……母亲在他上到大学二年级时带着妹妹改嫁了。他强忍着厌恶参加了母亲同那个脸上有颗大痣的鳏夫的婚宴……那天的寿司有种油漆的味道。

……他上的是名牌大学。有全额奖学金。母亲给了他一笔父亲留下的钱。在大学他的专业课老师对他赞不绝口，然而他在专业之外极不安分……

……对了，就是那一天，他胳膊肘下夹着一大摞专业书籍，在那条林荫道上……他本只沉浸在自己的冥想中，忽然，有个毛茸茸的东西，滚到了他的脚面上……那是一只娇小玲珑的西施犬，毛色是金黄与米白交杂……他听到一串笑声，他抬头……贞子那双明亮的眼睛，便从此嵌入了他的心中……这两年他曾用最大的努力来消灭自己的前史，他甚至都完全忘记了母亲的眼睛，然而他却仍不能将贞子那双眼睛化为乌有……

　　……贞子是学哲学的，正在休学，因为得了一种总查不清楚的什么病……其实贞子并没有什么病，只不过是，她想生病罢了，她的哲学箴言是："我病，故我在。"……

　　……在跟贞子幽会很多次以后，他才知道，贞子是大财阀的千金。不是出身寒门的他，而是贞子，把他引入了与全世界富人为敌的左派政治活动中，而且很快成为极左一翼里的铁杆分子……他发现，十个极左分子里，至少有七个是豪门子女，甚至于，因为他并非那样的出身，倒还引起过对他真诚度的怀疑……

　　……是在一个很偶然的情况下，他跟贞子提起了八重老师，"哪一个八重？""八重樱子。""啊，她！"原来八重老师嫁的那个富人，就跟贞子家在同一个社区。贞子说起八重樱子，难得地没有讥讽。她说，她知道，这个阔太太跟那个社区的其他"妖婆"——包括她母亲——不一样，她嫁人后继续在学校教书，而且为人谦和平易，生活方式上也颇平民化，"甚至于，"贞子用这个词儿引领出下面的话："她跟她丈夫可能还真有几分爱情……可是她很不幸……""她怎么不幸？""她想有孩子，可是，却一直生不下来……"他忽然有了一种干预的热情："那为什么不想办法？"……

　　……他的专业，也涉及生命科学，包括遗传学，包括生育研究……他一再想起八重老师所朗诵的正冈子规的那个俳句：

　　　　　蝴蝶碰荆棘，

　　　　刺破了翅膀。

　　多年未犯过的，多半是母亲遗传给他的那个动辄欲哭的毛病，复发了……他哭过以后，便决定具体地帮助八重老师……

　　……他与八重老师重新取得联系……他果然很具体地帮助了八重老师……在他所介绍的医生的精心疗治调理下，八重老师和她那丈夫各自都排除了不育因素……八重老师终于生下了一个宁馨儿……贞子对他说："下不为例！我们不能再帮资产阶级增加接班人！"他便说："那是个'可以教育好的子女'，跟你其实是一样的！"……

他去看望八重老师和那宝宝，他没带任何礼物，可是他朗诵了另一首八重老师当年教给他的俳句：

夜凉如水，

银河岸畔，

星一颗。

旅行又旅行，

秋风尽在旅途中。

……那以后他的人生之旅，果然是尽在秋风中……他跟贞子分手了。是的，他堕落了……直到两年前亲得教宗点化，他才得以自拔出泥沼……

……他终于懂得，人类均已堕落，世界末日已到，教宗所预言的日期，业已逼近，这浊世的愚民们既然尚未自我毁灭，那天外彗星也未如期来撞，那么，杀灭芸芸贱众的崇高使命，便神圣地落到了他们，特别是此刻的他的肩上！……

……地铁列车隆隆地朝下一站驶去。很快便要到站。他所要做的，剩下的程序极其简单：只要在停站后，用手中伞尖将那座椅下的包裹使劲一戳。

12

八重老师在跟他说话。虽然列车开动的声音掩盖了她的话音，但仅凭她那口型，他便能懂得她的意思。八重老师在问他一向可好，并且问他哪站下车。

他没听清八重老师的声音。可是他感受到有天鹅绒朝他袭来。真可怕。俗世的天鹅绒于他具有如此的杀伤力。他怎么会偏偏遇到她，并遭受到天鹅绒的袭击？

……那么说，车到站，他戳破那包裹，很麻利地逸出车厢和车站，沙林毒气溢出以后，头一个被他杀死的，必是八重老师，还有她的孙子……

是的，俗众没有继续存活的道理！……可是这些天在他脑子里，虽然塞满了这个无可置疑的绝对真理，他却从未设想过，他所头一个毒杀的，究竟会是哪一个俗人……而事到临头，却明白无误地呈现于他的眼前——是八重老师！

……八重老师也属于不堪苟活的俗人贱众吗？当然！她不信教宗，便无生理……可是，可是，真拿她第一个摆平？……

> 蝴蝶翩翩飞去，
>
> 风吹又飞回。

她这次摆平，可就再不能"又飞回"了啊！

……一瞥中，他看见，八重老师仍在仰望他，双眼里充盈着……那是什么样的东西？

> 蝴蝶碰荆棘，
>
> 刺破了翅膀。

为什么非得让她，这个女人，头一个"碰破翅膀"？

八重老师的嘴唇，微抿着。嘴角稍稍上弯。为什么有这样的生命？这样的表情？这样的嘴唇？这样微妙的，令人不忍多看的唇角意蕴？

这个女人非但不知她已大劫临头，还在关爱着他的生命状态……那眼神，那表情，那稍稍上翘的嘴角，分明都在向他传递着这样的殷殷询问："……君，你过得好吗？你快活吧？你该是幸福的啊？……"

他的脑子里原来充塞的东西，破裂为许多碎块，错位，摩擦，撞击，震荡……

八重老师的那个孙子，急着要吃巧克力，拉开了扎在心形盒子上的缎带，掰开盖子，取里面球形的果仁巧克力，一不留神，没拿稳，盒子里的一球巧克力，落到了地下，滚进座椅下面。八重老师便蔼然地责备孙子。孙子弯下身子，要到座椅下去拣那球巧克力……

　　他发现了这个情况。一刹间他宁愿是那孙子将那座椅下的包裹碰破……然而八重老师及时制止了孙子，她替孙子从盒子里取出一球巧克力，喂进孙子嘴中……

　　……当年如果没有他的帮助，八重老师哪儿会有儿子，因此又哪儿会有这样一个孙子呢？他判定那孩子是她孙子，因为，老小两个的颜面，特别是一双眼睛，把那遗传基因，表露得无须推敲……

　　他的思维禁不住如此流动：当年，是我帮助她创造生命；现在，我却要来结果她和她的后代的生命……这，这究竟是怎样的一种轮回？……

　　他脑中浮现出教宗的面孔……长发披在耳后，长须犹如钢鬃……教宗的一双眼睛似睁似闭，却逼射出激光般的箭束……我有罪！我动摇了！啊！教宗！我懂了，这恰是您对我的考验！……即使是这个八重樱子，她也是个完全不足惜的俗物！你看你看，居然在用浊世最恶俗的一种商品，喂食她那毫无存活价值的孙子！……为什么她要例外？格毒无论！格杀无赦！……

　　列车已经驶出黑糊糊的隧道，进入下一站的站台，并减速，刹车。他把雨伞从左手移到右手，并提了起来……那雨伞竟重若千钧……

13

　　列车停住了。在车门即将开启的一瞬间，也是他正欲戳下伞尖的一瞬间，他忽然发现八重老师站在了他眼前，离他非常之近；八重老师的眼睛约在他鼻尖前面，却将那眼波清晰地传递到了他不由得下视的眼睛中；并且这回他听清了那致命的天鹅绒的嗓音，说的是："……君！你好像不舒服，你先坐我这儿吧！"

　　天鹅绒杀手！

　　杀退了他的戳破动作。

车门大开。有下有上。车厢里一阵骚动……

列车门关上了。起动，驶离。朝下一站而去。列车上的扩音器里传出预报下一站的录音……

……他竟鬼使神差地坐到了八重老师让出的座位上。而八重老师也便坐到了孙子原来所坐的位置，将孙子揽在自己怀里……

……他这是……啊！这岂不是渎职……不，简直是叛徒行径么？……

"……君，你好疲惫……你要多多保重啊！……"充满关爱的声音……天鹅绒炸弹！

他被炸得一时无措。那孙子蹭到了他和八重老师之间，并且对他手中的那把伞产生出兴趣。那孩子用嫩手抓过了那把伞，他竟没有坚持，不知怎么便松开了手，于是八重老师的孙子拿过那把伞，巧克力糖盒早交给了奶奶，快活地玩起那把伞来。那把伞的伞把高过了那孩子的头，孩子踮起脚尖，伸手握住伞的弯把，尽力旋转那伞，伞略有转动，孩子咯咯咯地脆笑起来，但一不留神，孩子没站稳，朝他身上跌来，那边八重老师接住了歪倒的伞，这边，他竟不由得将孩子搂住于怀中……

……孩子身上蹿出一股乳臭，令他于惶乱中不禁战栗……

……那是他也是个孩子的时候，他家窗外，泥水匠正在为邻居抹墙……燕子在檐下翻飞……有一回他跑过去玩，一个正倚在木柱下休息的泥水匠，朝他懒懒地笑，他的皮球滚到了那泥水匠脚下，泥水匠便故意抓过藏起，不还他，他扑过去抢，泥水匠歪身子躲，他跌进了泥水匠怀中，泥水匠搂住他，呵呵地乐着说："你这一身奶臭的坏小子！……"

> 泥工打瞌睡，
>
> 燕子正交飞。

……他曾为这两句俳句哭过。他真该泯灭掉这些个前史吗？这种说不清道不明的人生滋味，难道真是无聊、无耻、无意义、无价值吗？

……八重老师的孙子顽皮地移到了他的左边，此刻，他的一边，是曾给予过他天鹅绒般的人生关爱的恩师，另一边，是恰恰通过他反馈给八重老师的关爱，所派生出来的乳臭未干的稚弱生命，置于当中的他，真的应该将他们毒杀无赦么？俗世的爱，真的一钱不值、狗屁不顶么？……

他在极度的莫措中，用双掌捂住脸，臂肘撑在大腿上，心中如有刀搅……

脑中闪动起俳句的断片：

小香鱼，
分两路潮流游去。

夏日山风来，
桌上白纸尽飞去。

鲫鱼惊阵雨，
竞相逃避一桶中。

……

……他撤下手掌，抬起头，望着上下左右。一对情侣，就站在他面前，男的一只手抓着吊链，一只手搂着那女的，女的将头枕在男的肩窝里……从两个乘客的腿间望过去，那边座椅上，一个戴眼镜的女子，低头在看着一本书，肯定是一本俗世的书……一个上班族，额头上堆着皱纹，手拉吊链，闭着眼，在做着白日梦……他的梦里，想必也充溢着世俗的欲望……爱的欲望？……那边，两个年轻人，互相耳语着，脸上现出诡谲的笑容，他们显然在享受着俗世最琐屑的乐趣……还有一个胖妇人，也坐在对面一排，她搂着一个藤条箱，编制得充满透气洞的藤条箱，依稀可以看出，里面是一只雪白的波斯猫，俗世的关爱，居然延伸于猫狗……他脑中又浮现出西施犬，毛色介乎金黄与米白的西施犬……贞子，他想起了贞子……真的跟她又邂逅了吗？他的腿根间，出现某种隐约的膨胀感……他竟未能泯灭掉对俗世关爱的忆念，以及感受的能力……啊啊啊啊……为什么为什么为什么？

这生命，这生存，究竟是合理，还是罪孽？为拯救这世界，究竟需要普世之爱，还是普世之恨？……我这是怎么了？我是谁？我怎么会在这里？我在做什么？我应该做什么？……

列车的行驶声忽然在他耳廓中变成了悚然的訇响……啊啊啊啊……他全身渗出冷汗……我是来……来以实际的行动，宣布世界末日来临，宣布俗世贱众因堕落而必须灭绝，宣布一切不皈依教宗的败类不再拥有生存的权利的……天哪！我怎能临阵手软？我必须恨、恨、恨、恨……任何俗类都无望得到我的赦免！……

……可是，这身边的一老一小，这先于我的生命，与晚于我的生命，这两个与我有过俗缘的生命，他们……为什么偏偏要成为我下手后的头两个祭品？……这，也许恰是教宗的刻意安排……

……他的脚无意中往后，鞋跟触到了一半在座椅下的那个蓄满液化沙林的包裹，他的心咯噔一耸……他的伞在哪儿？……这时八重老师的孙子又在玩他的那把伞，他一把抢了过来，那孩子吓了一跳，撇撇嘴，哭了，回到八重老师怀中，八重老师没有责怪他，反而附在孙子耳边，教育他应该懂事——不要随便动别人的东西，并且不应该惹人家生气……

列车訇訇然前驶，下一站又要到了。

14

他站了起来。眼光不再与八重老师接触。他挪到了车门旁边，他的脚边便是那个一半在座椅外的包裹。他右手紧紧抓住伞把。他将全身力气都运到右臂上……

"……君！再见！走好！"

仙 人 承 露 盘

天鹅绒炸弹居然又向他袭来。八重老师看他到站了欲下车，便致以礼貌；还让孙子也噙着泪花跟他招手道别……他都没有看见，但天鹅绒炸弹仍有效应……

……他竭力压抑那浮到脑际的想象，但是没办法，八重老师中毒后扭动得像一只虫的丑陋而狰狞的样子，还是引得他在昏痴痴中肠胃抽搐……还有那个乳臭未干的孙子，他将带着乳臭成为一具缩皱的童尸……

蝴蝶碰荆棘，刺破了翅膀……"应该要他，他能立下汗马功劳，我保证……""这对他非常非常重要……"……泥工打瞌睡，燕子正交飞……皮球滚了过去……"你这一身奶臭的坏小子！"……夏日山风来，桌上白纸尽飞去……旅行又旅行，秋风尽在旅途中……西施犬，毛色金黄与米白相间的西施犬……"你背叛了无神论！你这个懦夫！……"……鲫鱼惊阵雨，竞相逃避一桶中……

列车就要驶出黑暗的隧道了，扩音器里传出报站的声音，显得空洞而缥缈……

他都把伞提起来了，可是，可是……怎么搞的，他他他他……扎不下去！

……眼前忽然现出教宗的脸，并且迅即变大，仿佛银幕上的变焦镜头……最后那张神圣的脸如一张硕大的天网，将他裹起，并收紧起纲绳……

……"求求……求求……别，别……啊啊啊啊……"他曾奉大臣指示，执行教宗对叛徒的裁决，那情形，是极其恐怖的……这个教，是只能入，而绝不允许退的！……何况他已经到了这个地步！……

……收紧的网，把他缠得紧紧的，教宗的眼睛，仿佛是两个硕大的黑洞，正将他连肉体带灵魂噏吸进去……啊啊啊……多么崇高，多么神圣……那是绝对命令的召唤！那是不容抗拒的意志！……必须必须必须！……

列车驶进了站，车窗外闪动着光亮而斑驳的俗世……列车停稳了，车门开启了……

他闭上眼睛，将伞尖用力地朝那搁放了两站的包裹戳去……凭借着伞尖传递过来的感觉，他判定，已经戳破！

戳破！

是的，戳破了，第一批液态沙林毒气，立即溢出……

……他随着下车的人流遁出车厢……一些乘客不知好歹地涌入了这节车厢，有一位男子上车后还被那瘪下来的包裹绊了一下……

15

那是公元 1995 年 3 月 20 日，星期一，上午八点二十分，地铁部门向警方打出了第一个报警电话……后来相继又有十多个车站报警……

……最后，共有 12 人死亡，5510 人因中毒入医院接受治疗，近 100 万人的正常生活受到影响。

但俗世依然顽固地存在。芸芸众生们依然孳孳汲汲于俗欲俗愿，以及琐屑的人生乐趣。

——应当发出怎样的感叹？

是——啊！

还是——唉！

1995 年 8 月 21 日写完于绿叶居

护城河边的灰姑娘

把化验单递给了大夫。大夫看了一眼，说："住院检查吧！"

彩妹还没回过神来，太太已然惊呼："什么？为什么？……门诊手术不行么？"

大夫眼也没抬，只是说："不住院细查，怎么能断定是良性？门诊手术怎么能乱做？出了问题谁负责？"

彩妹问："住院……多少钱？"

大夫答："先放一万押金吧！"

太太再次惊呼："一万！"

大夫这回抬起眼睛，看了太太一眼："你女儿……他们单位参加大病统筹了吧？"

彩妹说："她不是我妈……她是太太……"

大夫再抬眼，这回眼光停在太太的胖脸上没马上挪开："太太？！"

太太便解释说："彩妹是我家的小保姆……她叫我太太……不是'老爷太太'的那个太太，是……她今年十八，她妈十六岁生的她，今年才三十四……她奶奶今年才五十一……我是个退休的教书匠，今年六十七了，按辈分算，我比她奶奶还高一辈……有的地方叫祖祖，有的地方叫太太……她愿意叫我太太……"

大夫垂下眼帘："原来这样……那你们自己合计吧……反正现在不敢给她做手

术……我这也是为了负责……”

……出了医院，太太和彩妹一时都没说话。两人若即若离地走出了医院所在的那条小街，来到了热闹的大街上。

太太很为难。脚下再挪不动，嘴更张不开。

彩妹明白太太在想什么。她说："太太，您别为我担心……我就先辞了工……回老家去……再想办法……"

太太松了口气，爱怜地望着彩妹，说："……一万！连我们也住不起！……你脸上的这瘤子，总不管它也不是个事儿！……怎么这几个月里头，眼看着它在往大里鼓呢！……实在不是我嫌厌你……拖下去，我们也负不起责……"

彩妹坦然地说："闹不好，能传染给你们。"

太太脸红了，摇头，说："不不不……这东西恐怕是不传染人的……我是为你想，也许，回到小地方，镇上卫生院什么的……一样有不错的、负责任的医生……那收费会少得多的……"

彩妹低着头："唔……"

马路对面，过了人行天桥，有一家"麦当劳"。太太说："彩妹，走，我们去一回'麦当劳'……"那口气，有点像共约赴汤蹈火似的，"……我请客！"

"麦当劳"的这家分店开业有半年了，太太并没进去过。彩妹连进去一趟的想法也没产生过。太太既下决心，彩妹当然不拒绝。

……下午三点多钟，按说大人多在上班，小孩都在上学，可"麦当劳"里还是有不少食客。

太太给自己只要了一只麦香鸡汉堡包，一杯红茶；却给彩妹要了一份包括巨无霸汉堡包、大号炸薯条和大杯可乐的套餐；彩妹道了声谢，先是尽量小口，后来便禁不住狼吞虎咽起来。太太望着彩妹左脸颊上那触目惊心的瘤子，反胃，叹息，想再说点什么，说不出来；心想：瘤子边缘还算齐整，该还是个良性的血管瘤……常规检查得不出恶性的结论……可大夫也有他的道理，不住院细查观察，怎好贸然割掉！……这彩妹本来就不水灵，一米五出头的小个子，体形还有点横胖，五官原来勉强过得去，左颊那儿原只不过是豌豆大的一个红痣，现在……像飞来个紫红的知了，趴在她脸上再不想走……唉唉……这餐"麦当劳"只当是跟她道声"对不起"……实在是爱莫能助了啊！……

彩妹把套餐吃得星渣不剩，可乐也喝得干干的，满足地舔着嘴角。

"还……再来点吗？"

"不不……谢谢您啦……真的……您待我太好啦……"

太太便从钱包里掏出一张百元一张五十的票子，递给彩妹："……收好！……你要是……实在需要我们帮助……你就再来按我家门铃……"

彩妹这一年多，每天下午五点去太太家，为太太和太太老伴老两口做一顿晚饭，也兼干点别的家务活；晚饭当然一起吃；工钱是每月一百五。到这天，这个月并没满，太太仍给彩妹一百五，再说，到医院看病，挂号、化验全由太太花费，对此彩妹确实感谢。这天太太让她早来，一起去医院，彩妹就猜出来，有辞工的可能；但没想到会在"麦当劳"里"两清"……

"你在别家的工……我不便干涉……可我真是希望，你先回家去……"

彩妹忘记了先前安慰太太的说法，挺直腰，抹抹嘴，坦然地说："……还剩两家没辞我呢……能干什么先干什么吧！……回老家我能有什么办法？在这儿……也许我能挣出住院做手术的钱呢！"

太太张开了嘴，可顿了一下，把蹿到喉咙的话又吞了进去。彩妹不住她家，跟同乡的姑娘合租着城里人盖的"小厨房"，虽然那"床份儿"钱一月好几十，可彩妹这样的农村姑娘进了城，一般并不愿意住到一个雇主家里，只挣一家的钱——再给的多，能多到哪儿去？——她们大多愿意以一家为主，然后用剩余的时间，再找一些雇主做钟点工，按小时算，行情到目前是每小时二元左右，这部分收入加起来，往往超过了比如说在太太家固定做事的数目——不过，当然，这部分的工作时有时丢，不稳定。太太细想了一下，自己只是想辞掉彩妹，以卸可能会派生出的莫名责任；彩妹还想继续在北京奋斗，且由她好自为之……

两人在"麦当劳"门口分手。太太没朝自己家的方向走。她是去街道办事处的家庭劳务介绍所，以求再务色到一位保姆。这彩妹并不是从那介绍所来的；彩妹是辗转由私人推荐来的；如今从农村流入城市的劳动力，约有一半是并不靠职业介绍所一类机构，而是靠先来一步的老乡，利用他们与受雇单位或单独雇主的关系，推荐试用，获得工作的。太太这回决定不再靠亲友邻居推荐，而是从"正规"渠道去雇一个新保姆。她边走边想回头望一下，可终于没有回头望。她想到，彩妹在她家厨房里，甚至当着她的面也会把锅铲什么的落到地上，"咣当"一声吓她一跳……"彩妹是个漏手！……是个漏手！……"把思维烙实在这一点上，她心里松快了一些，也就再不想回头了。

彩妹却朝太太家所在的那个方向走去。那是位于护城河边的一片居民区。彩妹在那个居民区现在还剩有两家"钟点工"雇主。所约定的时间，都不在每周的这一天这下午时刻，可彩妹还是往那边走。

到了护城河边。这是古老都城仅存无多的护城河残段。十来年前有过一番疏浚修整，现在河道两岸有水泥墙的护壁，沿河两岸各有一条绿化带，再往上，高处，马路边，又有一条绿化带；绿化带中的树种主要是垂柳，灌木则主要是单瓣月季；这护城河应当说基本上是个美丽宜人的所在，可惜的是其中的河水还是免不了被污染，除了从泄水管中冒出的脏水，路人抛入其中的种种废弃包装物，更是刺目的"痛疽"……不过彩妹虽常在这护城河边走来走去，却从无什么欣赏其景色的心情；她那故乡的小河，还有那些树林、田原，比这护城河漂亮多了……

护城河边的马路与人行道上，车辆行人都不多。初秋时节，下午的阳光暖意十足，却并不灼人，彩妹身上笼着酥软的热气，脸上的那个瘤子，痒痒的。

护城河边等距地排列着十座居民楼，两端是十八层的"大裤衩"形状的塔楼，当中是十二层的"大板楼"。彩妹朝其中一座"大板楼"走去。她乘电梯到了十层，按响了一家的门铃。

里面门铃的响声，彩妹听得很真切。可好一阵都没人来开门。彩妹懂得，这些个雇主都不喜欢你连续地按他家的门铃。她重按一次时总是非常地谨慎。她估计到门上的窥视镜那头，已经有雇主的一只眼睛在朝外勘察，她便顺下眼帘，身体一动不动。

她等着防盗门上的拉锁响。果然响了。门开了约三分之一，里面是雇主，也是一位相当于太太的退休妇女，可是这位瘦小的女士不让她称太太，而坚持要她称阿姨。彩妹几个月来，每周三上午八点半至十点半到她家来干活，内容包括洗衣服（该家虽有洗衣机，但需先用人工将衣服的领、袖及其他脏处搓一遍，再放入洗衣机处理）、收拾卫生，以及将主人家买来的鸡、鱼收拾清爽，等等。

"孟阿姨！……"她主动招呼着。

孟阿姨满脸不想掩饰的不高兴，被皱纹裹得紧紧的小眼睛瞪成两个正三角形，不仅没往里面让她，握着门锁拉环的手还把门的开放度缩小了一些，愠怒地说："你怎么现在来这儿？我不是跟你说过多次吗？除了我们商定的时间，你不要来按门铃！……其实这也不是光针对你……我们家对未经事先约定的来访者，是概不接待的！……"

彩妹抬眼望着孟阿姨。并不怎么吃惊。这位孟阿姨从未对她笑过。不过工钱倒是严格地按钟点算给她，比如说她某一天十一点才把活干完，那孟阿姨便会按两个半小时，给她五块钱。有时候她干到十点钟便把孟阿姨交代的工作干完了，那孟阿姨便会搓着手，想出一种可做的事来，让她干，以使她能做满两小时；有一回加了一件事，还剩十多分钟，孟阿姨便又让她擦皮鞋，她觉得还可以再擦时，孟阿姨却坚决要她停止，说："我不能让你白干，我也不愿花更多的钱来让你干，所以你到此——STOP！" STOP 是彩妹在孟阿姨这儿学会的一句英文。孟阿姨说得最多的一个词儿是"市场经济"。彩妹从未听懂过孟阿姨的那些"咱们按市场经济规律办事"的逻辑，但她却从中意会到不少的东西。

"……你来有什么事？"孟阿姨脸上的两个等边三角形抖动着。

彩妹便把一经太太辞退时便产生的想法吐了出来："阿姨，我是想问，您能不能……以后……多让我干点活儿……上回我听您跟孟伯伯说，想找个每天到早市给买菜来的人……我能起得老早，能买来最便宜的菜……我是不会贪污菜钱的……"

孟阿姨一眼将她觑破："别家把你辞得差不多了吧？你想从我这儿把损失掉的找补回来？……可你脸上的瘤子眼看着在膨胀！这叫做'进行性血管瘤'！……从市

场经济的供求关系上说，你这样一种状况，当然会失掉卖方市场……而从买方市场来说，既然可以从容挑选，那为什么非要选取这样一个不健全的劳动力呢？……你懂吗？"

彩妹忽然感到脸上的瘤子火烧火燎的。

"……我不能雇你每天一早买菜……不过，我暂且还保留你每周两小时的钟点工……市场经济是既要讲……又要讲……的！……我们虽然并没签约，更没公证……可我不想轻易改变原来说好的半年为期……这也是出于人道的考虑吧……"孟阿姨这些话钻进彩妹耳朵眼里，蠕动着，往她脑袋里爬，但很难爬进去……彩妹只觉得心头有个大虫子在拱，那是她自己的虫儿！

彩妹猛地抬起下巴，朝着孟阿姨脸上的那两个等边三角形，说："按市场经济……我不想在您这儿干了！我不会再来了！您也别什么……道……什么考虑……了！"

说完，彩妹转身就走。彩妹自己吃了自己一惊。她也不知道自己怎么会忽然这样。孟阿姨的这一惊更非同小可；这戏剧性的转折太匪夷所思，她不禁对着彩妹脊背大喊："彩妹！你等等！"

彩妹没去坐电梯，从楼梯往下跑，就像有只可以伸得无限长并且能拐弯的手，在她身后追着抓她后脖领子似的……

喘吁吁地冲出了楼门，楼外的光线刺得她睁不开眼，她把右手遮在额头上。

心里很乱。她茫然地顺着河沿走。猛然看到一个人，就在眼前。

那是蚓蚓。脏兮兮的。一条腿歪着。

怎么会撞到了他跟前？

蚓蚓是同乡。两家所在的村子只隔着一条小河。那河里总有成群的鸭子和狮头鹅在游动觅食。她满十六岁那年，听见爷爷和爹爹在议论她的婚事，奶奶妈妈也在一旁；他们想把她嫁给谁呢？就是这个蚓蚓。妈妈没吱声，看样子虽不满意，也不想阻拦。只有奶奶高声抗议："蚓蚓？他那条腿啊！胎里就歪啦！彩妹嫁谁不行，嫁他？！"

她当时心里也没怎么太难过。因为她知道只要她敢犟到底，爹爹到头来也不至于牛不吃水强按头。

她听见爹爹大声地跟奶奶说："娘，哪天您去看看他家给蚯蚓盖起的楼！不是随便哪个腿直的后生都能有那么个楼的！"

她过河去看过蚯蚓的那栋楼。耸起来了，完工了，可是还没粉刷装修。确实挺气派。

后来她来了北京。再后来蚯蚓也来了。蚯蚓家出了祸事，他那楼顶给别人家了。蚯蚓来北京，在护城河边拾上了破烂。拾破烂，主要是拾废纸和能回收的瓶罐什么的，居然可以挣到比当保姆还多的钱。彩妹知道这情况后，心里很不忿。然而她可绝对不愿意拾破烂。

护城河边有一列垃圾桶。蚯蚓每天下午都赶在垃圾车来敛垃圾之前，翻腾这些个垃圾桶。河边楼里人家大都小康，经常会购进些用大小纸箱纸匣纸盒包装的东西，那些不想保留的纸制品便当做垃圾扔掉，而且瓶罐也多，因此"含金量"颇高。这里已成蚯蚓的"势力范围"，为此他付出过旁人难以想象的代价，可谓得来不易。

蚯蚓拥有了一个平板三轮车，就好比出租汽车司机拥有自己的"的"一样。

此刻蚯蚓的车上已堆积着不少的"战利品"。他隔老远便看见了彩妹。和以往看见彩妹一样，他脸便发热，心里有蚂蚁在爬。他常和彩妹在这护城河边邂逅，但以往彩妹要么真是看不见他，要么即便瞄见了他，也赶紧把眼光移开，从他身旁过时脚步必走成一个大弧线。他曾喊过："彩妹！老乡啊！"彩妹头也不歪，嘴角也不歪，竟置若罔闻。蚯蚓便下了决心，要发个大财，先给这彩妹看。

彩妹这回不知怎的，没老远就走弧线，并且及至走拢，猛然刹住脚，瞄了一眼，发现是蚯蚓后，没有不屑地将眼光一移便再不回顾，而是一瞄之后，眼光闪开，复又回转，并从上往下扫了一遍……蚯蚓正惊诧间，只听彩妹说了句："该打气了哇！"

彩妹不知怎么消失的。蚯蚓沉浸在她那句话里，好久好久，仿佛醉了似的。一辆大巴从路上开过，庞然身影掠过蚯蚓，他才回过神来。细一寻思，才知彩妹是说他那三轮车的一只轱辘瘪了。闭眼一回味，彩妹的整个人形没出现，只觉得有一瓣西红柿模样的东西悬着……她出血了吗？……快去打气！

彩妹走得离蚯蚓老远了，头一回，思维里还牵着点蚯蚓。蚯蚓的一张脸没毛病啊。虽说身上脏兮兮，那脸上眉毛倒肥肥的黑黑的，腮帮子硬硬的光光的……他一月能捡出多少钱来？几个月的钱才够住院检查开刀的？……

彩妹看看腕上的电子表，往日这时候该在太太家厨房里了！……也没怎么太留恋太太家的厨房，她从覆盖着青草的斜坡来到了紧挨河边的甬路上，这一段甬路绿化得最好，一株垂柳一棵塔柏交替地排列着，都发育得很高大壮实了，沿河岸还有些朝水上俯生的灌木……她走过了一对躲在大柏树裂缺里搂抱的情侣，无动于衷；那显然是一对城里长大的时髦青年，她对城里的同辈人还没有什么强烈的了解欲与对比的习惯；她大体还是更关心属于跟她一类的外来农工的种种情况，并且大体上只是习惯于拿自己的情况，跟特别是同乡中的同辈人来作对比，从而派生出她的爱恨羡妒……

她想尿尿。四面望望，都不见人影。她蹲在两丛灌木间尿了尿。尿完她赶紧离开。她在一处有阶梯通向河面的地方，走下去，坐在了最靠下的台阶上。她双手搂住双膝，享受着初秋快要收敛的阳光。她盘算着。不能说是非常地焦虑。当然不回老家去。这个城市也是她的。保姆干不了了，干什么？……总还能找到事的。住院？手术？一万元？……她当然不能让这个什么"进行性血管瘤"在她脸上进行！她早晚是真能揣着一万块钱住进医院里的！不光做手术拿掉它，她还要美容呢！……不过，她也不急……她现在有多少钱？……她忽然想点一下钱。她先朝岸上望，左右都不见有过来的人……

她和三个姑娘合租一间屋住着。她们都不把钱留在那屋里。她总是把钱放在睡觉时也不脱掉的那件妈妈亲手给她缝的内衣的暗兜里。那些钱用三根橡皮筋箍得紧紧的，总是带着她的体温，浸着她的汗水。当然，一般每过两三个月，她便去邮局给爹爹寄一回钱。爹爹要加上她寄的钱，给家里盖新房。虽然她知道新房是为弟弟盖的，却从未觉得自己寄钱是吃亏。世世代代，他们那样的农家，没出阁的姑娘都是要为兄弟的新房出力的，那是天经地义的事。嫁出去以后，当然再有兄弟要盖房，也就可以不管了。想一想，如果在老家嫁出去，所住的新房，也一定会有大姑小姑出的力。所以心平气和。这两年来，她一个月差不多能挣到四五百块钱，她每次给家里寄钱，最多的时候达到过一千，最少也有三百。最近她快三个月没给家里寄钱了……脸上鼓出来的地方痒痒的，她想，这回写信告诉爹爹吧，要治病，少寄些，别生气……现在一共是多少？寄多少，留多少呢？一时没处吃不收钱的晚饭了，还得留出饭钱来呀！……她怀念起太太家的晚餐来……

在太太家吃晚餐时，她基本上也不花什么吃早饭和午饭的钱，因为早上所去的干钟点工的人家，有时会给她一个馒头，甚至面包；而中午结束了钟点工活路的人家，有的也会给她一点吃的。当然，偶尔，她实在饿了，或馋了，也会买一个煎饼，甚至坐进小饭铺吃一碗兰州拉面，当早点或中饭……太太家的晚餐，在失去后更显出对她的重要性，平日她的热能、营养，其实主要是靠这一餐饭撑着的啊！……现在她不能不先留出足够的钱来，代替太太家的这一餐饭……她掏出那一扎用橡皮筋箍着的钱，贴着心窝清点……虽然她实际上十分清楚那个数目，可她还是想在这儿再清点一下，何况，她外衣胸兜里还有太太在"麦当劳"给她的一百五十元，那是该也归到这一扎里的啊……

"彩妹！"

这声叫唤扎扎实实吓得她全身一抖。

一抬眼，才发现有条小木船划到了她跟前。船上是董大大。

董大大是捞河脏的工人。来自河北农村。虽算不上同乡，可在这护城河边挣钱的农工们无论男女老少，大体上都认识。他们不会使用"社会族群"一类的"文明词儿"来思维，但他们的思维里，大体上彼此引为同类，也就是互相多少有些个认同感。这董大大住在绿化队给临时工用的工棚里，离彩妹她们租的民房很近，所以更熟一些。董大大，按岁数彩妹该叫他祖祖，可是别的姑娘都叫他董大爷或董大大，所以彩妹也叫他董大大。

董大大手里拿着个抄网。他那船里有些个抄上来的塑料袋、易拉罐、软包装盒什么的。董大大瘦高个儿，脑袋像个足球般大的核桃。

董大大笑着说："彩妹，亏得遇上的是我，要不，非把你当成个刚扒了人家钱包的小贼了！……你怎么闲得这么自在？自顾自地显摆上你的财了！……"

彩妹从领口把钱放回内衣暗兜。她忽然哭了。董大大是个她可以放心地当着面放钱和哭泣的人。

"你怎么回事儿？你有那么多钱，还哭！"

是的。她的钱很可能比董大大多。董大大当这临时工，一个月才三百块钱的工资，绿化队只管给张床住，不管饭，更不管别的什么。她听董大大说过，每天光是吃馒头，他早上三个，中午晚上各五个，每个三毛钱，一个月下来就得一百多块；总还得吃点菜吧，他又还忍不住要喝点酒，就算只吃咸菜、熬白菜，只喝最便宜的红星白酒，一个月又得一百多……你说还能剩多少？听说董大大这么大岁数，还没娶过老婆，老家也没最贴近的亲人了，又没什么文化、手艺，所以在这城里也始终不可能找到再好的工作；新来的绿化队头头对他很不感冒，想辞掉他，又不好明辞，便专找他的碴儿，比如说检查他清过的河段，说没把河脏捞净，罚他钱，最多的一回，罚了他一百块！意思是让他自己赌气走人；可董大大硬是宁愿受罚也不走；是哇，他可走到哪儿去呢？他老家连间自己的房都没有，回去谁收容他？

"怎么回事？还是为你脸上那个东西？"董大大直来直去地说，"又不碍着你吃饭、干活！愁那个干什么？"

"都把我辞啦！……要住院动手术去了它，先要放一万块押金！……"

"为这个就辞人？他们雇的是你的脸还是你的手？……住什么院？一万？买条命也用不了这么多！……我在老家给铁匠拉过风箱，那王铁匠腿上也是鼓起了这么个东西，比你这个大多了，他就拿烧红的通条猛地那么一烙……没过两月，好啦！也就留下一块平平的疤瘌……我不是说你也那么烙一下……我是说，在这世界上，不当美人儿，照样能活！你还年轻，日子长呢，谁说得准谁今后一定怎么着？依我说，你挺起腰杆儿，再找你的辙！……"

彩妹不哭了。可心里还是发堵。

"……你就再试试别的……给人家当保姆也算不上多美的差事！……要不，先到我们这儿来，听说还缺给沿河花池子拣脏的人手……工钱是低，先拿点也总比没强是不？……你别伤心了，这么大个京城，没有饿死你我的道理！……我知道你那些个钱轻易不能动，你爹妈还等着你寄呢……这些天你实在没得饭吃，你就先来跟我搭伙！我不再买他们食堂的馒头熬菜了，不合算；如今我自己煮面条吃，我在德胜门早市那儿买了几十斤干挂面，比别处都便宜，才一块二一斤；我又炼了一坛子大油，撒上了盐粒和花椒；每顿煮点儿，搭点食堂摘下不要了白给的菜叶子，吃着挺香！好在食堂的灶火他们让我白用，有时候剩的折箩也给我……你不乐意？不落忍吃我的？你能多大胃口？下面时候添一把就够啦！"

彩妹站起来，愣愣地望着董大大。只感觉脸上不那么刺痒了，心上像有个暖而不烫的熨斗熨过。她没说什么。董大大也不期待她说什么。

董大大看见那边有人在往河里扔喝光的矿泉水瓶子，伸长脖子朝那边吼起来："怎么回事儿？没看见刚捞净那边吗？什么毛病！改改吧你们！"吼完，放下抄子，划桨，船就离开彩妹而去了。

彩妹回到坡上路边。夕阳西下了，残阳的光芒给护城河抹上了胭脂。近旁居民楼的底层是家装修得颇为豪华的海鲜酒家，一面大玻璃窗显露出三层水族箱，里面的游水海鲜确实生猛；酒家门外已经停了些小轿车；有的食客衣衫时髦，从车里钻出来时，还把"大哥大"贴在腮帮上，不知在跟哪儿的什么人说着什么样的话。彩妹经常从这酒家路过，她从未对它产生过兴趣，不仅从未有过进去吃那些海鲜的幻想，而且连走进去张望一下的欲望也不曾有过。没有艳羡，也没有比如拿董大大的伙食与之对比从而生出的愤懑不平。这类事物近在身旁，但跟她又是在两个世界里。她知道，连太太，还有孟阿姨什么的，能雇她的人，也没怎么进过这种酒家。

然而彩妹也不是全然无视这酒家。在她眼里，酒家的种种景象几乎都被删却，只有那在酒家门口立着的迎宾小姐，凸现在她的眼里。唯有酒家的这一部分多少牵动着她的心。那立在门口的小姐大体上还属于她的同类，也是从农村来的姑娘。彩妹刚到京城时也试着去应过招聘，别的先不说，她的身高就不合格；按说站在门口迎宾，或在门内等着领座，或在包间大堂端菜布菜，你要个身高还说得通；可彩妹只求在厨房里洗碗打杂，老板却也还嫌她个头太矮，这就让她和跟她一样的矮个子姑娘不明白了！

现在立在酒家门口的小姐穿着个旗袍，身上还斜背着个宽宽的滚着金边的艳红披带，那带子上写的金字彩妹认不出，可她懂得一定是讨顾客喜欢的话。那小姐跟彩妹对了个眼，脸上便出来个跟迎宾无关的表情。彩妹也就还了她一个表情。不过那小姐没接彩妹的这个表情。彩妹带着那表情离开了酒家门口。直到走拢桥边才抖掉了那表情。

护城河上的这桥，从沿河的马路与河道上跨过去，与环路上的立体交叉桥连为一体。桥下马路两边的人行道光线很暗。在靠河的人行道上，有几个人席地而坐，在那里有说有笑地啃西瓜。彩妹离两丈远就认出来，那是在立交桥一带活动的乞丐帮的几个头头。他们的下属这时候正在各自的规定地点卖劲地讨钱，因为正当工薪族下班时间，"油水"正肥。干哪一行也是当头头的活得自在。丐帮头头聚在桥底下啃的西瓜当然不是讨来的，更不是偷来的，而是他们堂堂皇皇拿钱买来的。彩妹还遇见过他们聚一起啃"和路雪"冰糕。刚进城时彩妹也不懂得丐帮的事，后来董大大指教了她，意在让她千万离他们远些个，切莫入了那个圈子。

丐帮的总头儿是个老太婆。为什么是她？连董大大也说不出个道理。老太婆一身脏兮兮的中式粗布衣裤，扎着裤脚，一双大脚这季节便穿着毡子鞋；头上裹块蓝头巾，脑门那儿勒得紧紧的；身上斜背着一个老式的打补丁的黑色人造革包；她身材矮小，满脸褶子，然而一双眼睛滴溜溜的，又尖又锐。彩妹知道，认识她的人都管她叫万吐。为什么这么叫？据说她亲自上阵乞讨时，从洋人手里讨到过美元，那洋人给她钱时，说了声"万"，递了她一张票子，又说了声"吐"，再给了一张；很长一段时间，她每晚点钱时，都要专门把那两张洋钱蘸着唾沫，一声"万"，一声"吐"，清点好几遍；据说是三美元，合人民币差不多三十块钱；后来不见她那么点了，有的说是她手里的洋钱已经不止"万""吐""吹""佛"那些个小数目了，也有的说是她在"差那搬克"（就是中国银行）里有了外币折子……不管怎么说吧，人们就都叫她万吐，都服了她了。她每年秋后便回老家去，来年开春再带些个人来。

彩妹想穿过桥底下。她没想到万吐会招呼她。她不记得万吐什么时候认得她的。万吐是招呼她坐一处吃西瓜。

万吐他们是四个人，两男两女，两个老的两个不算老也算不得年轻的。彩妹眼睛只对着万吐。在"麦当劳"里吃的套餐早已离开了她的胃，她不仅饿了，也渴。万吐举到她面前的那块西瓜红得厚实显得滋润，她实在不能拒绝。于是她道了声谢，蹲在万吐跟前，接过那块西瓜啃起来。

"丫头，给人辞了吧？这时候闲逛荡！……呃，你这脸上！……哎呀！你脸上有真瘤子，你要到那过街天桥上一卧，保准哗哗哗地来钱，我敢说还不是那听着脆响其实没啥味儿的钢蹦儿……说不定有好些个整张的大票子！……丫头，别愁，跟我们一块儿挣吧！……"万吐盯着她，兴奋地议论、动员着。

彩妹噎住了。她咳嗽中吞进了两枚瓜籽。

一个比彩妹小些的脏丫头，手里拿着个脏兮兮的搪瓷缸，风风火火跑了过来。跑拢叫了声奶奶，便伸手要瓜。

万吐抓过丫头手里的搪瓷缸，放鼻尖底下看看，便说："就这几张毛票？我不信！"

丫头嚷："不信，您自己去试试！这些城里人，全是瓷耗子！"

万吐教训那丫头说："你是怎么趴在那天桥上头的？跟你说了多少回，你这人不残，要趴得让人看着比残还残，就得这个样……"说着身体力行，作了个样子：先跪正，然后撇开双腿，下身缩得让人看不见，整个上身紧贴着地面，再把脸歪贴在地上，屁股尽量往下压，双臂双手则尽量藏在身子底下，眼睛半睁，乜斜着收钱的搪瓷缸子，嘴里发出奄奄一息的呻吟声……

那丫头说："我比您还卖力啦！累死我了！"

万吐恢复原状，眼睛不看那丫头倒看着彩妹，说："干哪行不累？不过，真有瘤子，那倒用不着这么费劲儿了！"

那丫头便盯着彩妹问："她哪儿来的？先给她瓜吃！"

旁边几个人嘻嘻哈哈地乱说什么。万吐递给那丫头一块瓜。彩妹趁这时候，站起来，拍拍屁股，走了。

万吐在跟她喊什么。那几个人和那丫头也发出一些怪声。正好有辆大面包车从桥下马路开过去，行驶声在桥洞下发出浑浊的回响，还掀起些灰尘。彩妹小跑着离开了那些她不想为伍的人。

跑到了桥那边的河沿。那边的一片楼盖的年头久了，布局很不规范，还有一片平房区，彩妹跟人合租的小房子就在那平房区里。

天还没黑。彩妹从小跑变成快走，又变成常速，再变成慢踱，最后她停了下来。

难道这就回住处去？那住处只有六平方米，里面除了一张她和别人合睡的铺板床，便只有一摞原来装饮料瓶的纸板箱——那分别是她们放日用品的地方；她有个大蛇皮口袋，装衣服的，搁在了铺板底下；脸盆什么也都只好塞在床底下；剩下的地方只够三个人转身。以往她都是天黑以后，才从太太那儿给住处，回来洗把脸也就睡了。现在她回那儿干什么？

彩妹正站那儿发愣，忽然听见一个熟悉的声音在招呼，不是招呼她，是在招呼一只狗："霍克斯！……乖乖！……"

迎面来了个遛狗的姑娘。她老家跟彩妹属于一个专区。头回来北京，她们在火车上正好坐在一处。到北京以后，她们又都在这护城河一带当保姆。那姑娘比彩妹大两岁，她叫银娣。银娣运气好。三个月以前到现在这家当了整日工。雇主是从国外回来定居的，在河沿尽头的商品楼里，买下两个单元，打通了住。银娣在他们家有自己的房间，房间里还有专给她看的电视呢！虽说是台主人换下来的旧彩电，尺寸小，颜色也不那么鲜丽了，可究竟是专给她一人看的，想想那是什么条件！这家主人养了条蝴蝶犬，一年光交养犬费就好几千！这蝴蝶犬天天都要带下楼来，在河边遛弯儿，主人没工夫，这任务便由银娣来完成；光是为这么个活计，每月主人便多给银娣好几十！……银娣在这家当保姆，挣的多吃得好住得宽倒还算不得什么，难得的是没过多久，她就不仅穿着打扮越来越像城里人，那做派更渐渐比一般的城里人都洋气，比如现在牵着蝴蝶犬霍克斯遛弯儿，她穿着女主人给她的长袖T恤和牛仔裤，头发剪成个男孩子似的"运动式"——这也不算多神气，可她会把一件毛线衣不是穿在身上，而是搭在腰后，两只袖子再系拢在身前，你说这算什么档次的做派了？彩妹讲不出来，心里模模糊糊知道，这是很"那个"的了呀！……

霍克斯奔彩妹脚下来了。摇来摆去确实像只黑黄红的三彩大蝴蝶。

"霍克斯！……"银娣眼睛望着彩妹，眼里装着好多"那个"，比那边海鲜酒家门口迎宾小姐眼里的"那个"更多，都快满出来了！彩妹只觉得心里有个小拳头在捏得越来越紧。

"STOP！"彩妹猛然大叫一声。胆小的霍克斯马上退后，咳嗽似的吠着。

彩妹的这一声"STOP"，让银娣着实吃了一惊。原来眼里的"那个"，顿时消掉不少。

"彩妹！你怎么在这儿？"银娣问。

彩妹脱口而出："我……取飞机票去！"

"飞机票？！"银娣一双眉毛飞起老高。

"唔……"彩妹说，"我要回去啦！这回不想坐火车，要坐回飞机呢！"

"你怎么这时候回去？你家里……？"

"谁家里都挺好！我……不为什么，想回去呗！"

"真坐飞机？"

"你以为……就你……真的！"

彩妹说完这句，转身就走。

霍克斯缩到银娣脚边，咻咻地吠着。银娣呆呆地望着彩妹走远的背影。银娣撇撇嘴，忽然拍了一下自己脑袋，喃喃自语："她脸上……怎么搞的……啊……"

彩妹往回走，就又回到了桥边。万吐他们都不在桥底下了，剩下一堆瓜皮和瓜籽。

彩妹登上桥边阶梯，上到与护城河垂直的大马路上。这可是车水马龙的繁华大街。天刚麻黑，一些商家的霓虹灯已经闪动上了。人行道上来往的人，有时得侧身而过，因为有些下岗职工和本来就没职业的人，在人行道上摆小摊叫卖东西，占据了一些空间；所卖的东西有拖鞋、发卡、松紧带、梳子、恭桶座垫套子、BP机套子、指甲刀、耳挖勺、弹簧秤、拖把头夹子、过期杂志……还有卖鲜花的和卖自制糖葫芦的……也还真有不少路人停住脚挑选购买这些东西。

彩妹在稠密的人群里看见了顺顺。

她跟顺顺在一个村里长大。顺顺家算是村里最穷的了。顺顺爹死得早，寡母带着他三个姐姐和他，很艰难地过日子。前些年，村里差不多家家都陆陆续续地盖了新房，只有顺顺家还住着茅草顶的房子。可是他妈和他姐姐拼着命地供他上学，一直读完第八册，实在撑不住了，才辍了学。辍学以后，有一回北京来了几个拍电影的，说是来选景，一家伙看上了顺顺家的茅屋，搓着手赞："哎呀呀，现成的呀，多有味道啊！"……电影拍完，作为条件，那些人把顺顺带到了北京，开头让他帮着搭布景，后来，那电影厂不景气，顺顺就自己转到了建筑公司。几年过去，顺顺已经盖过了四座楼，现在他在这离护城河不远的一座商厦工地上干活，他已经是个熟练工、小领班了。年初彩妹在护城河边遇上了顺顺，从此有了些联系。

"顺顺！"彩妹主动叫他。

顺顺大概刚下工，还戴着个奶黄色的安全帽。他一见彩妹很高兴，问："你也去邮局么？"

那前面是有个邮局。也是彩妹和顺顺，以及其他一些同乡，经常会碰到的地方。可是此刻彩妹并无那个计划。不去邮局，她又是去哪儿呢？她自己也胡涂了。

可顺顺只当彩妹是去邮局，不作他想。顺顺说："我帮你填单子……我连带着给你办了……你放心！……"

彩妹只上过一年半学，第三册还没学完就辍学了，所以每次给家里写信、寄钱都很费劲，填好的汇款单经常让邮局营业员掷回来："你这是些什么字呀？……这也是对你负责……你愿意寄丢了吗？……改清楚！……"顺顺曾帮她填过汇款单的，她怎会不放心？可是今天……

彩妹此刻愿意跟顺顺在一起。她和顺顺去了邮局。

邮局里人很多。汇兑窗口外排着不短的队。晃动着不少的黄帽子，显然，都是顺顺他们那个工地上的民工。这天工地开支。许多民工习惯于开支后只留下必要的生活费，其余的马上寄回家；这是可以理解的——他们那几十个人合住的工棚，无论现金还是存折，都很难收藏保管。

进了邮局，顺顺先买来两个空白汇款单，问彩妹："这回你寄多少？"

彩妹说不出这回不寄的话，她嗫嚅地说："……唔……三百吧……这回……不多……"

别的顺顺用不着再问，他让彩妹先去窗口排队，便埋头填单子。

彩妹刚过去，还没站稳，里面的女营业员就站起来大声地吆喝："嗨，别排了别排了！明天再来明天再来！"

可是彩妹后面又有三个人排上了。

女营业员确也有她的苦衷。这些民工填写的汇款单字难认，有时你退回让他重写，递过来反倒更难认了；你替他描改吧，问一句："你这是什么乡？是'童河'还是'董河'？"他答出来的更让你莫名其妙……因此给这样的农村人办一个单子，往往得费给城里人办两个以上的工夫！……快到下班时间了，窗口外面排的队还在增长，她能不急么？

女营业员的吆喝这回没能奏效。好几个"黄帽子"在跟她嚷："我们就要今天办！"又因为正在办着的那位民工递进去是一把小票，女营业员更是心烦，她也嚷了起来："这是些什么呀？你干脆寄一笸箩筐钢蹦儿算了！……"于是窗外的人便说她态度不好，排在后面的有的给她提意见，有的嫌提意见的耽搁工夫，又"内讧"起来，一时乱作一团……

可能是有个民工说了她一句："你别端城里人的臭架子！"女营业员便站起来，挥着手，激动地说："废话！你们别没良心！我们城里人帮助你们还少吗？……我不光在这儿给你们服务，上个月给河北灾民捐东西，我连去年才买的衣服都捐了！……没有我们城里人扶贫，你们能富裕起来？……"

女营业员的话激起了更大的波澜。彩妹也被她的话激怒了，不由得嚷起来："你才废话！……"

这时顺顺挤到了窗口前，大声地说："现在才六点十分，你们六点半关门，在六点半以前进来的人，都该得到服务嘛！……我们也知道，您这工作挺辛苦……可您今天的话实在得罪我们了！是呀，城里人帮了我们，我们谢谢啦！……现在不说我们在城里盖了多少楼，给城里人干了多少活……您自己算算看：我们进城的民工，每月给农村寄回了多少钱去？那肯定比你们城里人捐的多了不知道几百几千倍！农村扶贫，我们自己扶的这一把，才是最有劲的一把呀！……"

……顺顺的话不但震住了女营业员，更令窗口外的民工们大佩服……彩妹一时忘记了自己的不幸，只觉得胸舒气畅……

出了邮局，彩妹跟顺顺一起往回走。顺顺这才问："你脸上……要紧吗？"

彩妹这才又感到脸上痒痒的。不过她不愿意把自己的不幸在这个时候告诉顺顺。她在邮局见顺顺寄回了两千元，才知道顺顺如今挣得真不少了。她问："你家盖新房了吧？是起的楼吧？"顺顺告诉她："今年春节你没回去……我亲自指挥，上的梁……是个小楼吧！我大姐、二姐也都嫁出去啦……三姐，打算招进个姐夫，还没定呢……"彩妹便问："你不回去啦？"顺顺坦率地说："是。我妈他们都愿意我留在城里……他们都过得不错了……以后我也就不用再寄那么多钱回去了……我想把钱用在念书上……我还想学电脑呢……"见彩妹低着头，只顾走，顺顺问："你呢？你什么时候回去？还是……也留下……发展？……"

彩妹忽然悲从中来，鼻子一酸，眼睛便潮了。

顺顺停住脚问："你怎么啦？"

彩妹便跟他说："我脸上这个瘤子……也不知道怎么搞的……越来越……说是什么进行性的……人家都把我辞啦……要想住进医院，开刀……先要交一万押金！……我哪儿来的一万？……我可怎么办呀？……"

顺顺吃了一惊。他原来并不觉得彩妹脸上那块东西有什么了不起的。他望着彩妹，一时说不出话来。天黑了，路人也稀少起来。身后一家日用品超市的霓虹灯绿光罩住了他们。顺顺十分同情彩妹。他该怎么帮助她呢？给她筹措一万块钱？那不是件简单的事。心里乱乱的，他用右手摩挲着下巴上的胡子楂。

彩妹抬起下巴，反过来安慰顺顺："瞧我……不该这么吓唬你……其实也没什么了不起……会有办法的……我能想出办法来……"

顺顺说："让我替你想想，替你想想……我们一起来想办法……你现在完全失业了吗？你还有钱吗？我先给你一点？你手头紧就别客气！……"

彩妹说："我还有，还有！……我实在不行了，再来找你！"

顺顺说："那当然！我们这楼今年完不了，我们那工棚，你还记得吧？你从有丝瓜架的那个门口喊我，我的床正对着那门……我不在，你就留下话……我会去找你！……"

他们分手了。彩妹心里不那么空落落的了。

彩妹回到护城河边。河边路灯光影朦胧，车少人稀。被污染了的河水散发出阵阵浊气。河边，隔不远，便有耐心的钓鱼者坐在小马扎上，静静地垂钓；他们很难钓到鱼，哪怕是指头长的"柳条儿"；显然这些钓鱼者的乐趣主要不在鱼，而在钓。

彩妹朝所租住的小屋走去。那小屋在一片亟待改造的危房区里。那里曾是某撤销单位的宿舍，一排排的平房原先还算整齐，相互的距离也算合理，后来各家都往房前屋后搭建起了小房子，这些小房子规格、用料五花八门，乱糟糟地挤在一起，弄得房屋之间只剩下窄窄的通道。这几年，有的人家便将自盖的小屋租给了外地来京的各色人等。彩妹是和同乡阿吉与水水合租着一间小屋。

彩妹不打算把自己遭太太辞退的事告诉阿吉和水水。她在走拢那小屋之前便尽量把表情调整得仿佛什么事也没有发生一样。

可是她刚望见小屋的小窗那昏黄的灯光，便发现水水迎着她小跑过来，并且跟她说："躲着点吧！他们姐弟俩吵得好凶！……"

彩妹愣住了。她听到从她们合租的小屋那边确实传来尖厉的吵骂声。

水水把她拉到巷子外头，在一株大槐树下，把怎么一回事大概其地告诉了她。

原来，阿吉的弟弟阿祥这一阵的营生是蹬着平板三轮车给几家小饭铺送啤酒。啤酒是批发商的，阿祥每次从批发商那儿装上一车啤酒，然而给饭铺分送。送去的同时，换回成箱的空瓶，同时领取应得的现金；阿祥再到批发商那儿用空瓶换来等量的瓶啤，并将应付的现金交讫。虽说阿祥挣的只是个大批发和小批发间的差价，可是因为流量大，所以一个月算下来，也有好几百的赚头。今天却撞上了怪！阿祥去要啤酒量最大的那家饭铺，车蹬到门前，发现竟关板停业；进去找人也找不到；昨天还不见迹象，怎么一夜过去居然"和尚"跑光！那家饭铺前两回该给钱的时候没给钱，本来说好今天一准付他六百块钱，现在可跟谁要去？阿祥跑进去，只在空荡荡的厨房里扭住了个老头儿，阿祥逼他说出饭铺老板去向，又逼他说出房东在哪儿，老头说自己只是个临时看房的人，其余一概不知道，阿祥急了，便要老头儿拿钱赔他，老头儿当然不干，阿祥一时怒起，便砸了那厨房……哪知道阿祥再跑出来时，他放在门外的三轮车，连同二十箱啤酒，全不见了踪影！……阿祥急得抓头发……后来阿祥反被老头儿叫来的"联防"队拘了去，为砸厨房的事挨了训不算，还被罚了款……阿祥要人家给他找回三轮车来，人家说可以找，但他车放门外不上锁，自己有责任；阿祥要人家给他找到那卷逃的饭铺老板，讨回啤酒钱，人家要他拿出凭证来，他又拿不出……晚上阿祥来找他姐姐，说自己还该着批发商五百块钱，非要阿吉先拿几百块钱救急，阿吉骂他笨蛋，说他是自作自受，阿祥便回骂，说了好些个不堪入耳的话，甚至说他姐姐跟做工那家的男主人"不干不净"，"别以为我不知道！"阿吉气急了，便打了阿祥一耳光，阿祥虽没回手打他姐姐，却似乎得了个大理，非要翻出阿吉的钱来，让她"赔偿"不可……水水开头还在一旁劝，后来见闹到这番地步，屋子又小，便只好逃出……

彩妹听了，还没来得及多想，就听那边一阵咚咚咚好重的脚步声，是阿祥大步冲了出来，后面阿吉在哭喊着追赶他……彩妹和水水都不敢阻拦阿祥，阿祥冲到她们身边时还扭头跟阿吉暴嚷了句什么，她们急急地闪开……阿吉追到大槐树下，脚下一绊，摔了一跤，彩妹和水水赶紧去扶她，阿吉猛挣着，哭着、喊着，还要去追已不见踪影的阿祥，彩妹紧紧地拽住她的胳臂，一刹那间，彩妹意识到，还有别的人，比自己更加不幸！

……彩妹和水水好不容易才把阿吉劝回了小屋。

小屋里一派狼藉景象。原来，阿祥狂怒中竟把她们三个摞放在一起的，放日用品的纸箱，不分青红皂白地给搬了下来，也不弄清哪一个才是他姐姐的，蛮横地薅了个乱七八糟，大概是想找出阿吉的钱来……水水一见这情形先生起气来，一边忙着收拣自己的东西，一边大声埋怨："这算怎么回事？你们姐弟吵架，也不兴抄别人的东西呀！"阿吉只是坐在床上，哭倒不哭了，愣愣地，大喘气。

彩妹心里也发堵。她收拣自己的东西，忽然看到，自己的一面小圆镜子，是初来北京的时候，妈妈给她的，虽不是什么好东西，可她总是珍藏在纸箱子里，没怎么照过；现在镜面却给跌得裂了一条纹！镜子背面的玻璃更跌得一拾起便掉下玻璃渣……那背面，镶着一个印着古妆美人儿的圆纸片，那古妆美人虽然印制粗糙，颜色也不正，可是每回彩妹凝望时，总觉得有说不出的一种快意；现在这美人儿却在她拾起镜子后，便飘落在地，并被水水一脚踩上了！彩妹心里一痛，也便大嚷起来："作孽啊！哪兴这么胡来啊！杀人啦！"

彩妹那声"杀人啦！"其实是由古妆美人被踩而发的，阿吉听了，却不能忍受。阿吉被蛮横的弟弟弄得心肺欲裂，正需要别人的安慰与帮助，没想到水水和彩妹都埋怨起她来，一声比一声难听，尤其彩妹，竟喊出"杀人啦！"来，阿吉不禁狂怒，她一下子蹦起来，指着彩妹脸上说："谁杀人？谁杀了谁？你这瘤子是我杀出来的吗？你才杀人呢！你长的是毒瘤子！你传染我们！你杀我呢！你别在这儿住！你滚！不许你在这儿杀人！听见吗？你滚！杀人犯！"

彩妹自己本遭不幸，心里淤的浊气尚未煞尽，阿吉这么不管不顾地一顿恶骂，且正磕在她最痛心之处，怎么忍得，便伸手要打阿吉，水水连忙拦开，小屋里乱作一团……

水水把彩妹暂且劝出小屋，好让阿吉冷静冷静。这时有另一个人闻声来到她们屋外，见状便且把彩妹让到了几米外他那屋里。

那人这一带的人都管他叫马靴。他确实常穿着一双这城里少见的旧马靴。他也租了一间小屋住着。彩妹被他带进了他那间小屋，他请彩妹坐在椅子上，又倒了杯白开水给彩妹，劝彩妹说："在家靠父母，在外靠朋友……你们仨离乡背井，同住一屋，同眠一床，便比朋友还亲，可以说形同亲姐妹了！……不管发生了什么磕碰，总是尽量谦让着的好！……你且平平气……那阿吉她此刻心里头恐怕正后悔呢……都平平气，过一会儿还是亲姐妹，大家抱成团继续过日子！……"

彩妹喝着白开水，气渐渐平了些。

忽然有人在巷子里问："哪儿是甲三十五号？"

其实巷子里的这些乱盖的小屋子并没什么编号。但马靴在自己租的小屋门楣上却钉了个甲三十五号的牌子。

马靴迎声出去，招呼着："这儿这儿！……您请进请进！"

进来了一个男人。瘦瘦的，高高的，衣装干干净净的，戴着顶宽檐旅游帽，大晚上的，还戴着个墨镜。

彩妹站起来，一时出不去，便站到椅子后面。

来人张望着，问马靴："你是大夫？"

马靴点头。

来人又问："不是说老军医么？"

马靴笑了："不像吗？"他跺跺脚，说，"老，不是说年纪一定多么的老……我打十六岁就进部队……从卫生员干起……后来经过培训……别的不敢说……治治您这样的毛病……那真算不了什么本事！……现在复员了，这也算一技之长嘛……"

来人用下巴点点彩妹："她是谁？"

马靴不眨眼地说："我的护士！"

马靴请来人坐在椅子上，自己穿上一件白大褂，又递了一件白大褂给彩妹，使眼色求彩妹成全，彩妹便接过穿上。

马靴坐到来人对面的椅子上，隔着一张旧书桌，亲切地说："我先不问您……我知道，您的这毛病，其实去正规医院看，那条件好得没法儿比了……如今社会开放，正规医院的大夫不会大惊小怪，您自费，他也不至于去跟您单位反映……可您还是有心理障碍不是？……来我这儿，您心里也不会太踏实，对不？我不问您的名和姓，您对我的姓甚名谁也不感兴趣……您想的是：第一，这家伙究竟会不会治？其实，一般来说，您自己也能治……主要的办法，无非就是注射青霉素嘛！好，第二，这家伙的青霉素是真的假的？第三，是不是用的一次性针管？干净不干净？第四，收费，宰人不宰人？……好，我来告诉您吧，一句话：放心！……我要真处理不了，我也不敢瞎糊弄，我还得劝您去正规医院呢！……怎么样？您想好了没有？您要信得过我，那咱们就……先到帘子后头，让我查查！……"

那人犹豫了一下，便跟马靴到小屋一角的白布帘后头去了。临进去以前，马靴还煞有介事地对彩妹说："你准备一下……消毒……"

……

彩妹还是头回进到马靴屋里，并目睹了他这位"老军医"的医疗过程。马靴没费什么力气就挣了五十块钱。根据马靴的说法，那男子至少还需要来十次。那光这一个患者，就要付他五百元。

戴墨镜的男子走后，马靴盛赞彩妹，说她真像个护士。又说他其实真的很需要一个护士。问彩妹现在哪儿挣钱，愿不愿意来给他当护士。彩妹想了想，就说还在太太家做晚饭，另外还到好几家去做钟点工。

彩妹问："打这个针……能治好我脸上……这个瘤子吗？"

马靴逼近了看，看完说："其实，无非都是个用抗菌素抑制其生长的问题！有什么难的！"

彩妹便说："医院大夫说，麻烦着呢！要我住院仔细检查……然后动手术拉掉它……一进去就得先放一万块钱……"

马靴吹了声口哨，说："真敢要价！你打算给他们一万吗？……你要信得过我，我给你打针化掉它！我优惠你，每针我只收个成本费，二十块钱……不过你这瘤子起码得打一百针……一天两针……"

彩妹动了心："准能化掉吗？"她算了一下，这样治，也才两千块钱便解决问题了。可是，需要……差不多两个月的时间啊，这两个月里，她又怎么挣钱呢？

马靴搓着手说："这样吧，今天，我就先给你试一针……你要明天有不良反应，咱们就停……这一针我也不要你付钱……你得便时，帮我去各处电线杆上，贴点这样的招贴就行了……"他从书桌抽屉里拿出一张来，递给彩妹看；那上头有个红十字，还有些个大大小小的字……想必头一行便写着"老军医……"什么的……

彩妹打了一针，谢了马靴，出了那"甲三十五号"，往自己住的小屋去，隔着小玻璃窗，她看见屋里只有阿吉一个人，躺在床上，睁着眼，脸上还淤着怨怒……水水到哪儿去了呢？……便且不进屋，而是走出了巷子，走过了大槐树，又走到了护城河边。

夜晚的风，小跑到彩妹脸上，好像也觉得绊脚。彩妹拢住袖管，心里堆积着一窝灰。

胳膊上的针眼，隐隐作痛。马靴的针，还要不要打下去呢？

彩妹不知不觉，又在护城河边走了好远。

忽然，一辆三轮车在她身后煞住，只听有人惊喜地在叫："乡亲啊！"

彩妹闪身、扭头，一望，光凭那两只眼、一嘴牙，便认出是蚓蚓。

"你！……你吓死我呀！"

蚓蚓跳下车，指指车轱辘说："我打了气……"

彩妹听不懂这是什么意思。她质问："你想干什么？做坏事吗？"

蚓蚓委屈得不得了："你乱想！我……我刚去洗了澡、理了发……特意去找你……你不在……水水说，到处找不见你，她还着急哩……"

彩妹打断他说："扯谎！我还找不见水水了哩！……"

蚓蚓说："那我们一起回去，对对嘛！……水水说你在马靴那儿……她方便回来，屋里没你，马靴那儿也不见……她让我骑车到河边找找……离老远，我就认出是你……"

彩妹说："你找什么？我就是走走……我一会儿就回去！……没你什么事儿！……"

蚓蚓说："……我，我……我就那么讨人嫌么？……"

蚓蚓的声调，在寂静的护城河边，伴着昏暗的路灯光，摆动的垂柳丝，还有河里闪闪的碎月亮，让彩妹的耳朵和心眼都软了下来。

"你找我干什么？"这一回口气大不一样了。

"……我，我……我晓得……你，你还没吃晚饭呢！……"

"……没吃，又怎么样？"

"我，我……请你吃……我也没吃……我们一起去……那边……东坡楼……吃夜宵……"

"咦……你怎么晓得……我没吃？我在太太家吃得饱饱的！……"

"……我知道了……太太把你辞了……董大大说的……"

"她辞了，我就饿死了？我下了馆子，吃的涮羊肉！"

"……你没吃，你饿了……我不愿意你饿……我也饿啊……"

彩妹忽然感到很饿、很饿。她站在那里，犹豫着。

"来，你上车……乡亲嘛……我们去东坡楼！"

彩妹皱皱鼻子:"我又不是垃圾!"

"你看!我洗过……还铺了干干净净的塑料布哩!……"

彩妹仔细看,果然。

"上吧!乡亲!"

彩妹便耸身坐了上去。蚓蚓心里原来猫爪子挠般难过,一下子变得猫舌头舔般舒服……

……他们到了河那头的一家饭馆东坡楼。那里的夜宵卖四川小吃。坐到一处角落,蚓蚓让彩妹敞开胃口点。彩妹只点了碗担担面。蚓蚓便又为她点了珍珠丸子、叶儿粑、赖汤元。蚓蚓很内行的样子,说自己一点不怕辣,点了担担面、钟水饺、红油抄手,全是辣的。彩妹说:"你想喝酒,尽管喝!不要因为我不喝,就不好意思!"这话让蚓蚓心里比喝了酒还暖。蚓蚓说:"你还不知道么?我从来不吃酒,也不吃烟哩!"彩妹望着他,只是撇嘴,不信;说:"男子汉,吃点烟酒才硬气,只别过分就行……"蚓蚓便要了一听罐啤。

担担面上来了。彩妹拿起筷子,说:"不要你请。我们各人管各人的。"

蚓蚓说:"那哪儿行?这没几个钱。"

彩妹说:"你发了多大财?什么口气!"

蚓蚓说:"实话:还没发大财。不过……先吃,先吃……"

两人便吃那担担面。都觉得格外好吃。

吃完面,别的几样也上了桌;蚓蚓且不吃,跟彩妹说:"……我都知道了……你脸上……医院要你放一万,才许你住进去……"

彩妹埋怨说:"又是董大大告诉你的?这个糟老头儿,以后我再不能跟他说什么!"

蚓蚓说:"他是好意哩!他知道我们是乡亲……他也想帮你哩……"

彩妹说:"帮什么?不用帮……我自己……能解决……"

蚓蚓说:"你哪儿拿得出一万块?"

彩妹说:"谁说非用一万块?我打针消掉它,两千足够!发发狠,两千我还拿得出……"于是讲了马靴给打针的事。

蚓蚓叫了起来:"哎呀!你信他的!我早认识他!他在每个地方,从来住不满一个月……他那叫无照行医,查出来就要取缔的!他除了给人打针,什么也不会!他那些针药,全是些过了期的!他那些针管,说是一次性使用,其实每管起码要用上十几回!……他总是不等上当的打完他说的那个针数,捞了些个钱,就跑了……当然啦,他跑,更是为了躲查抄的……他上个月还在阜成门那边嘛……现在又到这儿招摇撞骗!……你快别让他给你乱治了!……正经医院收费是高,那它真能给你治好呀!……"

蚓蚓说得彩妹心里又乱乱的,仿佛撒上了花椒。胳膊上的针眼又隐隐作痛。

蚓蚓又说:"我就不信马靴这些个狗屁大夫!……我信大医院,信正经大夫……我这条腿,你知道的吧?我妈生我的时候,让接生婆生给扯断的,后来又长起来,长歪了……我爹怕我活不了,所以给我取名叫蚓蚓,那蚯蚓命大啊,锄成两段,它还活,两段都活!……我家前年连死了两口人,你是知道的,弄得把盖好的楼都顶了债……我在这儿奋斗了这么久,总算把家里的债都帮着还清了!……你说我现在想的是什么?……盖房?……不!我也是要挣钱进医院哩!……我挂专家号,看过这腿……大夫说,我这腿能治……就是把长得不正的地方,弄开,重接……你这毛病,人家只问你要一万,我这毛病,人家说,住进去要先交两万哩!……"

"你挣够两万啦?"

"不到。不过……呀,都冷了……先吃!吃吧!"

两人便再吃。暂时无话。都在边吃边想,心里都绕着好些个圈圈。

吃得差不多,蚓蚓抹抹嘴说:"……我……两万是没有……原来一万也不到……可是,告诉你吧,就是上星期,我真运气!……你猜也猜不到!……告诉你吧,巧了!……"

于是蚓蚓告诉彩妹,他上星期有天拣垃圾时,拣到个圆圆的蛋糕盒子,里头还剩得有好大一牙蛋糕,看看并没发霉长毛,闻闻也还很香……当然,他没吃那牙蛋糕,他扔了它……他把盒子拆了——他总是要把拣的纸盒子拆成纸板,归拢一处的——结果,他发现那盒子里放蛋糕的那层垫纸底下,有一摞钞票!多少钱一张的票子?开头,他不是太兴奋,因为那票子看着小,显然不是常见的一百块或五十块的,甚至不像十块的……仔细看，才发现，都是洋票子，是哪国票子呢？一时弄不清；那是多少钱呢？他看来看去，那一摞十张，张张上头印着一样的人头，还印着 1 后面两个 0，呀，张张都是一百块，一共是一千块呀！……这可把他高兴坏了！他原来已经存下了六千块钱，这么说，一家伙就变成七千了！……前两天，他到银行去，把那张票子拿出来给人家看，才知道，那是美国钱，每张都合人民币八百多！……呀！加上这摞美国钱，现在他蚓蚓有一万五千块啦！你说这运气不运气！……

彩妹听呆了。听完，她不信："蛋糕盒子里哪儿来的大洋钱？做蛋糕的都是些跟我们差不多的人，装蛋糕的也一样，谁得了疯病，往里头放钱？就是得了疯病，往里放钱，又哪儿来的洋钱？……"

"我想过了……钱是买蛋糕来送礼的人放的……他原以为人家吃完那蛋糕，就能见着那钱……"

"他想送人钱，送就是了！放在蛋糕底下做什么？……就为了让你拣破烂的发财？"

蚓蚓不想再讨论这个问题，他从胸兜里掏出一张美元来，递到彩妹眼前，说："看呀！……上面那个人头，是美国总统哩！……你看这儿，是不是 1 后头两个 0？……"

彩妹接过，细看，心想："这么一张小纸头，怎么会就是八百多块人民币呢？"看完，她把那美元递还蚓蚓，蚓蚓接过去，却又掏出另外九张，都塞到她手里，说："你留下。给你。不是借……是……我送给你了！你再添一千多，就能住进医院了！"

"不不不不不不……"彩妹觉得那美元烫手，拼命往蚓蚓手里回送，蚓蚓躲闪，把没喝完的啤酒杯都碰倒了……

"蚓蚓，拿去！你先用来治腿！"彩妹把那摞美元搁回到蚓蚓那边。

蚓蚓把那摞票子又搁回彩妹这边，说："我不忙！……我这腿又没让我失业！……你动手术要紧！……"

彩妹便拿起那摞票子，作出一种夸张的样子："你不要，那我……全撕了！"

蚓蚓这才从她手里取回那摞票子，脸涨得红红的，牙筋不住抖动，垂下眼帘说："就因为……是我的……你才不要！……我没坏心……你别以为，我是总想着……我爹你爹的那个想法……我不会强迫你的……我是个歪腿，我懂……其实……刚才我是骗你！……医院大夫跟我说的是，像我这么个情况……没法子动手术正过来了……"
蚓蚓吸了下鼻子，挺挺胸，好忍住眼泪。

彩妹心软了。她说："蚓蚓，谁疑你不是好心？……我是……我不能随便拿别
人这么多钱啊！……再说，这钱……太怪……不能算挣来的啊……蚓蚓，我谢你
了！……这钱，你先留着……你容我想想啊……我真需要的时候，再来问你借！……"

蚓蚓抬起眼睛，望着彩妹："……你快想好！……好，你借！……我一不要利息，
二不定还期……什么时候你在这京城里闯出了一番事业，想还的时候，你就还！……"

彩妹嘴角透出笑了："闯出一番事业？我？"

蚓蚓肯定地说："就是！……这城里立一番事业的人，都是爹妈把他生在这儿、
传给他家业的吗？……我就不信！"

彩妹笑出了声来。蚓蚓望着那笑容，听见那声音，心里像有鸭子在春水里嬉……
……他们出了东坡楼。

蚓蚓走到自己的三轮车边，刚开了锁，便发现前轱辘瘪得没有一口气了。他惊
呼起来。下午刚打的气啊！再细看，气门芯被拔了。"准是那些坏孩子干的！"蚓蚓
骂出粗话。河沿上确实有些个顽皮的孩子，不仅专爱拔停放的自行车、三轮车的气
门芯，还专爱抠掉汽车上的商标饰件。

蚓蚓本来是要蹬三轮车驮彩妹回去。驮不成了，蚓蚓便执意要推着三轮车护送
彩妹回去。彩妹坚拒。彩妹说："不要！……不能这么来往！……你以后别再这么找
我！……我要你帮忙的时候，我会找你的！……"说完，扭头便走；走出几步，回过头，
补充说："蚓蚓，我谢你！……真的！……我有事会找你！……"再扭过头去，便一
溜烟地消失在夜色中了。蚓蚓用拳头捶捶自己的歪腿，大声叹气……

……护城河边好冷清。夜气带来丝丝凉意，往衣领衣袖里钻。彩妹缩起脖子，
双手拢在袖子里，往住处小跑。

忽然，一只大手按住了彩妹肩膀，她还没来得及作出反应，另一只大手用一张
胶纸猛地拍在了她嘴上，使她呼唤不得；紧跟着，一个比她高更比她宽的肉体将她挟
持到了路灯光区外的阴暗处……彩妹从烟气酒气和体臭中意识到那是一个强悍的男

性……她拼命挣扎，然而那人的胳膊和手就像铁杠和钢扳子，令她难以反抗……她被那人拖到了护城河边大柳树下的灌木丛里……

……那人撕彩妹的衣裤，彩妹再次拼力反抗……当彩妹感觉到那人的大手将她内衣暗兜中的那一扎钞票扯走时，她的愤懑达于极点……那人万没想到，彩妹会忽然爆发出那么强大的力量！她的全身：四肢，肩，腰，腹……乃至脖颈、头颅，都仿佛炸开了似的，排拒着那人的强暴……结果，竟一下子让那人滚到了一边……彩妹不失时机地，鱼儿般地挺蹦而起，并立刻向光亮处跑去……她的喉咙一直地猛抖……她意识到了那封嘴的胶条，于是边跑边用力撕扯……

……那人没有追赶彩妹……跨护城河的桥上有巡逻的警车驶过……同时有几个在迪斯科舞厅蹦跳完的年轻人嘻嘻哈哈地骑着自行车冲过来了……

……彩妹狂跑了好一阵，终于跑到了桥边，她本能地跑上了桥——桥上的马路要亮得多……她直到跑上了桥，倚在桥栏上，才终于站住，用力地扯下了那封嘴的胶纸……她觉得嘴唇和嘴唇周围火烧火燎的……低头一看手里揭下的那块胶纸，寸多宽，巴掌长，上头挂着湿淋淋的血丝……她不懂得保留罪证，她怕那胶纸上的血丝，便像抛掉毒蛇般地将它抛到了桥栏外……

……彩妹本是想喊，想叫，想骂，想哭……可是扯掉了那胶纸以后，她只顾大喘气，却一时喊不出，哭不出……她整理衣裤……当她摸到那藏钱的地方，一把抓空时，她觉得天在转、地在旋……可是她的意识里还能抽出这样的丝缕：幸亏没拿蚯蚓的那一千块美元……万幸！……

……桥上和街上这时没什么行人了，一些载着客和亮着"空车"红灯的出租车从桥上穿梭而过……前面大街上有一家豪华俱乐部，门面上的霓虹灯滚动扫描出来回变幻的图案……几辆只有晚上才许驶进城的运水泥车轰隆隆地开过去，驾驶舱后的巨大水泥罐还在转动搅拌着……一对情侣满不在乎地勾肩搭背并行骑车而过……

……彩妹想哭，那悲苦都蹿到喉咙口了，却冲不出来……她俯身看河水……河水里浮动着的幽幽光影，让她忽然觉得，只要朝下一跳，那么就什么都会变得很简单了！……

……一腔幽怨，没能化为长嚎哀哭，却使彩妹翻肠倒肚地朝河里呕吐起来……她觉得自己的一颗心，就快要呕出体外了……

……呕得什么也呕不出来了，彩妹深呼吸着，抚着自己的胸口；这一天的种种遭遇，虽然在意识中成为了碎片，却汇聚飞舞在她的心头，冲撞得更加细小尖利，使她的心流血……

有个在桥那边绿地中练完气功的离休干部，回桥这边时，发现了桥栏边神色异常的彩妹，便走近她问："小妹妹……你不舒服吗？要我帮忙吗？……"

彩妹的视觉从朦胧中聚焦，当她发现面前有一张陌生的脸时，不禁畏惧地后退一步，然后便跑开了……那人望着她的背影，缓缓地摇头……

彩妹往前小跑……开始，她也不知道自己要跑到哪儿去；后来，她心头只存有一个想法，那就是，她要跑到能给她温暖，给她安慰，给她帮助，特别是能赋予她安全感的地方去……那个地方在哪儿呢？在哪儿呢？……

……彩妹跑动的轨迹不是一条直线，也不是一条方向大体不变的曲线……她忽然又改变方向，甚至扭回头，往回跑……但在潜意识的驱使下，她终于认定了一个目标……那目标是一袭瓜棚，是散发着家乡气息的丝瓜……

……彩妹深一脚浅一脚地跑到了一座工棚前，那工棚的窗户里已经没有了亮光……彩妹只听见自己急促的喘息声……她慌慌张张地伸手摸索着，睁眼搜寻着，并且用一颗狂跳的心祈盼着……

……啊！是这儿，这儿！……彩妹的手触到了工棚外的一个瓜棚，几根上身细细、下身胖胖的老丝瓜模模糊糊地映入了她的眼帘，她的心被一阵狂喜包裹住了……她穿过那瓜棚，对着瓜棚后的窗户，大声地呼唤起来："顺顺！顺顺！……顺顺啊！……我是彩妹！……顺顺，我是彩妹！……顺顺顺顺顺顺！……"

……工棚的窗户亮了，不止一盏灯，盏盏灯都亮了……工棚里不少小伙子从被窝里坐了起来……顺顺惊醒过来，听真切了，大喊："是我老家的姑娘……她叫彩妹……她准是遇上什么事了！……大家帮个忙！我要把她迎进来！……"

……顺顺麻利地穿上衣服，跟他挨着的哥儿们也都穿衣下床……离得远些的，有的仍然坐在床上，披上衣服，把铺盖拉到胸脯……

……顺顺把彩妹迎进了工棚，让她坐在仅有的一张小桌边，仅有的一把破椅子上……彩妹看清眼前站着的确是顺顺，便"哇"地放声痛哭起来……

顺顺和几个小伙子围住彩妹，有的给她递开水，有的给她递毛巾……有的急着问她究竟怎么回事……顺顺对小伙子们说："让她哭透……"

彩妹痛痛快快地哭，哭得就像唱歌一样……这哭声使围在她身旁，以及那些被惊醒还坐在床上的建筑工人们——也不完全是小伙子，其中也有已经过四十的壮年人——心弦全都不同程度地颤动起来……这是进城的乡下人的哭声，是无数难言的艰辛、复杂的况味、坚韧的奋斗、屡屡的挫折、层出的惶惑、叠加的疑问、无尽的期盼、不屈的情愫……汇聚交织成的汩汩心音！……

……彩妹哭够了，这才把她所经历的事，尤其是那最恐怖的一幕，讲了出来……

顺顺会怎样地安慰她？顺顺和他的伙伴们会怎样地帮助她？……在这京城的秋夜，这其貌不扬，矮个子，并且脸上膨胀着一个瘤子，更在遭遇暴徒蹂躏的过程中，致使那瘤子边缘渗出了血水，并且嘴唇也挂着血丝的，来自遥远的村庄，尚未与这大都会融为一体的姑娘，她将怎样地在这里继续生存、发展？……

难以叙说清楚。

但非常清楚的是，在北京火车站，在这秋风吹拂的夜晚，又有若干从到站列车上下来的农民，包括年龄在彩妹上下的农村姑娘，扛着被窝卷，挎着提包，怀着巨大的希望，从检票口涌了出来……

1996 年 11 月 24 日午夜写完

尘与汗

上午

　　老何难得睡回懒觉。正梦见老婆的时候，忽然被一声巨响惊醒。

　　老何睁开眼，一张鬼脸逼在他鼻子上，那鬼脸张开嘴巴，露出一嘴黄黑交错的牙齿，吼出一口劣质烧酒拌合着的秽气："你喝！"

　　老何就知道是老严。鬼脸闪开，鬼爪子举着个破茶缸，逼到老何鼻子上。老何顺从地张开嘴，老严便将半缸浊酒都倾入了老何嘴里。

　　老何嗓子里像有铁丝刮过，他呛咳着坐起来，穿衣服。这才看见，他床旁的窗台下，散落着破碎的酒瓶子。

　　屋里其他睡觉的人也都被闹醒。纷纷坐起来穿衣。老何拿着自己的茶缸子，到院子当中唯一的自来水龙头那儿，准备漱口。这时老潘已经漱完口了，对老何说："他喝了一夜的酒。我刚起来他就邀我一起喝，我略迟答应了一会儿，他就望我脸上泼酒，又摔瓶子！"老何说："老脾气嘛。"老潘皱皱鼻子说："只怕是……这回的脾气，要闹出大事故！"老何跟老潘都朝屋里望，只听里头小疙瘩在大声地嚷："你甭冲着我来！我可不怕你！你离我远点！你嘴里的味儿比放屁还臭！……"

大芝麻从屋里出来，手里捏着张纸，摇摇晃晃地往铁栅栏门外跑，老潘对他喊："天都大亮了，你还河边露腚去！"老何摇头、叹气，接水、漱口。

老何他们绿化队，一周只休星期天一回。这一天的休息，因此显得非常金贵。老何一边刷牙，一边盘算，应该做些什么，可以做些什么；应该做的，比如，去滨河路10号楼103室，那里一个肖先生，私下贩大米，一斤能比粮店便宜一毛钱，比农贸市场的也要便宜个七八分钱，这样算下来，买他一口袋，五十斤就能省下差不多四五块钱；上回买的米眼看要吃完了，应该去那肖先生家买米了。可以做的，是到文化宫门外抓福利彩票去，但一张彩票就得两块钱哪，大奖小汽车，想都别去想，可是那回老潘手气好，两块钱摸了一套玻璃酒具，他也不贪，在那现场就三块钱卖了出去，倘若我老何摸了那么一套，我就留着，带回家去，自己家里摆着也体面，亲朋好友家办喜事，拿去当个礼品，也保管晃花众人的眼睛……

老何还没抹干净嘴边的牙膏沫，铁栅栏门外忽然走进来大女婿德光。

德光满头大汗，走近他跟前就要讲话。老何打个手势把德光止住了。

搁回牙具，老何把德光引到那院子尽东头的花棚外头，僻静处，问他："你被裁减了么？"

德光摇头。老何松了口气，说："是呀，你年纪轻轻的，咋能裁减你这样的呢？昨天我们绿化队魏科长也给我们传达了，那精神是，城里下岗的职工越来越多，所以，像我们干的这些个活路，外地民工只能留三分之一，裁减下的名额，要留给城里下岗的……"德光问："爹，你给裁减啦？"老何挺直腰板，生气了："我一不老二不懒，凭什么裁减我？"德光低下头，老何叹口气说："是呀，我们这儿裁减，恐怕是从年岁大的裁起……要论年岁，我怕也玄……那个老严，你见过的，他比我大四五岁，又懒，科长老早想轰他走，那回他没等到下班时间，就跑回来，在这外头护城河边钓鱼，让骑车路过的科长逮个正着，一罚就罚他一百块，一百呀！就是想把他罚得没饭吃，让他自己滚蛋……那老严也可怜，跟你我不一样，他农村里已经没亲人了，听说十年没回去，家里那老屋都塌了一半了……他算是这绿化队的元老啦，所以他占着我们那宿舍里头的小套间，破烂塞了一屋子，就把这儿当成家啦……这回科长手里有圣旨，不再留一点情面，昨天会上，当着我们大家宣布，把他裁了，让他尽快搬走！他就喝了一夜的闷酒，我还没睡醒，他就撒开酒疯了……唉，唉，造孽哟！……"

小疙瘩跑了过来，也不管德光在那儿，只冲老何喊："何大爷，走，去滨河公园看摔跤去！"

老何现在很不愿意人家叫他大爷，大爷，那不就是老头子的意思吗？老头子，那不是就该被裁减吗？老何很不耐烦地回应说："谁是你大爷？看什么摔跤？一边去！"

小疙瘩被激怒了："咦，大爷都不爱听，想我叫你什么？叫爷爷吗？"

老何一听更不入耳，把手使劲一挥；小疙瘩平时本是常跟老何耍戏的，以为老何的意思是要跟他比试比试；嗬，这个老菜帮子，原来是不服老啊，怎么着，那咱可就不客气了！小疙瘩揪过老何的胳臂，想把老何扳倒，老何从容应战，两个人扭在一起，僵持了数秒，忽然老何一个巧劲，把小疙瘩放倒在了地下；小疙瘩拍着屁股站起来，水龙头那边几个人为老何喝彩，也有嘲笑小疙瘩的。小疙瘩倒不恋战，嘴里嚷着："咱们以后再来！"一溜烟地奔滨河公园去了。

老何这才问德光："你来，什么事？"

德光说："长颈鹿，把我告啦！"

老何问："你咋晓得的？"

德光说："莲芳把电话打到德祥那儿，德祥昨晚来跟我说的。长颈鹿告我拐带妇女儿童……说镇上派出所放了话，要把我捉去归案呢！"

老何说："你看你看，果不其然吧！我早跟你说过，不能那么样嘛！"心里一烦，就蹲了下来。德光也蹲下。翁婿二人脸对脸蹲着。德光掏出香烟，递了岳父一支，又用打火机给点了火，自己再点燃一支，猛抽一口；老何手里夹着烟，无心抽，训斥说："闯出祸来了不是？那长颈鹿是好惹的吗？那婆娘也太浪荡！……德祥他什么态度？依我说，让那婆娘抱着那丫头，回长颈鹿身边，事情不就了了么！"德光只是低头猛往肚子里吸烟，老何就知道德光和德祥两兄弟是一样的心思。

不用德光开口，老何就知道他所来为何了。老何吸了口烟，叹口气说："我眼看也要被裁了。留下点钱，是要带回家的。我可不能帮你往那无底洞里填！"

德光说："不是无底洞。莲芳电话里说，人家打招呼了，请一桌席，再拿三千，就保证不抓我。"

老何说："保证？谁给你下保证？这事，长颈鹿占理。与其拿钱给抓人的，莫若拿钱给告人的。长颈鹿他开口多少？"

德光把烟往地上狠捻，骂道："狗日的！他要两万！"

老何不说话了。扭头望着花棚里那些从街心花坛撤回来不久的残菊，心里发堵。

德光说："抓我，他们哪儿抓去？大不了我几年不回家。只是，这事不及时了断，莲芳在他们眼皮底下，那日子可就难过了……"嚅嗫了一阵，接着说，"我手头有一千五，德祥有八百，再有一千足够了……凑齐，赶快给莲芳兑去……"

老何眼睛还盯着残菊。有朵枯黄的残菊仿佛在跳，要跳进他眼里去了。

听见德光站了起来，并且说："我来，说一声，让爹知道罢了……不是为了……我再找别人去……爹，我走了！"眼睛的余光里，少了黑糊糊的一团，并且听见脚步声渐远。

老何蹲不住了。他掐灭香烟，把剩下的半截烟搁到上衣胸兜里，站起来，朝铁栅栏门那儿望。已经没有德光的身影。他突然像子弹一般地追出那铁栅栏门去，德光的背影在护城河边晃动，离那门已经有几十米远。他吼了一声："德光！"那吼声令路过的人们惊诧地朝他张望，他全不在意，只是朝回过身来，站在那里发愣的德光，快步走去。走拢，他从别在腰带上的一个油光光的黑钱包里，掏出一叠对折好，并且用一根橡皮筋箍紧的钞票，递给德光；他从牙缝里挤出这样的话来："龟儿子！这正好一千。你就往那无底洞里扔吧！……"德光接过收起，只是说："我下个月就还。"老何牙筋乱蹦一阵，说："你还！你不再给我惹事，我就阿弥陀佛了！我只是想起莲芳，还有她带的那两个娃儿，可怜啊！……"说完，扭身就往回走。

天光大亮。护城河边的垂柳下，已经有三三两两持杆钓鱼的人。老严也坐在岸边钓鱼。那老严醉醺醺的，蓬头垢面，衣服皱皱巴巴，而且不知道多少天没洗过，浑身散发出酒气恶臭，可是，他手里所拿的那根又长又粗又亮又光的鱼杆，却是很高档的，连同附带的鱼具，比河边其余那些衣冠楚楚的钓鱼者们，都要胜过一筹。

老严居然没有醉眼昏花，招呼老何："伙计，一会儿我炖鱼汤，就咱俩喝，他们都他妈的滚一边去！"

老何没理他，只管往回走。那护城河边，有规律地交错栽种着垂柳和桧柏，垂柳已然相当粗大，垂枝如巨伞，桧柏也已高大如塔；有的桧柏那朝河的一面，底部不知怎么豁露出一大块，形成龛状；老何快走拢绿化队宿舍时，忽然看到一株桧柏的"龛"里，有一泡新鲜的粪便，赶紧挪开脚步，捂着鼻子离开了。那肯定是大芝麻清早的"杰作"。

老何回到了铁栅栏门里。那里面是绿化队的地盘。这一带的绿化队有两种。一种是园林局的绿化队，负责管理护城河两岸和马路两侧的绿化带，以及街头的花坛绿地；一种是街道办事处的绿化队，负责居民楼前后的绿地花坛；老何他们属于后者雇用的外地民工。街道办事处的这个绿化队，占有的一块地盘不算小，然而里面的设施却极为简陋。有一座花棚，里面勉强能养些个常见的花卉，以供节日在护城河桥头摆放出一个立体花坛；此外就是一排平房，其中一大间套一小间是民工宿舍，另一间是厨房，还有一小间是堆放工具杂物的。院子里有个唯一的自来水龙头，饮水、盥洗都靠它。搭了一个简易的厕所，因为粪便并无清洁队的人来清除，只能是民工们自己每过一段时间自己掏出，合上土拌为有机肥，拿到绿地花坛去施用；民工流动性大，特别是年轻的民工，没人留恋这份工作，所以他们特别不喜欢掏厕所，而且特别不能忍受那简易厕所的肮脏不便，因此，像大芝麻那样跑到护城河边的桧柏底下大行方便的情况，屡见不鲜。

老何回到院子里，老潘从厨房里端着一只冒着热气的大碗出来，问他："你怎么还不做饭？灶火正旺呢！"因为是绿化队，四季都有很多剪下的枝条可充柴禾，所以他们很少烧煤做饭。这种生活状态，跟农村相差无几；甚至于，还不如——现在不少农村里，也兴烧煤了。老何对老潘说："不饿。"

老何进了屋。别的人都走光了。老何坐到自己的床上，闷闷的。老潘跟进来，坐到唯一的一张破桌子边，喝他那一大碗热粥，粥里只有几根咸菜丝。

窄长的屋里，两边靠墙一共立着六架双人床，只有迎门的地方，老何睡的，是一张单人铺。老何坐了几分钟，便上床，倚着被子垛。

老潘呼噜呼噜喝完粥，既是自慰，也是劝说老何："裁减就裁减吧。你看，这是个什么窝儿啊，咱们农村来的，哪个家里不比这宽敞？就是他们那住高楼里的，说是什么这个长那个官的，屋里东西可能值钱的多，可论住的间数，比得了咱们吗？咱们哪家不得六间八间的？……"见老何不搭话，又说，"是呀，图的就是每月拿点现钱罢咧……可是，这一个月三百块的工资，连小疙瘩、大芝麻他们，都嫌少，要不是一时找不到别的活儿，他们才不愿意在这儿混呢！把我裁了，我一时也不走，我倒想看看，究竟哪个城里下了岗的职工，给这么点钱，能来干这些个活儿……"老何还是不搭理，闭上眼，养神的模样。老潘叹口气说："你也活动活动。不愿去滨河公园看摔跤，那文化宫门前有福利彩票，拿两块钱试试手气，保不定就蒙上个大奖……嘿，那时候，你裁减我？我还先把你裁减了哩！……"说着，出屋到水龙头那儿洗碗去了。

老潘哪知道老何的心思。老何脑子里，转悠着的，全是大女婿德光惹出大麻烦的事。德光好比是个车轴儿，一转悠起来，那车辐竟伸伸缩缩的，越转越长，勾出远远近近无数的人和事来……

大女儿莲芳，怎么就给了德光的？媒人不是别人，就是德光他妈。

德光妈，想起来，也着实可怜。1958 年，搞"伙食团"，一开头，大家敞起肚皮吃；盛饭都盛个"帽儿头"，上头还要堆菜放肉，浇油辣子，一碗吃完，又盛一碗，吃不完，就往食堂外头水渠里倒，大热天，惹得苍蝇搅作团地飞；现在城里不少人也都知道，那以后，先是没了肉、菜、油，后来，渐渐地，把留种的粮食都差不多吃光了，结果到那年入冬，就大家饿肚皮，有人浮肿；第二年，就接二连三地饿死人。德光妈，她的爹，死得最早，不过不是饿死的——那还是"伙食团"最红火的时候，省城报社的记者来照相，"伙食团"主副食花样多达三十多种，真是比共产主义还共产主义，赛过天堂里的天堂，坐下来随便吃，只别往家里拿，吃进多少都由你！那德光妈的爹，记者说他形象好，是共产主义新农民的标准模样，大概是要把他照下来，印个成千上万的，好拿来当新门神，换下那秦叔宝和尉迟恭吧；记者让他吃这个，拍一张；吃那个，拍一张；记者走了，他还吃个没完，整个人，成了个无底筐了；结果，他吃完，差点站不起来，好容易挪动了脚步，摇摇晃晃的，走出没多远，就在田坎上，大吼了一声，两只胳臂伸出去，像落水的人想拼命抓住根稻草，訇的一声，栽到水田里去了……公社卫生院后来给他检查了，说他死的那个原因，文明词儿，叫"胃崩溃"。德光妈生她的时候，就得产后风死了，爹再一死，孤女一个，谁照应她？亏得还有个叔叔，那叔叔，村里人众口一词，都说是个老实磨盘，任人推，不惜力；那婶子也憨，有人说两口子，恰好比一个是磨底，一个是磨扇；可是这么一对石磨夫妻，到众人都没得吃的时候，也难帮衬德光妈一把米半把豆——那时候自然还没有德光，他妈那时候十五六岁，还是个黄花闺女；那大饥荒的日子里，能活下来的，要么是能偷吃食的人，要么是老天爷不想把他收走的人；白天，大家装模作样地集合上工，天一黑，绝大多数的人，就都往田里跑，才拳头那么大的瓜，埋下当种的红苕块，才灌上浆的青苗……凡能填进肚子的东西，找到什么偷什么。那德光妈的婶子，干活路还行，偷吃的外行，千不该万不该，偷到公社撑面子的"实验田"里头去了！这还得了！公社的干部，他们家里都有吃的，知道底下的农民没得吃，偷吃的，本是睁一只眼、闭一只眼，不怎么管；可你偷到"实验田"里了，那还能饶吗？就召集了大会，批斗了德光妈的婶子，那妇人也是，肚子都保不住了，还顾什么面子？可她就是想不开，当天晚上，一根绳子，吊死在村头的苦楝树上了——那树上的苦楝子早被采光，连树皮都被剥去了一半，半死不活的——村里的干部也不往上报告，匆匆忙忙地，用席子卷了，给埋了；只当是又饿死了一个吧！老何家乡的村子，是丘陵地带，各家各户守着一笼竹子，互相隔着水田旱地，那么样的一种自然村；也有好多户人家，聚在一起住的，不过再多，也还是比北方村落那种聚居的人户，要少。1958 年入冬，不光是缺吃的，因为大炼钢铁，竹子都砍去充作燃料了，村子就更显得冷清清、光秃秃了……到夜晚，谁还舍得点灯用油？一片黑暗，比锅底还黑得沉，黑得酽……德光他妈，那一天，正一个人坐在冰锅冷灶的破屋里，饿得发呆，忽然有人推门进来，模模糊糊，认出来，是她叔，往她屋里饭桌上放了个坛子，瓮声瓮气地说："你吃。"说完就转身走了……那坛子里，是煮熟的肉……对，后来满村人都知道，那是人肉，是德光她叔叔，去埋人的地方，把她婶子刨出来，扛回家去了……后来从他家里，查出了十多个坛子……最后，也没把德光他妈的叔叔怎么样，那人一直活到如今，吃得胖胖的，像只大坛子……

这样的叔叔，怎么还能理？那时候，村里有个女子，七转八转的关系，嫁到新疆去了，几年以后，竟牵着白胖的娃娃，扬眉吐气地回娘家来了！于是满村的人，都知道新疆原来不错；于是她回新疆的时候，就带走了两个女子；于是人们都说，这两个苦女子，要去那地方生甜瓜了。所带走的女子，一个是老何的妹子，一个就是德光他妈。她们后来，果然在那遥远的地方，生下了甜瓜。德光他妈不光生下了他，还生下了他弟弟德祥。忽然有一年，德光他妈，带着他和他弟弟，回村里来了。那当妈的脸色蜡黄，两个娃娃却白白实实的。德光他妈死了丈夫，回到村里，回到原属于她的那间几乎倾倒的茅草屋，村里人重新接纳了她。村里的妇女们在池塘边洗衣物时，议论的话题之一，就是德光他妈，这个并不算老，又很能干的寡妇，会让谁再醮呢？有说合的，有猜测的，都没成，都不对；几年以后，村里有个女子，七转八转的关系，嫁到黄河边的平原上去了，没多久，她也是扬眉吐气地回娘家来了，转回去的时候，也带走了几个女子，其中就有德光他妈，德光和弟弟那时候还小，就都随她去了那边。

二十多年前,世道往好里变。那时候两句俗话传得很广：要吃粮,找紫阳,要吃米,找万里。老何他们村，吃粮不再犯难，像德光他妈那个叔叔当年那一排坛子的故事，年轻人或许已经不太清楚，或许偶尔听老辈"说古"时提及，会摆摆手说："那是饿疯了。莫讲了莫讲了，听了作呕。"日头晒着，大雾罩着，稻谷割了熟的，再插新秧，不知不觉地，老何的大女儿莲芳，该找婆家了；可巧德光他妈，又回村来了，东家坐坐，西家望望，一天，主动找上老何，爽快地说："这边找紫阳，那边找万里，你不缺粮，我家有米，也算是门当户对！莲芳不消说是好女子，我那两个你是见过的，如今都比你还高大壮实，你愿莲芳随那个，尽你挑！"老何说："你我清楚，德光德祥也清楚，只是还有不清楚的……"德光他妈就一拍大腿："你带上莲芳，去亲眼看看，那还有不清楚的么？"

老何早有心，走出巴掌地，见识大世界，于是，居然就带着莲芳，去了那黄河边上的平原。那边的田地，哪儿像自己乡里，东一角西一拐，到处鼓出丘陵包，真是一望无际，没个遮拦。那边的村子，屋子连屋子，见不到一笼竹子，欠绿欠池欠水气，老何很不以为然，可是走近德光他们家，没见着人呢，先听见锯子斧子锤子一片的响声，啊，正盖新房哩！在这一片的响声里，老何把莲芳嫁给德光的决心，便坚定起来。

两年以后，老何他们村正式实行分田到户，德光妈祖传的那栋老屋，顶子上已经覆盖着厚厚的一层绿苔，梁柱都明显歪斜了，却一直还没有倾倒，这就意味着，那还是村里的一户人家。德光和莲芳回到了村里，住进了那栋祖屋，于是他们也就分到了自己的份额，种起了责任田。老何帮助女婿，先是修整了老屋，后来又盖起了新房，并先后有了一个外孙女一个外孙子，两家就近有个照应，从此粮囤不见底，人脸有笑纹，算是比上不足，比下有余了吧。

乡里人，一辈子，也就是三桩大事：盖房子，娶媳妇，生娃儿。东西南北，乡村的面貌可能相差很大，人的心思，不出这三件事的圈儿。德光大体上完成了三件事儿，只是房子落伍，还得再努把力，挣钱盖起两层的小楼，这辈子才算圆满。为了挣钱，他来了北京，在市政工程队当临时工，给铺管道、线路什么的挖沟开槽，工资不算低，每天十五块，管住不管吃。德光虽说离开了那黄河边上的村子，可是对他妈，还有弟弟，很是顾念；后爹得了肺气肿的病，家里艰难起来，弟弟德祥老大不小，娶不上媳妇，德光竟比他妈还着急，头年春节回家过年，便去找了那长颈鹿。

长颈鹿是个什么人？脖颈比常人长好大一截，那是不消说了；这人在镇子上，明面上，开着个杂货铺，其实，左近的人无人不知，他那铺面后头，天天设着赌局，他坐庄抽头儿，稳稳地发着财，要不是他随来随花，手头散漫，怕是一方的首富了；据说跟镇上管治安的什么人有勾结，所以他那赌场，"严打"的风声紧时，或许停上几天，甚或不巧被上头来的检查团什么的，突然堵上，给带走拘押，但到头来，也无非罚点款子，依然放回，那赌局照开不误，而向检查团告发的某某人，可能家里会失火，或娃儿会掉进池塘……

　　老何现在被唤作老何，其实新社会起算时，还不足十岁，对旧社会的印象，并不深刻；听老辈子说，那时候镇上有赌场，有烟馆，有妓女，污七八糟；老何在被人唤成老何之前，虽说也经历过些个糟心的事，像"伙食团"散了不久，父母就都相继得浮肿病死去；也目睹过，比如说德光他妈的叔叔，家里忽然十来个坛子里都腌满了肉，还有"文革"当中，把镇上村里一大串干部，头上戴上纸糊的高帽子，用一根长绳子捆在一起，牵着到田里"游垅"……可是，总体而言，这以前，离村十八里的镇子虽然很大，是县里数一数二的大镇，却并没有什么复杂奇怪的人和事，没有过长颈鹿这种人存在，那时候镇上也没有电视，谁看过《动物世界》的电视节目？谁知道世界上还有长颈鹿那么一种活物？也就谁都不会得到个长颈鹿的绰号，对不？粮多米不缺了，必生粮蠹米虫，是不？这些年，镇上变成了花花世界，长颈鹿似的蜘蛛蛾子，也就多了起来。老何是不跟这样的家伙来往的。德光却去找了长颈鹿，不是去赌，是去跟长颈鹿，更准确地说，是跟长颈鹿的老婆眯眼儿，谈给德祥介绍对象的事儿。

　　长颈鹿明里开杂货铺，暗里开赌场，那半明半暗的生意呢，就是婚姻介绍。一般来说，花个五百元介绍费，他就能让光棍娶上个头嫁的女子，花三百元的介绍费，则能落实一个再醮的寡妇，在那撮合的成功率上，居然远近口碑相传。这项业务，后来主要由眯眼儿来做。眯眼儿之所以叫眯眼儿，倒不是眼睛小成一条缝，而是她总像是在眯着眼儿笑，又无时不刻地，总在嗑瓜子儿，嗑的还都是杂货铺进的好瓜子，常常是所谓的阿里山瓜子，台湾风味。德光找到她，说是要给德祥找媳妇，眯眼儿嘴里啐着瓜子皮，一双眯笑的眼睛只是上下打量德光，问："你那兄弟，也有你这般高？这般壮？"德光说，"新疆生的，咋个不高，咋个不壮？比我还能做活路呢！"眯眼儿嘴里不停地嗑着台湾风味瓜子，命令说："吃完晚饭，把他带到镇东竹林子那儿等我！"德光也不细想，为什么要约在那么个地方，吃完晚饭，把回乡暂住的德祥带去了。眯眼儿果然一路嗑着瓜子儿来到了竹林边，下死眼把德祥盯了个透，问："没病吧？"原以为要先问财，没想到只关心身体，兄弟二人忙一齐回答："没得没得……"眯眼儿啐出一口瓜子皮，拉起德祥手说："跟我来，我要检查的！"又命令德光说，"你莫动，在这外头守着！不许惊动了我！"说完，竟把德祥牵进了那竹林深处；那时候，夕阳西下，竹林被照成一派棕红，风不大，竹叶却簌簌地响个不停……过了好一阵，眯眼儿先出来，又摸出瓜子嗑着；德祥出来时，还在系腰带，脸比那落山的太阳还艳。德光问："咋个样？"眯眼儿说："明天，还是这个时候，不来这儿，到镇西汽车站那边的老桑树底下，给你们带个美人儿来。"德光心下疑惑，有这么简便的事儿么？问："准备多少钱呀？"眯眼儿把瓜子皮啐到他脸上，笑道："有多少，都拿来！嘀嘀，还怕人财两空呢！"说完，扭着屁股走了，一路把瓜子皮啐成一道线。

第二天，哥俩来到老桑树下，左等不来，右等无影，心想眯眼儿戏弄人呢，却忽然发现那边要开往县里的长途汽车上，一个女子伸出头来招呼："来呀来呀，还等什么呀？"那时汽车已经坐满了人，就要关门启动了。哥俩跑过去，跑到车门口，德光在前头，要上去问话，被眯眼儿轰开了，只一叠声地叫德祥上去，德祥刚踏上去，眯眼儿就嚷："关门呀！开车呀！"司机也就关门、开车，把车屁股对着德光，喷出好大一股黑油烟，德光呛得猛咳一番，咳完了，还没明白那算怎么一回事儿。

就这么着，眯眼儿那婆娘，叫上德祥，私奔了。她还带走了跟长颈鹿生下的三岁的一个闺女。这算怎么个婚姻介绍啊？她竟把自己，白送给了德祥！还不仅是白送，搭上的也不仅是一个闺女，还有她的私房钱、金银首饰什么的！德光明白过来以后，赶紧也离开了村子，没直接回北京打工的地方，去了他妈那儿，果然，德祥跟眯眼儿早到一步，眯眼儿还是不住地嗑瓜子儿，但是追着公婆喊爹叫妈，顶头见了德光，嘻开嘴便叫哥哥，倒好像嫁给德祥多少年了似的。德光把德祥拉到一边，问他究竟怎么一回事儿。德祥脸又比落山的太阳还艳，吭吭哧哧地，却也道出了所以然——眯眼儿说，那长颈鹿，两三年了，要么那玩意儿硬不起来，要么，没等她得着快活，先就泻了；她可不愿意再守活寡，而德祥呢，她那天竹林里一试，真是英勇善战！少有的能让她尽兴的豪杰！……德光听了目瞪口呆，问："那长颈鹿早晚知道，能把你们放过？"德祥说："眯眼儿说，她不是我们那县的人，跟长颈鹿，并没扯过结婚证，不过是住在一处，生过一个女娃罢咧……她说就是长颈鹿追过来，也不怕……还说让我跟你先去北京，我找到活路，马上把她接去，女娃留给咱妈带，她随后到了北京，要跟我,有个大发展呢!"德光听了,倒也是个办法,于是乎,就那么真的实行起来……结果,惹出了官司。若非这样一环环一步步地了解下来,判德光、德祥两兄弟拐卖妇女儿童罪,那真是万人称快、无人同情哩……

老何在绿化队宿舍的床铺上,倚着被子垛,把这无数的往忧近愁,都勾起于心头,煮成了一锅酸辣汤。最后,他迷迷糊糊地,一会儿仿佛莲芳在跟前哭诉,长颈鹿如何到家里跟她要人索钱;一会儿仿佛德光戴着脚镣手铐,被押往什么地方,说是要枪毙;一会儿仿佛他用手死死地抱住刽子手手里的枪管,苦苦哀求他们;一会儿又仿佛镇上管治保的官儿,一手用牙签剔牙,一手拍着鼓鼓的衣兜,笑着说:"没事了没事了……"后来,眼前只觉得有好多蛾子在飞,又觉得自己撒开手脚成了一个"大"字,在凌空飘落,轻轻地飘,缓缓地落,一点不难受,一点不害怕,忽然一阵风,自己竟"大"得往上翻转起来,真痛快,真好耍……

中午

老何闭眼想心事,想着想着睡着了,身子本来倚着被子垛,后来不知不觉往墙边歪,歪到米口袋上了。那米口袋已经快空了,他身子顺势一滑,滑成个平躺的姿势,米口袋恰成了枕头,他就枕在上头,居然打起鼾来。

他们绿化队的民工们,约定俗成,都把自己的米粮,搁在自己的床上,一般都搁在枕头边,白天叠好被子,就把被子摞在枕头上,挡住装米粮的家伙——多半是尼龙编织袋,也有用厚纸匣子的;他们每月三百元的基本工资,全勤者可多得五十元的奖金,逢年过节则有二十或三十块的福利;住宿不收床位费,烧柴火也不算钱,但三顿饭自己负责,为节约计,他们都想方设法一次买几十斤乃至上百斤米面,存起来吃,宿舍里曾发生过偷钱的事,但从未发生过偷拿别人粮食的事,而且,互相借钱的事常有,而借粮的事始终没出现过;绿化队的临时工是一池活水,尤其二三十岁的小伙子们,一旦找到更好的工作,马上跳槽,因此对于不能染指他人粮食这一戒律,从不曾"约法三章",更不可能每次新来了人,由谁出面"统一思想",完全是自然而然地,形成了那么个格局——但又不曾发展到大家把粮食集中一处存放的局面,总是各自放在枕边。

老何梦来梦去,到头来又梦见了老婆。小青年老何老何地叫着,其实他属蛇,只有五十七岁,火力还旺。这些年来,老何从电视里,看到了不少亲嘴乃至床上翻腾的镜头,看多了,也就见怪不怪,只是想到自己,还是觉得不能那么样做;干那事,怎么能点着灯呢?又怎么能让女子,骑到自己身上呢?正经人,还是该摸黑做,在上头做。城里人,往往把农村人,想得很蛮,其实哪里的人,都有正经的,有蛮的,老何自己的见闻里,倒是城里人蛮的多,比如那东滨河路的什么俱乐部,连个窗户都没有,两扇大门总是关得紧紧的,据说里头有人造气候,进去的人洗一种澡,叫什么桑拿;偶尔能看见,从漆黑锃亮的小轿车里,跳出腆着肚皮的大款,往那门里去,门扇开启时,能望见那里头,黑幽幽的,有浓装艳抹的,什么"三陪小姐",在那儿迎接,裙子长长的,却裂开大缝儿,露着大腿;跟老潘讨论过,啥子叫"三陪",据说"三陪"里没有"陪睡",可是,有时就看见,闪来闪去的霓红灯光底下,有那样的小姐,随着大款出来,上了大款的车,他们总不是去扯结婚证吧?……老何在这绿化队三年了,宿舍里,荤话不少,可是行为上,并没一个出格的,就拿那老严来说吧,奔六十了,还没娶上媳妇,有时候,喝醉了,心里难熬,半夜里,会坐起来,骂自己:"他妈的!你给我滋出来呗!"听见他扯些个纸,嗤啦嗤啦地响,就知道他在挤擦什么,被他吵醒的,都不笑,平时最看不起他,最讨厌他的,却可能在黑暗里,联想到关于自己的什么,为他轻轻地叹气;年轻点的,还没娶上媳妇的,打牌斗嘴之余,说起这事,都是想着,怎么能多挣些钱,回家盖起房子,准备好聘金,求做媒的牵线,正经娶个媳妇;城里人或许会说,这是不懂爱情;可老何周围的农工,没一个乱来的,你或许说,那是因为穷,没钱,自然没法子嫖,没法子"包二奶",没法子找私密的处所会情人……实说吧,你是不是觉得农村里来的,多半会铤而走险?老何可以作证,他的这些守着粮食睡觉的同类,不管火旺了多难熬,没人想去强奸妇女!老何自己,就总是"精满自流"地妥善处理此事。当然啦,依城里人的看法,像长颈鹿、眯眼儿他们那种"中介"，把更穷的人家的女子，嫁到穷得除了花钱托他们牵线，莫得别的法子的光棍家里，不仅是不懂爱情，还根本是不道德的事情；可是，老何有他的道德观，那也是很多很多像他那样的，老实巴交的农民的，共同的道德观，那就是，只要那女子不是拐骗来的，来了以后睡觉时做那事虽说不主动，却到头来并不抗拒，然后能一起过起日子的，而且男方买婚的钱又是辛辛苦苦、用汗水挣出来攒起来的，那么，就合情理、符道德，不该对其说三道四，更不要去把人家拆散……

老何的白日梦，被一阵扳动肩膀的摇动给击成了碎片，他一惊醒，便猛地坐起，只听见一个最悦耳的声音在说："爹呀，你唧个不盖上点呀！秋凉了，你莫冻出病来啊！"

睁圆眼睛细看，是三女儿莲弟站在了床边。老何脸上的笑纹立即涟漪般荡漾不止，忙招呼："你哪会儿到的？我说略靠一会儿，养养神，谁知就睡过去了！"

"爹，还有我呢！"听见这一声，老何的眼睛里，才收进了三女婿建煌。"啊，啊，好，好好好。"

老何满心欢喜。

老何生了五个闺女，如今大闺女莲芳就在本村，二闺女莲蓉嫁到了四十里外的村子，五闺女莲锦就唤作么女，招赘了个女婿，在家跟老婆一起过；三闺女既然取名叫莲弟，自然是盼望她下一个是弟弟，谁知还是个女娃；一连生了五胎，胎胎无男，老何心里自然异常苦恼，尤其是，他本身已是单传，现在竟传不下去，他这一房，难道命该灭绝无人了么！老何盖起的新屋子里，堂屋正中墙壁，和别家一样，上方特意砌了块凸出的石板，上面贴着写有"祖德流芳"的红纸，下面条案上供着"天地君亲师"的牌位，牌位两边，是每年一换的对联，那红纸匾上"祖德流芳"四个字年年重写，多年不变，对联却年年换词儿，而且里头总嵌着"设计师"、"领路人"、"改革开放"、"跨越世纪"等最贴近时事政治的词语，都是书写者从报纸上提供的新春联里选出来的，极富时代气息；但条案下边，正中却又供着土地菩萨，两边一侧是招财童子，一边原来是送子郎君，自从老何被做了结扎手术后，就改成了送宝郎君。如今老何不在家，老婆每天清早，在案上香炉里替他燃一支香。他虽说没生儿子，苦恼难消，但老何从不怪罪老婆，对落生的闺女们，也很疼爱，三闺女没能招来弟弟，他也并不因此迁怒于她，四闺女三岁上得急病坏掉了，他落泪不止；招赘了女婿后，他也就觉得，自己算是续上了香烟。像老何这样的农民，其实很多，他们内心里固然重男轻女，却并不像某些城里人所想象的那样，对亲生的闺女，会失却父爱。就老何而言，他对三闺女莲弟，不仅绝不嫌弃，竟还颇为偏爱。长大成人的四个闺女里面，唯独三闺女莲弟，他一直供她念完了小学，而莲芳只念到第四册，莲蓉和莲锦也只念到第八册；这还不算，莲弟五年前和建煌闯北京来了，老何送他们到镇上长途汽车站，在车站旁那株老桑树下，老何把一叠带着他身上汗气的钱，塞到莲弟手里，跟她说："你去了，趁年轻，学门手艺，这是我给你备的学费——连你妈她也不晓得呢，你莫吵出去……"莲弟揣进怀里时，喉头热了，心想爹辛苦一年，打下的棉花，扣去成本，统共才赚得六百来块钱，这一叠钱，是爹多少个日夜的血汗？这个从来少抽烟、无客不喝酒，闲下来就两手操起竹篾编笸箕的，头发花白的亲爹啊，可怎么能辜负你的嘱咐呢？……莲弟到了北京，果然用那份学费，上了个培训班，后来进了一家合资服装厂，当了技术性很强的熨衣工，工资比一般进城打工的农民高一大块。

莲弟的婚事，老何也最满意。人家小两口，是自由恋爱呢！那建煌，主动追求莲弟，学着电视连续剧里的套路，搞了不少的名堂，比如那镇子上刚出现冰激凌那玩意儿，有什么"鸳鸯双杯"的品种，贵得吓人，好像是，两块八毛钱一份，他就买来，跟莲弟在集上，当着无数的人，紧靠在一起，用小木片儿，剜着那"双杯"，吃得嘴角都粉红粉红的……

按说，老何家，跟建煌家，门不太当，户不太对，怎么讲？要知道，建煌他爷爷，是个道士；这在二十多年前，可不是个体面的身份，而老何家，是贫农，很体面的啊；这十几年来呢，建煌他爹，从他爷爷那儿，彻底接过了道士的衣钵，几乎整天地戴着"四块瓦"的济公帽，穿着法衣大袍——那帽儿上和法衣领口上，都绣着绿颜色为主的龙纹草叶——手里还总拿着个牛尾拂尘，以镇子为中心，方圆四十里左右的地面上，今天这个请，明天那个迎，有时用客货两用车载，有时就坐在摩托车后座上，搂着个穿牛仔裤的新农民的腰，往请他的地方去……他主要是替人家看风水，还有就是主持白喜事的超度仪式，连镇上的官儿们，家里有了相应的事情，都恭恭敬敬地请他呢，他倒是不分高低贵贱，童叟无欺，看一次风水三百元，行一次超度五百元，收费标准一律取齐，其实有的主家为了讨个吉利，还非要多给，更别说主动往他家送实物了，由此你说他该有多富？老何家呢，如今跟他家一比，那真是名副其实的贫农了！虽说门户不那么对榫，但一来孩子们自己愿意，二来老何对建煌爹所干的这一行，很是敬服，加上老何的老婆，是如今那一带农村里，所剩不多的，会唱十三套"丧歌"的女子，常被建煌爹约去，参与白喜事的仪式，每回也能挣个百八十块的，两家的关系，由此近了一层；而建煌他爹呢，常赞老何是个难得的本分人，说是倘若天下揉泥巴的农人都能像他那么憨厚老实，就是天塌下来，这个国家也能撑住不倒；至于为什么偏老何这一支绝了后，他解释说那是因为何家祖坟未曾选好坟址，而公社化时期，坟已平了，如今也莫奈何了！总之，莲弟和建煌的亲事，二人既是自由恋爱，两家大人又都拍手称快，当然办得顺顺遂遂，真是皆大欢喜。送陪嫁那天，大姐大姐夫，二姐二姐夫，俩家的娃儿，以及当时还没招女婿的么妹子，还有岳母家的亲戚，齐上阵，排长龙，抬着各色嫁妆，基本上按着当年游斗镇上"走资派"的路线，游垅展示，轰动一时，因为其中有老何亲手打制的红漆鹅脚盆，那是几乎已经失传的式样，在金黄的油菜花映衬下，格外鲜艳夺目，引得老辈子们话旧喟叹，也引得新派农民后生们拍掌称奇……

莲弟和建煌把一双儿女留给妈照看，闯到北京后，落脚在天竺镇。天竺国际机场世界闻名。进出天竺国际机场的中外旅客们，一般并不会路过天竺镇；这个镇子呈现着城乡结合部的混乱面貌，一些新的建筑物很洋气，但大片的民居却又很乡村味；莲弟所在的合资服装厂的门面镶着玻璃幕墙，墙上凸出的厂名除了中文还有英文，莲弟每天进进出出很是得意；但莲弟和建煌所租住的民房非常简陋，实际上是镇边农民户原来用以堆放杂物的，就这么一间小屋，月租也要七十元，而且随着越来越多的外地民工涌入，房东不断声言要提高租金，新来的民工甚至想高价租赁还不易寻到空房呢。每当盛夏，老何便去天竺看望小两口，小两口热情招待，往往是，在屋外的小厨房里红烧出一大盘鸡腿，又拿出一笸箩花生，建煌开了一瓶二锅头，翁婿二人对坐小酌，莲弟打横相陪，倒也其乐融融，只是到了晚上，三个人如何睡觉，成了问题；建煌便在屋外两棵杨树间，绑了个麻绳编的吊床——那是他从镇上外资员工宿舍后门外捡来的，那里时常能捡到些可用的东西，甚至有人捡到过图像还很清晰的黑白电视机——开头莲弟说她睡吊床，老何哪肯？结果是老何盖着绒毯睡吊床，虽说身子放不直，却也能酣然一觉，清早醒来，树上雀儿叫得好欢，倒也别有风味。但是入秋以后，吊床不能睡了，老何也就不再去天竺，改由小两口进城探望他，当天来，当天回。

　　好久不见，老何有无数话要说，无数事要问，小两口也一样，尤其莲弟，未等爹爹开口，先就不住地嘘寒问暖，又喋喋不休地报告消息。因为老何识字有限，所以说好家里人来信都寄天竺，莲弟报告说，二姐莲蓉和二姐夫志雄也打算到北京来找事做，老何忙说："快写信去，劝他们莫来，这里正裁农工哩！"建煌却不以为然，道："今年春节后，志雄跑到成都，火车站挤得巴巴实实，像块大年糕，等了几天都弄不到来北京的票，只好拐回去了；那时爹听说了，还说志雄太没耐心，很盼着他来。其实那时候来，不如这时候来……"老何反驳说："那时候没裁农工，我们这儿就还缺人；如今我们魏科长说了，就是有了空缺，也留给城里下岗工人，志雄来了，他怎么过？吊到屋檐下，变块腊肉么？"建煌只是笑："来了自有办法。什么城里人乡下人，谁限制得了谁？那头一家城里人，他是怎么冒出来的？天上掉下来的？还不是乡下来的！依我说，你也不用限制，谁爱进城，谁进城；谁有本事，谁站得住脚，谁就留城里；谁站不住脚，或者到头来不喜欢城里，谁就离开……"老何训他说："你总这么大模大样地说话！哪儿懂得世道艰难！我们这小小的绿化队，这些天尚且惊惊惶惶的呢，那河北来的老严，他就给裁了，喝了闷酒发酒疯，也不知道下一步怎么办！你反正在机场有事做，每月四五百地挣着，说些个便宜话来让人夸你腰粗！"这时建煌便和莲弟交换眼色，莲弟还眨眼，阻止建煌说出什么，建煌却偏对岳父说："爹，我们一起去下小馆子，边喝边摆龙门阵，要搬杠，搬个透，岂不痛快！"老何道："下什么小馆？这会儿我们灶上没别人争火，去买些鸡腿，打些烧酒，蒸点米饭，就在这里聚，不是又省钱又方便么？"谁知莲弟也说："今天就让建煌孝敬爹吧！"老何问："怎么？建煌的季度奖大涨了么？"小两口又对了次眼，这回莲弟抢先把事情点破："爹，什么季度奖啊，建煌他前个月就给裁啦！"老何一听，直发愣。

建煌落脚天竺镇后，先是在一家旅店烧锅炉，活路既累，工资又低，后来正赶上北京国际机场扩建新候机楼，破土开工，先搞基础工程，需要大量挖土方运沙石的小工，建煌很顺利地被招聘为了临时工；但随着工程进展，粗工需求量锐减，技术工需求增大，像建煌这样农村来的粗工，便陆续被裁减。但建煌是个有心机的青年，他在饱时便盘算着饥时的对策；在镇上过来过去的，他发现那些放了学的小学生，没多少可玩的；有一天他遇上一座新居民楼正往里搬入住户，一户人家那厚厚的弹簧床垫不知怎么暂时搁在了地下，结果便有几个小学生跑上去颠着玩，那户主发现后，一顿吆喝，孩子们才一哄而散；这给了建煌很大的启发。从机场新候机楼工地裁减下来以后，建煌就捡来些废钢筋，求在工地上结识的电焊工给焊了个两米宽三米长，能拆能装的架子，又从附近屠宰场弄来了几十条牛筋，把那架子支上，把那些两端编出套环的牛筋经纬交错地固定在钢筋架子上，再蒙牢蛇皮布，便构成了一个"蹦蹦床"，每天下午，建煌在小学校与居民区之间的一处街角，摆设他那"蹦蹦床"，小孩子们上床蹦跳，每三分钟，收费两角钱，如连续玩，还可优惠；就这么简单的一个装置，居然大受欢迎，几天下来，就赚了一百来块！当然啦，他那是非法经营，很快有关部门的人就来罚他的款，也曾明令禁止他使用那未经检验批准的游艺器械来赚钱；但是，和镇上许许多多类似的个体经营者一样，建煌和那些有关部门的管理者达成了某种默契，他们会在某些特别的日子里自动收敛暂不露面，而后者则睁一只眼闭一只眼，时不时地从他们那里获取一定数量的罚款，以为其奖金的来源，双方渐渐地磨合成了朋友般的关系。

建煌经营"蹦蹦床"，一个月下来，刨去所交纳的罚款，竟还赚了一千多块，远比在机场新候机楼工地当小工挣得多，且轻松自如！难怪这回进城，他执意要请岳父下小馆子。还声称，要换租个有里外间的住处，以后爹无论哪季去了，都可留宿在稳当的床铺上。

老何听了半天，也弄不清建煌现在的营生究竟是怎么回事。只是联想起建煌他老子，整日穿着那道士服，跑来跑去给人看风水、理白事，分明是搞迷信活动，按说属于非法经营，可连镇上的大小官儿，逢盖房、死人等事也都花钱请他，谁也不以为奇，可见只要是有买方，就必有卖方，而所卖的只要不是白粉人肉，甚或还于人虽无大益却有小益，也就自有个存在的天理吧！真是有其父必有其子，建煌他老子既然可以欢欢快快地在家乡当道士挣钱养家，建煌也就可以高高兴兴地在北京天竺支上他的"蹦蹦床"赚钱积财，对不？

老何随着小两口，行进在护城河边。建煌说来时注意到，滨河路尽东头，有家新开张的小馆子，门口支着告示，说是八折酬宾，上头还开列着菜价，确实不贵，无妨到那儿打回牙祭。半路上，莲弟试着用柔和的口气，报告福多来信的内容。福多是幺妹莲锦的丈夫，因为是招赘到家里的，算是爹妈的儿子，姐姐们的弟娃，可是莲弟实在不喜欢他，他这回来信，又是要钱，不仅问爹要，也问姐姐姐夫借，开口就是三千块；要钱的理由，一个是打算跟别人合伙买个二手中巴，做来往于镇上和成都的客运生意，另一个呢，则是打算再生一胎，准备好足够的罚款。这两个理由，听来都很堂皇。福多父母和他自己之所以愿来老何家，是因为他们村在山上，那山村比老何他们丘陵地的村子穷多了，而福多家在那山村又是最穷的；议婚时提了条件：福多入赘后，轻易不能离家，要种好责任田，照顾好老人媳妇；当时答应得好好的，但入赘过来以后，初时还好，日子稍久，那福多便渐渐不安分起来，唠叨说他为什么就不能进城谋事？在城里赚了大钱，兑回家里，责任田雇人种，日子说不定会更富裕。老何多次耐心地跟他说，你妈腿脚有残疾，你媳妇生来体弱，所以招赘你来照顾，这都是事先说好的啊，你怎能反悔呢？你要留在山村里，只怕再过几年，也讨不上老婆！虽说几年过下来，福多大体上还过得去，老何却寒了心，之所以跑进北京当了绿化工，一大半就是为了给自己储下笔养老的钱，以防将来自己动弹不得时，倘若福多不能供自己吃饱饭，还可以自己拿出钱，托人买些东西来吃饱肚皮。说是为养老挣钱，其实，福多和莲锦每有信来，说起家里开支不够，又一直筹备着往房上起楼，老何没少往家里兑钱；现在福多又要钱，跟人合伙买车搞客运，也没说清是跟哪一家合伙，怎么个三一三十一地分利，咋能答应他？不过，福多和莲锦头胎生了个女娃，这想主动交上超生费，生个二胎，抱个男娃的想法，倒顺理成章，只是还需算笔细账——如按明面上的规定，超生罚款是三千元，但如果在镇上饭馆请管事的干部吃上一顿，再送上两瓶酒两条烟，大概拢共花个三百来块吧，那超生罚款也许一千块也就了事了，这是头年的"行情"，不知时下如何。所以，倘若给福多兑钱，恐怕兑上一千，也就足够了……这个福多啊，真不知招来他后，究竟是福多还是祸多！……

想起这些个儿女的事，老何心里苦胜黄连。大女儿那边，德光德祥惹下官司，他刚忍痛拿出一千块；福多不管怎么说，算是儿子，想再生一胎，给他传宗接代，更该拿钱，但他在这绿化队一月顶多开上不足四百的工资，每天三顿，只是煮白饭，用些拾来的白菜帮、萝卜皮，盐水里腌成一大罐，每餐搛出些下饭，就这么俭省，也还是存不下多少钱，如何支应这许多的需求？……

莲弟和爹议论福多的事时，建煌且不开腔。待爹议论到后来，叹出一大口气时，建煌一旁很有针对性地说："哪个女婿不是儿？招赘招赘，说不定招来个累赘！歪儿不如贤婿，我现在诚心诚意地请爹下馆子，我比爹的亲儿如何？"莲弟一听这话过了限度，忙用别话岔开。当时他们已经走拢3号楼下的小花园，那正是老何平日的责任区之一，那小花园里有雪松梧桐元宝枫金合欢等乔木，还有一丛竹子，更有许多种灌木，以及月季等花卉，还有成片的草坪，除了靠着区文化宫那边的滨河公园，是滨河居民区里难得的一处美丽的休憩地，附近的居民常在其中流连自不必说，也时有偶然路经此处的人士在此逗留；老何在这小花园里浇水、松土、施肥、剪枝、捡垃圾、扫甬路的过程里，经常会拣拾到一些料想不到的物品，比如说他曾拾到一个精巧的三角形小包，里面是几支笔，好像有铅笔也有毛笔，原以为是哪个秀才弄丢的文具包，拿回宿舍，小疙瘩头一个认出来，那是姑娘用来画眉净面的化妆用品！后来他把那小包给了莲弟。又曾拣到过很漂亮的打火机，给了建煌。还曾拣到过一块电子表，自己戴着用到现在，走得很准。不过也拣到些不想要的东西，像半盒避孕套、全是洋文的书、缺Q少K的一摞扑克牌什么的。凡拣到的都归己么？当然不。良心上有个界限。比如，暑天里曾在竹丛里发现了个乌黑的高级皮包，拉锁开着，掏出里头东西一看，有像证件的东西，上头贴的照片，是外国人的模样儿，还有钱包，里头没钱，却夹着些卡片儿，还有钥匙什么的……

　　老何便马上拿着那皮包，找到楼里居委会，居委会的人又从那包里发现了一个电话本，找到了失主的电话，试着打那电话，那边一个老外惊呼起来……居委会的人跟老何一起分析，是有贼偷了那老外，掏走了现金，扔掉了这皮包；于是又通知了派出所，民警及时地赶到；后来那失窃的老外坐着出租车来了，领回护照、信用卡、汽车钥匙时，激动得不得了！原来对于他来说，窃贼拿走的那些现金实在算不得什么损失，如果这些证件什么的丢失了，他的麻烦可就大了！他听说是老何拣到皮包并及时送到居委会的，连连跟老何握手，又拿出一张一百元的美金，说是作为酬劳，老何躲开那张陌生的钞票，推让不要，旁边的民警和居委会的人也帮着说："这是应该做的……"可是，那老外后来又掏出一张一百元的人民币，执意要老何收下，民警和居委会的人继续帮他辞谢，老何却觉得那张百元的人民币很亲切，而且自己收下它也问心无愧，便道声谢接了过去……后来在宿舍里大家议论这事，小疙瘩和大芝麻都讥笑他"冒傻气"："反正你也拿了他的钱，为什么不要美元？一百美元，官价也等于八九百人民币哩！"这事后来自然也讲给了莲弟和建煌听，两个人倒是看法相同："一百人民币也就够了！"现在老何和莲弟、建煌恰好走过那个小花园，眼光又都恰好晃过那丛有些个枯黄的竹子，莲弟为转移话题，想起这档子事，顺口说："爹，你这些天又在这里头拣到些什么宝贝？建煌现在做这'蹦蹦床'的生意，需要一块计算时间的秒表，爹要能拣到一块就好了！"建煌眼尖，发现那竹丛里不对劲儿，说："什么东西白生生的？有那么大的秒表么？怕是兔儿吧？"老何定睛一看，加上一股秽气朝鼻孔袭来，怒从中来，忍不住冲进花园，拨开竹丛，当即把在那竹丛里大便的家伙揪了出来，那家伙边系裤带边嚷："你揪什么你！"那家伙一瞬间认出了老何，老何也一瞬间认出，那是园林局绿化队的，也是农工，平日脸熟得很的；那人不等老何责备，先声夺人地嚷："怎么着？我就是故意的！谁让你们净在我们地面上大便？我就要报复！……"嚷完，一溜烟跑了。老何只望着他背影咬牙。倒是建煌一旁排解说："爹，莫呕。我知道，你们这护城河边，风景虽好，却没一座公共厕所，怪不得屙野屎的多。"老何深深地叹气。到小馆子打牙祭的兴致，顿时全消。

在那小饭馆里，直到热腾腾的鱼香肉丝，还有两扎冒着白泡泡的生啤金晃晃地端上了桌，老何的情绪才有所好转。建煌还要了一大碗辣乎乎的水煮牛肉，老何说够了够了，莲弟却说不行不行，在北京住久了，她吃不得那么辣了，遂做主点了一沙锅的东北乱炖。莲弟用小玻璃杯，从建煌的大扎里倒出些个生啤，父女翁婿三个人，就着热菜对饮起来。建煌知道岳父一定在心里计算花费，就说："这算俭省的吃法了。按城里人的规矩，喝酒是要点几道凉菜的。"莲弟为让爹从种种烦恼里摆脱出来，带头讲起了笑话，说起大姐那个小叔子德祥，运气满不错，一来北京，就找到个看传达室的工作，可他头一回接电话，把那听音的一头，搁嘴巴边，把传音的那一头，放耳朵边了，结果误了人家的事儿；可那老板却并没有开除他，倒说他这人憨实可靠，一直留用到如今，可见傻人自有傻福气！莲弟等着爹笑，老何并没笑，建煌就说："这事爹早知道，你净是些陈芝麻烂谷子！"于是讲起自己所经所见的好笑事来，头几桩，老何听了也没笑，后来讲起，那天忽然有个花白头发的瘦小老太婆，要来跳他的"蹦蹦床"，倒把他吓了一大跳，他不敢让那老太婆跳，劝说的话没说完，老太婆竟自己登上了那"蹦蹦床"，跟几个小娃娃一起，足足跳满了三分钟，边跳还边拍巴掌，还尖叫……建煌挤眉弄眼地学那老太婆跳"蹦蹦床"的表情，这下老何嗬嗬地笑了，说："她怕是个疯子吧？"建煌说："她不疯。跳完了，非给我十块钱。起初我不敢收，后来望望她，真是很高兴的模样，就收了。后来有人告诉我，她是个退休的工程师哩。你信不信？"老何心头一动，饮一大口生啤，竟反转给小两口讲起他遇上的怪人来。

那人是个又瘦又矮的老头，住3号楼，常到楼下小花园来活动；老何在小花园里做活路时，总会有人在小花园里活动，但那些人，无论大人小孩，多半都不注意老何，有的青年男女，躲到竹丛里去搂着亲嘴儿，显然是怕有人看见，可是老何分明就在他们身边用竹耙子耙落叶，他们却一点感觉都没有，就仿佛老何不过是竿大竹子；小学生放学后到小花园里踢皮球，皮球砸到了正拖着长蛇般的黑胶皮水管浇花木的老何身上，他们也不道声对不起，只当是皮球被树干反弹回去，继续地跑跳嚷叫着抢球；有的人倒像是感觉到了老何的存在，但那反应只是快接近他时，赶紧绕过他的身子，再接着往前散步，这也难怪，干活的老何一身尘土，暑天里更是一身的汗腥味；

只有那个老头，有一天，老何往大竹篾筐里捡花园里散落的塑料口袋废纸片儿，捡完了正站在雪松底下歇息时，他走近老何身旁，客客气气地问："老弟，你两边肩膀，怎么不一边高啊？"老何就跟他说，怕是这右边肩膀，让挑稻谷的扁担，成年累月的，压高了！那老头就笑，说："压，该是越压越低，怎么倒越压越高呢？"没等老何答言，又笑，点着下巴说，"是了是了，扁担越是狠压，你这边肩膀上的肉坨就越狠长……你该常常换肩膀挑才对啊！"就这么样，两人认识了，后来每在那小花园里遇上，他们就聊上一会儿，老头是个教授，姓曹，让老何叫他曹老师；教授该是在大学里教书的吧，可老何觉得那曹老师除了下楼到小花园里转转，整天只是待在那楼里头，也没见他有什么学生，问他是不是退休了，又说没退，很让老何纳闷。

开头，曹老师跟老何聊，主要是指点着小花园里的那些花木，讲它们的习性，曹老师书本上的根据多，老何实际伺弄它们的心得多，比如那株金合欢，周围别的树早已青青翠翠，它却直到谷雨逼近，还是光秃秃的，老何头次遇上那么个情况，以为那树死了，要伐它，谁知谷雨一过，它一夜间却枝枝蹿出了嫩芽，一周过去，羽叶肥大，立夏时，就盛开了马缨似的红花，香得怪怪的……两个人说起那合欢树来，都赞叹说真是晚发有晚发的好处——它叶黄飘落也就比周围的树晚。老何在聊花木的过程里，也就问到曹老师多大年纪，老伴什么属相，一月能拿多少薪水，儿女几个，工作想必都不错，能挣多少，孙儿孙女又一共几个，等等；既问到，曹老师也就简略回答；曹老师说出的那个薪水数目，实在并不令人羡慕，可是，他一个儿子在美国，一个闺女在日本，这就让老何觉得，今生今世，没办法去比了。两个人认识好久了，有一天，又在小花园里遇上，又一处说话，老何忍不住了，跟曹老师说："你怎么总不问我？"曹老师不明白："问你什么？"老何说："问我老伴儿的事，我女儿女婿的事，我干这份工，挣多少钱，我能存下多少，什么的。"曹老师望着老何，半天没吱声，忽然摘下眼镜，掏出个手帕，擦了擦眼睛；戴上眼镜后，说："何师傅何师傅，我问我问，你说你说……"老何于是跟他聊起了自己的种种情况。当然啦，老何毕竟还得干活，只能是断断续续地，小歇时，聊那么一点。曹老师跟老何聊天略久，便总用右手掌，在鼻子底下遮着，有一回老何就问他："是不是怕我身上的气味？"曹老师吃了一惊，回答说："不。是怕我自己嘴里的气味不雅。"后来老何发现,曹老师跟楼里的邻居说话,也那么个做派,可见一个人有一个人的习惯……

老何喝着扎啤,自己也不知道为什么,讲起了这么个曹老师的事情来。莲弟、建煌听不出个兴致,可是觉得爹能把别的事情暂撇一边,没烦没恼地拿不相干的人和事来当下酒菜,是桩好事,于是都专注地听着。莲弟问:"爹,你说他怪,究竟怎么个怪法?"

老何呷一大口酒,说,怪在有一天,天阴阴的,我做完活路,正要撤,他来了;那时候小花园里已经没别的人,他快步走到我跟前,我发现他那天跟平日比很不一样,平日他衣服总穿得规规矩矩、平平整整的,头发虽不多,也总梳得巴巴实实的,那天他身上套个对襟的毛线衣,却扣错了纽扣,头发也乱竖着,到我跟前,也没把右手掌挡到鼻子下头,劈面就跟我说:"何师傅何师傅,你帮帮我!"我马上应答他说:"我帮我帮!"我心想,一定是他家有什么力气活,想让我上楼帮忙,就问他:"要我怎么帮?"他说:"你要告诉我,告诉我……"我问:"告诉什么?"那时候我愿意把什么都告诉他,就连你们妈的腿脚怎么落下残疾的事,德祥怎么娶上睐眼儿的事,长颈鹿怎么告德光要把他送进大牢的事,统统都愿意告诉他……可是,他问我的,你们猜,是什么呀?

莲弟和建煌对望,都在猜,一时都没说出所猜的,老何已经把那曹教授那天问他的问题道出来了,原来那曹教授急急迫迫所问的是:"何师傅,你告诉我:人活着,为的什么?"

莲弟听到这个谜底,扑哧吐出嘴里的酒,纵声大笑起来。建煌本也觉得可笑,因为莲弟一旁露丑,笑上加笑,使劲用手里筷子连连敲桌子。饭馆里别的人都扭头朝他们望。

孩子们的畅怀大笑,使老何也禁不住嗬嗬地笑了起来。莲弟笑够了,说:"姜是老的辣,一点不错。爹的这个笑话,前头好淡,最后好酽!"建煌说:"跳我'蹦蹦床'的那个老太婆没疯,我看这个曹老头子怕真是犯疯病了!"小两口又都劝老何吃菜,建煌让上米饭,莲弟让把东北乱炖拿回去再炖热;就都没再问老何,当时是怎么回答那曹老头的。

当时，老何怎么答的？他想也没想，就说："曹老师，你要是好人，问这个干什么？不活，随便死了不成？"记得那曹教授先是一愣，后来就抓过他一双手，握了又握，一连串地说："对对对对……谢谢谢谢……"后来天上掉雨点，他们就各自走散了；后来好多天没见到曹教授，再后来，听楼里人说，他去美国，儿子那儿去了。

孩子们既然笑过了，不再往下问，米饭也上来了，于是老何也就津津有味地就菜吃饭。不一会儿，一沙锅东北乱炖热好重上，确实是乱炖，里头肉呀下水呀骨头呀土豆呀白菜呀豆腐泡呀粗粉条呀乱七八糟什么都有，很香，很下饭。

吃饭间，再闲聊，建煌提起，在天竺镇上，跟丢丢打过一个照面。老何听了，不以为然，说："他怎么会跑到北京？不是一直在广州么？"莲弟也说："我早说了，一定是你看岔了眼！"

丢丢是村里纪家养的娃儿，纪家在那之前生过两个娃儿，都没带到四岁，便一场暴病死了，所以丢丢爹妈在丢丢三岁的时候，就牵着他来拜老何作保保。所谓保保，有干爹的意思，但使命大过干爹，是保佑娃儿平安长大的特殊人物。拜保保的风俗，在老何他们家乡源远流长；当然，和别的一些风俗一样，一度禁绝，近二十年来，才渐渐恢复。纪家为什么特别选老何来作丢丢的保保，第一自然是因为老何是村里公认的最本分的老好人，另外，老何自己无儿，这样似乎他就能更专心地保佑干儿子；纪家把娃儿叫做丢丢，也有刻意向神灵表白，他们家的风水既然不宜养大贵男，那就宁愿把他丢出去，丢出去了也许就反而能顺遂地长大成人了。纪家夫妇牵着丢丢来拜老何作保保时，要送上一方腊肉、两只狮头鹅、三瓶酒，燃四炷香，在老何家的"天地君亲师"牌位前，让丢丢给老何磕五个响头；老何呢，则要给丢丢一套新衣、两双新鞋、三块新蒸出的叶儿粑，摸四下丢丢的后脑勺，给他五块钱的利市——别家拜保保也大体如是，略为变通的，只是狮头鹅或者换成绿头鸭，叶儿粑或者换成大红橘而已（无论哪样，都要由娃儿及其爹妈当场吃掉）。拜保保，被认为是桩重大的事情，所拜下的保保，要终生尊敬，礼节上，甚或还要胜过亲爹，不仅年节时要提着礼物上门磕头，就是平日见到，也要一丈外就并足垂手侍立，恭呼"保保"；但与保保的关系，却并不类推，比如丢丢认了老何为保保，视老何为至亲，却仍把老何的妻子当做一般的邻里，见了随便唤声"伯妈"而已，甚或不怎么尊敬，也与俗定的礼法无碍；至于老何的女儿女婿们，那就简直可以不理。从何时，由何人，兴起这么个拜保保的风俗，约定俗成为这样，即使是村里的老辈子，也说不透个所以然来。

丢丢跟老何幺女莲锦，同年生而略小，到这个秋天，才二十出头。丢丢拜了保保，果然病不袭身，生龙活虎地发育起来，十四五岁时，已有五尺多高，肩膀宽宽，人中两边滋出了些似是而非的胡须。丢丢不好好上学，开始逃学，还只是从课堂里逃到村里玩，后来逃到镇上，再后来，几天不回家，回来时满身汗渍，说是去逛了趟成都。纪家夫妇为此伤透脑筋，软的，硬的，什么法子都想到了，当爹的急了，脱下草鞋，用那鞋底猛抽丢丢嘴巴；当妈的急了，竟至于跪到儿子面前，给他磕响头，哭着求他读书争气；哪有半点用处？后来有一天，丢丢远走高飞，四处寻觅，久等归来，竟无影无踪，真是丢了！老何既是丢丢的保保，是不是负有教导他好好读书、认真做人的责任呢？根据传下来的风俗，他只起保丢丢祛病发育的作用，其他的事则与他无关，所以他对丢丢的不落教、不争气乃至于离家失踪，只是微微叹息而已；丢丢的爹妈，也绝无企盼保保参与教导、寻觅丢丢的想法；但保保的尊严，又并不因此降低，比如，有一回丢丢他爹举着撑晒箩的竹棍，追着训斥丢丢，丢丢一直跑到村里大水塘边，迎面见了老何，立刻本能地刹住脚步，并足垂手，恭恭敬敬地大声唤他："保保！"唤完，才接着逃；而丢丢他爹，在丢丢唤"保保"时，也本能地停下，待丢丢完成礼仪，再接着追；旁边的人们见到这种情景，也都觉得中规中矩，无人发笑。老何家乡的人们，就这么个活法。

丢丢失踪半年多以后，春节前忽然回来，不是一个人，还跟来五六个朋友，衣装都光光鲜鲜，提着大包小包的年货，莲锦去纪家门前看完热闹，跑回来跟家里人形容，丢丢他爹惊奇得嘴巴半晌合不拢，他妈喜欢得把一笸箩红苕干打翻得撒了一地……莲锦她妈拍着大腿感叹："哪世积下的福？丢丢发财了吆……"福多追着问："那跟来的人里，可有女的？"只有老何，依旧照常坐在小竹椅上，沉稳地继续用竹篾编筲箕，一言不发。

丢丢带来的朋友里，没有女的，都是跟他岁数相差不大的小伙子，而且口音很杂，他们只在丢丢家挤住了一夜，后来就都移到镇上，住进了长颈鹿杂货铺隔壁的那家个体旅店中。大年初二，丢丢提着年货来敬保保，请老何站在"祖德流芳"的匾额下，认认真真地跪下，双掌贴地，给他磕了四个响头；丢丢站起来以后，再唤"保保"，垂手侍立，老何便说了几句吉利话，丢丢略坐了坐，吃了莲锦妈端上的叶儿粑，也说了几句吉利话，告辞走了。丢丢走了，福多和莲锦才从里屋出来，福多说丢丢一身西装好气派，那领带也不知道是丝的还是缎的；莲锦说爹你怎么就不细问问丢丢在外头究竟是做的什么生意，怎么能发那么大的财，你是他保保，他不跟别人说，还能不跟你说么？老何只说："我管他那么多呢！"

十五吃完元宵，十六丢丢就跟他那伙朋友走了。几个月后，丢丢给爹妈一次汇来两张汇票，每张汇票上都是六千六百六十六元。外来的邮件，包括汇票、包裹单，都是一总送到村民委员会办公室，村里人去取，取一封信收一毛钱，取一张汇票或包裹单两毛钱，说是保管费；没有哪个抗拒过，或许会暂时拖欠，到凑足一元、两元时再交，却没有任何一位质问过：这收费合理吗？有什么根据？这回丢丢的汇票，却是村里管治保的干部，主动送到他爹妈家里去的，而且没有收钱。丢丢爹妈去镇上邮电局取那钱时，在门口犹豫了好久，到柜台前涨红了脸，倒好像他们是去抢劫、来行骗似的；取出来，也不敢细点，梦游般，走回了村里。回村的第一桩事，就是请那管治保的干部到家里，煮肉打酒，请吃饭，其他几个干部，一起作陪；干部们都夸丢丢能干，贺丢丢爹妈福气。

渐渐地，关于丢丢的闲言碎语，好比仲春的柳絮，在村里浮动、飘游，成团成球，越滚越大。说是丢丢一伙，是个盲流集团，不仅偷，而且抢；丢丢开头腰里别的是匕首，如今揣的是手枪；局子班房，他已经几出几进；"严打"时，进去了，待的时间多些，平时进去了，顶多两三个晚上，他的哥儿们必能使钱让他出来。有人问到村里的干部，回答说："信那些个谣言！"但德光来岳父家，在福多、莲锦跟前讲过，他从镇上听来的，镇上派出所接到过广东那边公安部门的电话查询，查的时候当然不是说的丢丢，而是丢丢身份证上的那个大名，那大名村里人一般几乎都不记得；镇派出所跟村里管治保的干部联系过，但不得要领；丢丢在那边犯了事，就让那边处置吧，这边谁清楚他是怎么回事？连收到过他高额汇款的爹妈，也确实弄不清。

丢丢几年没有消息，也不再给爹妈寄钱，却忽然在去年春节，又回到村里。这回是一个人回来的，穿了一身牛仔装，拖着一只下面有小轱辘的旅行箱，也是在大池塘边，顶头遇上从北京回来过春节的老何，也是在一丈以外，就立刻并足，放下拖箱把手，将双手都垂在腰旁，恭恭敬敬地唤："保保！"这次回来，出了件谁事先也没想到的事，就是到初六的时候，纪家宣布，丢丢娶媳妇，媳妇不是生人，就是村里管治保的干部那三闺女！婚事初八就办，学城里人那一套，在镇上照相馆拍的西洋婚纱礼服照，在一家叫"巴黎春"的饭馆里摆宴席，席间唱卡拉 OK，丢丢唇上留了黑糊糊的小胡子，大声武气地唱了一曲《爱江山也爱美人》。老何以保保的身份，宴席上坐主桌，一边挨着当岳父的治保干部，一边挨着大媒长颈鹿。长颈鹿喝醉了，忘记为眯眼儿私奔的事跟老何间接地有过节儿，附到他耳边说："我做他鬼的媒啊！人家丢丢早就时不时地给他寄款子了！是自己做媒啊！丢丢鬼机灵啊！只可怜这新娘子，过几天丢丢拍屁股走，才不带她呢，也不知什么时候，多久，才回来……守活寡啊！"老何只默默喝酒，不应答，更不多探问。回到家，福多、莲锦等围着问新闻，他也不说。保保只不过是保保罢了，管得那许多！

可是，在这个秋日的中午，建煌报告说，曾在天竺镇见到过丢丢。丢丢真地窜到北京来了么？

下午

区文化宫北门外，福利彩票的销售达到了最高潮。临时搭建的木台上，凸现着最后三个大奖——三辆富康牌小轿车；从这个大奖的得主中，还将通过摸数字球的方式，产生出最后一个特等奖——在拿走一辆富康车的同时，还可以同时拿走十五万元现金。

　　一字排开的售卖桌前，购买者挤得密不透风；桌后的售卖者都是胸前别着校徽的大学生，他们一律把装钱的书包挂在脖子上，置于胸前；买彩票的人把钱交给他们，说出要买的张数，他们把钱点清，搁进书包，便从装彩票的大纸匣里，麻利地取出相应数目的彩票，迅速递过去；时时有人整包地买，一包两百张，四百元；偶尔也有人整盒地买，一盒十包，四千元；他们每卖出一张彩票，可以获得三分钱的劳务费，一天下来，平均每人差不多能卖五盒，挣出三百元是平常的事；参加这项活动不仅经济效益丰厚，售卖过程中还能目睹身受鲜活生猛的社会众生相，所以他们个个乐此不疲。

　　买到彩票的人们，绝大多数挤出人丛后，便迫不及待地站住，用手指甲刮开彩票上挡住对奖符号的那层黑膜，盯住看是否幸运降临。多半是刮完最后一张，也依然毫无斩获，于是或笑骂一声或自嘲几句，便把手里的废票随手一扔；到这下午时分，在售卖处与二等奖以下的奖品颁发处之间的场地上，已经撒满了花花绿绿的废彩票，人们来往其间，踏着那些落花似的废纸，熙熙攘攘，倒像是游春的行列。

　　四等以下的奖，倒也有不少人获得。有的人只买了十来块钱的彩票，刮出个玻璃酒具的小奖，也高兴得不行，兴致勃勃地去领奖；有的人发狠买了整盒的彩票，结果却只刮出几套玻璃酒具和不锈钢餐具，或者顶多有个电动洗碗机，很是懊丧，便把所得的奖品码成一摞，搁在进口处，试图把它们兜售给刚走过来的人。

　　人头攒动，摩肩接踵。高音喇叭里传来组织者鼓动宣传的声音："……欢迎欢迎，欢迎您来奉献爱心！……您问，什么人能得奖？一句话，没爱心的他就得不了奖！您有爱心，您就有机会得奖！您问：机会有多大？区公证处的公证员端端正正坐在这儿呢，几天以来，光是头等奖富康轿车，他们就公证出了三十三辆！特等奖十一位，每位人民币十五万元！……您刮彩票啦，哟，您说，我怎么哪张都没奖呀？可是您笑了，为什么笑呀？您的爱心，千千万万的残疾人，灾区的灾民们，诚挚地领受啦，爱心开出了香喷喷的花朵，伴您这个好人一生平安，您得的精神奖励还小吗？……当然啦，您再试试，我们设的物质奖很多，光是六等奖电动洗碗机，就有两千台！您得上一台，到家里厨房一放，您的生活，不就更现代化了吗？……嗳哟，这位小朋友上台来了，你得了个什么奖呀？二等奖，家庭影院一套？祝贺祝贺！请问你跟谁来的呀？啊，跟爷爷！买了多少钱彩票得的呀？十二张？啊，二十四块钱，就得了这么大一套家庭影院呀？……这家庭影院安置好了以后，先请谁看呀？爷爷？好个孝顺孙子！不过，家庭影院，全家一起看，还可以请朋友一起看，舒服着啦……好，现在大奖台上还有三辆富康车，在等着三位献爱心的朋友，驾着它奔小康呢……咱们加把油，让它们今天下午都开走……"

来买彩票的人，大多数，抱着试试运气的心理，志在必得的，毕竟是少数；不仅是志在必得，而且是处心积虑奔着大奖去的，这天下午现场也许只有一位，那就是住在滨河路 10 号楼的肖先生，他是个退休的办事员，近来通过贩大米的生意，很赚了些钱；邻里们都弄不清他哪儿进的那一口袋一口袋的大米，也闹不明白如今这温饱无虞的世道里，他倒腾这些个大米能有多大的利；可是肖先生瞄准了外地自炊民工这个潜在的市场，在邻里们不经意的情况下，发展着他的生意。当然，他也在琢磨着如何开辟新的财源。连续几年，春秋两季，区文化宫北门都搞福利彩票发售活动，他回回去细心观察，又在家里反复研究，到这一回，终于策划出了他的夺奖计划。他耐心地等到了这只剩最后三辆车的下午，根据他摸清的规律，彩票是一组一组地往外发售，如果某一组里出现了一个大奖，那么，你就千万别再去买那一组的彩票了；尽管组委会和公证处会为得奖彩票的分组号保密，但你不难从现场新撒得满地都是的废彩票上作出相应的判断。当判断出余下的某一组里，肯定会有大奖时，先要沉住气，如果发现有人从某个发售位获得了比如说家庭影院那样的二等奖，那么就立刻将那发售位的剩余彩票一概排除，因为想必设奖时不会把大奖和二奖密集配置……总之，肖先生决定在关键时刻，看准组别，排除或然率低的出票位，用三万元，将他判定必含大奖的彩票，全部吃下！他自信必能用三万元，换来一辆起码能以八万元转手的富康车！为了这关键的一搏，他已把全家人都动员到了现场，只等他一个手势，便卷毯式上前收购彩票。彩票买到要迅速刮开，一刮出汽车，其余彩票立刻再以一块五或一块钱转手；转手不利也罢，因为一万五千张彩票里，怎么着也还会遇上洗衣机、山地车，以及电饭煲和电动洗碗机什么的……关键是，刮出了汽车，要好好摸那从一到九的数字球，倘若摸出的三个球竟是七、八、九，那时满身怕都罩上金光了！前头得特等奖的还没听说有手气好到这个份儿上的呢，一般是，三个球上的数字加起来过了二十，比如摸出的是六、七、八或五、七、九——那特等奖也就拿定了！哎，摸不上特定奖，那就赶紧把所得的车转卖给约定的买主，大财发不成，小财总是要发的嘛……

且莫管那肖先生如何运筹他的策划。且说老何跟爱女莲弟和贤婿分手后，一时酒足饭饱、心旷神怡，信步走到了福利彩票的发售现场。那小饭馆里的一餐，结账是四十八元，老何听了，心里折算，合多少斤大米，够平时吃多少天，不禁心痛，建煌却还说便宜。莲弟和建煌说，还想去逛逛新开张的隆福寺百货商场，不买什么，亮亮眼睛也好，然后就从那里再到东直门，乘车转回天竺。临分手，莲弟拿出二十块钱，塞到老何布夹克的胸兜里，老何推让，莲弟说："爹，你不是说这里不远，卖彩票吗，你拿去试试手气嘛！"老何虽走到了卖彩票的地方，哪舍得花那钱，不过是转一转，看看热闹罢了。

老何顶头遇上了小疙瘩。小疙瘩一把抓住他胳膊，嚷："来得好来得好，快去救救大芝麻吧，他都快急疯啦！"老何问："急什么疯什么？难道是刮出辆轿子车，不会开，急疯了？"小疙瘩说："轿子车没刮出来，可他刮出辆山地车！"老何说："这小子，好手气！俗话说，喜伤心，他是高兴疯了？你打他一巴掌，他就回过神来了么，可还急个什么？"小疙瘩只是拉着老何往里走，说："他在公证处那儿又哭又闹，说是若不给他车，他就跳河去！"老何不明白，疑疑惑惑地随着小疙瘩去了。

原来，大芝麻先头捏着五张两块钱的钞票，转悠来，转悠去，割心头肉似的，买下一张，刮开看，猪丁，什么奖也没有；嘴里念佛，心里打鼓，再买一张，鸡丙，还是什么奖也没有；接下来，跺着脚买的三张，也都落空；顿时骂起街来。那时小疙瘩已经买过两张，也什么都没有，只是跑来跑去地看热闹，看见有一对穿得挺时髦的情侣，因为刮出一摞彩票也没见奖，互相埋怨，竟至涨红了脸，吵起架来；又看见一个小老头，刮一张，往衣服口袋里揣一张，一连揣了好多张，旁边有人问他："都有奖？"小老头说："都没奖，都拿回去作个纪念！"还有一个人，弯腰移动着捡别人扔到地下的废彩票，也不是都要，有的捡起一看又扔掉，有的就留下来，先还以为他是想从那里头捞出张别人扔错的有奖票来，后来听见指点着议论的人说，那是想把彩票上的十二生肖凑全呢，虽说不可能捡到虎甲、兔乙什么的，但丙丁戊己的十二生肖肯定能凑全，那也成了个乐子……小疙瘩看饱了热闹，去叫大芝麻，说咱们撤了算了，大芝麻都跟他往外走了几十步了，忽然又扭身跑过去，掏出张十块钱的钞票，买五张彩票，人家大学生给他五张连着的，他不要，非要隔三差五地挑，挑到手里，又要换，人家直笑，却也依着他；大芝麻买定那五张彩票，挤出人堆，急着要刮，见小疙瘩伸长脖子一边望着，连说："别挡亮别挡亮……"转过身子，刮起来，忽然双脚一跳，一声大叫："龙乙！"龙乙就能得辆山地车！兴冲冲地跑到兑奖处去领山地车，小疙瘩后头跟着……可是，兑奖的却没给他山地车，因为，刮奖的时候，急切中，大芝麻把明写着"保安区刮开无效"的那一小条也给刮开了！……于是闹到了组委会和公证处，人家翻来覆去地跟他讲，违规刮坏的彩票只能作为废票处理，可大芝麻无论如何不能接受眼前的事实……

老何随小疙瘩往组委会那儿去，大芝麻还在那里面赤眼潮地吵嚷，可是已经没什么人理他，这时播音员朗声宣布："……丰台区来的李先生，得富康车一辆！让我们向他热烈祝贺！这是爱心的回报，是奉献的收获！……现在还剩最后两辆富康车，我们的彩票也所剩不多了，现在奉献爱心，获得精神、物质双丰收的机会最高！各位女士各位先生，各位心怀爱意的朋友，让我们一起加把劲，为这次的福利彩票销售活动，画上一个圆满的句号！好，大家看，一批新的彩票盒又搬上了销售台，我们的特约销售员——勤工俭学的大学生们，他们在这个下午已经连续站立工作两个多小时了，可是他们依然春风满面，只等着您像燕子一般光临！啊啊啊，看哪，那边有人跳跃，是不是又一辆富康车有了爱心主人？……"播音员富于煽动性的声浪，使整个福利彩票的发售场地顿时沸腾起来……

只剩两辆车了！箭已在弦，挽弓待发的肖先生，已知丰台李先生的那张虎甲的彩票是K组的了，又早注意到，仍在发售剩余额度的W组与S组——那是更不可能有戏的"臭票"，而一位女士分明是刮出了一套家庭影院——他那埋伏一边的太太立即打探出是 U 组的彩票，给他打来暗号，这时他女婿又发现 B 组彩票开始初露，很显然，W、S、K、U 各组的彩票都不能买，要当机立断地扑购 B 组彩票！但三万元的本钱毕竟不能囊括所有 B 组彩票，而且，你也无法阻止其他人购进 B 组彩票，因此，又必须沉住气……据他多次核验，一组含有大奖的彩票，几乎都是在投售二十分钟以后，才会有人刮出汽车，所以，少安毋躁……五分钟，七分钟，十分钟了！……此时分布在售票桌前的几位家庭成员都在各自的位置上，睁圆眼睛盯着他，只等他把双臂向上举成 V 状，便马上扭身扑购 B 组彩票……

事到临头，肖先生犹豫起来。尽管一再掐算过，策划得一粒米上雕唐诗般精微，但依然存在着三万元打个水漂的风险……三万元啊，他出两万，女婿出一万，如果投机成功，分利时大概不至于发生纠纷，倘若打了水漂，那女婿真能像约定的那样，跟他共同承受损失么？

就在肖先生心旌摇曳不定时，他下意识地后退一步，不想撞到一个人身上，那人无意中站在他身后有好一会儿了，俩人撞到后，都扭头互望，一望间，发现原来认识——那被他撞了一下的，鼻子两边有些个浅麻子的壮年汉子，不是绿化队到他那儿买过整袋大米的农民工老潘吗？老潘也认出了肖先生。老潘是个节俭的人，只作了花两块钱买一张彩票的预算，他上午就来过一趟，看见满地是没刮出奖的废彩票，心里发虚，就没买，又转到不收门票的滨河公园里去了……下午忍不住又来转，也没遇上小疙瘩大芝麻他们，东张张，西望望，掂掇来掂掇去，心想若能像上回那样，刮出一套玻璃酒具也不错……要是两块钱白扔了，唉，那可是一顿饭的钱啊！转悠到刚才，又想开了，不就是两块钱嘛！这两天，他和老何在那 3 号楼下的小花园里干活，楼里的好心人送了他俩好多件衣裳，说是秋凉了，转眼冬天也就到了，让他们拿去穿着御寒；那些衣裳好着呢，老何一件夹克衫，他一件短风衣，今天都上了身，体体面面，哪件是两块钱买得来的？这福利彩票，那广播里说得也对，是献爱心嘛……就在这么个心情下，老潘下定决心，去买来一张，也没忙着刮，走到人稍稀些的地方，站着吁了吁肚里的浊气，才从容地刮开了黑膜；他眼神不好，把那张刮开的彩票放近挪远地仔细查看，那刮开的框子里，画着一个张着大嘴的虎头，虎头边写着"虎甲"；

"虎甲"能得个什么奖呢？他竟好半天懵懵懂懂地，头脑里一片空白……后来忽然想起，"虎甲"是头奖，是富康车！真是买来头奖了么？他并没激动，而是怀疑；正在那儿发愣呢，猛地被人撞了一下，定睛一看，啊，肖先生！正好正好！他便把那张彩票递给肖先生，憨憨地问："肖先生肖先生，您给看看，我是不是中了奖？"

那肖先生接过那彩票，不看则已，一看不禁魂飞魄散，几乎当场栽倒地上，三魂七魄滴溜溜旋风般狂转了一阵，好不容易才附身归窍，他把那张彩票捏得紧紧的，瞪着老潘，喘吁吁地问："你、你、你……你这彩票哪儿来的？"

老潘指着一个方向说："那边刚买来的呀！"

肖先生晃晃头，再细看那张彩票，当然是张真彩票，确实是虎甲，是得大奖富康车的彩票，彩票的保安区没有误刮，是张马上就能去领车，并参加摸数字球，争取十五万元现金特等奖的，他期盼已久的彩票！他进一步细查细看，呀，竟是张 U 组的彩票！刹那间，他费尽心思、精密策划的扑奖行动，被轰然击为了碎片……

正在犹如万箭穿心、痛不欲生时，他太太急匆匆跑拢他身边，质问说："你怎么回事？干什么呢？发什么呆？……咱们买不买呀？"

肖先生如梦初醒，赶紧抖擞精神，指挥他太太说："别买了别买了！快跟他们几个说，都别买了！你们也别走，都先到那边润肤膏广告牌底下集中，我一会儿找你们去！"他太太小跑着去了，他伸直腰板，清了清嗓子，搂住老潘肩膀，亲切地说："潘师傅啊，恭喜恭喜……来来来，咱们到那边僻静处，合计合计……"

两人走到一个略微僻静点的地方，肖先生已然完全恢复了经营大米生意时的那股子精明劲儿。他拍着老潘肩膀说："好呀好呀，好手气呀！怎么样，去登台领奖吧！准备好两万八千块钱了吗？"老潘听不懂："什么？不是得了辆车吗？怎么，它值两万八？"肖先生微笑着说："是呀是呀，是得了辆富康车啊，那车，在汽车市场，卖十四万呢！你这张彩票，得了辆价值十四万的车，按照国家规定，超过一万元的奖品，要交百分之二十的税，可不正好两万八吗？你交两万八，汽车开回家，那汽车就按出厂价，八万五算，你还净赚了六万多呢！真是可喜可贺啊！"老潘还是糊涂："我得大奖，怎么还要交钱？两万八？笑话！我有两万八，我还买什么彩票？"肖先生笑着说："你哪里知道，我们城里多少人，都做着拿着两万八换辆富康车的美梦哩！
这大奖车，光交这份税钱就行了，其余的这个附加费那个附加费，全可以免了！啊，
只是上牌照，还得花上万把块……"老潘一听傻了，摸着后脑勺说："呀，是这么
回事哟……唉，我还不如刮出辆山地车哩！……我哪儿有钱交那个税！还有什么牌
照……你说的可是真的？"肖先生这才把那张彩票交回老潘手里，说："我骗你做什
么？你去吧，去呀，领奖去吧！我等着大喇叭里播你的大名哩！"老潘接过那张彩票，
一时竟觉得是捧着了一只刺猬。

　　肖先生看老潘憨得厉害，简直忘记了或者根本就不知道，得了这彩票，还可以
去摸数字球，有三分之一的另得十五万特等奖的机会；他望着老潘，不提这个茬儿，
猜测老潘的心理活动；倘若老潘猛然想起，还说不定另得十五万呢，交那税钱算个什
么问题呀？他就再用别的逻辑，来说动老潘转让那张彩票；可是老潘显然并没有更多
的欲求，看样子心里掂掇的，只是能以多少钱转让，遂更凑拢他些说："为难了么？
是呀，你付不出税金，你也不会开车吧？什么上牌照呀，上保险呀，通过年检呀……
手续麻烦着呢！要不，这样吧，你把这张彩票卖给我吧，实话实说，我喜欢车，会
开车，我那楼下也有停车的车位……潘师傅，你开个价吧……"老潘一听，先是一
阵高兴，因为对他来说，那倒是个省事的法子；可让他开价，心里却又嘀咕起来了，
他还真算不过账来，既怕说出的钱数让人耻笑他贪心，更怕说少了自己吃亏……这
时广播喇叭里又在哇哇地叫，肖先生模模糊糊感觉到是在宣布又有人刮出了大奖，
老潘只以为是宣布这发奖的活动就要收摊，两个人都紧张起来，也顾不上细辨说的
究竟是些什么，只感到耳朵里轰隆轰隆地响，仿佛有火车朝自己心口奔了过来，肖
先生催他："快决定吧，多少钱出手？……这车其实是厂家捐出来的处理品，说是值
十四万，故意要那么说就是了！就是上好的新车，出厂价也不过七八万罢了……可
手里拿着七八万的人，他用得着到这儿弄车？直接到厂里找关系买下不就结了？……
我知道这里的行情，买到你这样彩票，又不想麻烦自己的主儿，转手让出去，五万
到头，四万的也有，三万的也有……待到所有彩票卖完，人一散，那就想转让也没
人理了，只好自己去领那个累赘，求亲告友借钱交税的也有，不会开车雇司机开车，

白费好些钱财的也有……最后收下两万让人快把车开走的，也有……你快拿主意呀！要不，你就快上台，戴那献爱心的大红花去！……"老潘咬着嘴唇，也没听全肖先生的话，心里头转悠着的念头是，绿化队要裁外来工，这城里怕是待不下去了，一早还跟老何说过，若是刮出个大奖，就爽性发财还乡！家里房子该翻盖了，怎么也得两万块钱，老伴身上那瘤子，早该动手术，缺的就是那万把块的手术费么，归里包堆，若一下子能有三万块钱，也算得一笔横财，家里的难题一次全解决了！……想到这儿，他挺挺脖子说："那，我也不多要，三万块，三万块我卖你这彩票……可你得给我现钱，不能给我假钱，要一次给足……"肖先生一听，如闻仙乐，喜得满脸漾着笑纹，忙说："好好好，潘师傅真是个爽快人！我就爱跟你这样的爽快人打交道！一言为定，三万！到我家，如数给你，你细细地点，一张张验——我家有红外线防伪验钞灯，我做生意，对假钞比你怕得厉害……我坑你干什么？咱们就此交个朋友嘛！我那儿的大米，你赶明儿个想要就来白拿！……"

肖先生和老潘谈妥彩票转让条件，立即付诸实施。他去把那彩票交给女婿，让他上台通过公证，并准备摸那数字球，搏取那十五万特等奖；自己和太太提回三万块钱，把老潘领回不远的家中，让老潘细细地清点，并让他一一在红外线验钞灯下检验。老潘头一回一次摸点到这么多钞票，而且都是百元大钞，其中不少还都是新钞，心里高兴得发起紧来，不住地大口呼气；肖先生肖太太茶水糖果招待，又耐心地教他使用那验钞灯，还送他一个很漂亮的，说是用什么"太空布"做的，刀子割不破的，可提可挎的男用随身包，以便他把那些钱拿走；老潘非常感动，觉得自己真是遇上了好人。

当老潘去往肖先生家时，老何已经把大芝麻劝了过来，跟小疙瘩一起，撤离发售福利彩票的场地。当时那地方的人群正蜂飞蚁聚般涌动，抢购最后几组彩票的，领取二等以下各类奖品的，连连降价出让小奖的，低头忙着刮奖票的，等着看最后两辆车落于谁手、摸数字球拼特等奖热闹的，拿着"大哥大"通话的，还有除了他们自己谁也弄不明白为什么在那里游来逛去的……老何和大芝麻小疙瘩好不容易才摆脱了过江鲫鱼般的人流，离开那里，待走到护城河边，周围才清净起来。老何跟大芝麻说:"凡事都是命里该着,本以为归了你的,又从手指头缝溜了,命里常有这样的事,不稀奇,经惯了,也就看淡了,该怎么过,接着往下过吧……"大芝麻不吭声,一脚把路人乱扔在河岸边的易拉罐,狠狠地踢进了河里。小疙瘩在马路上走,一辆卡迪拉克加长豪华车从他身边嗖地飘了过去,把他惊得一跳,小疙瘩朝那远去的汽车屁股啐口痰,骂道:"你他妈的暴死的命!"

三个人溜溜达达,顺着护城河走,前面那个俱乐部,天还没黑,门面上的霓虹灯便桃红柳绿地闪烁,还有蓝白的电光来回滚动扫描;这时门口已经停着些小轿车,到天黑以后,有时候那门前停车场不够用,豪客们的泊车就一直延伸到河边马路的人行道上。小疙瘩问:"究竟那桑拿,是怎么个洗法?"老何从没想象过,大芝麻从来没能想象出来,都不理他。

三个人又在河边看了一阵钓鱼。河水很浑,发出的气味有些个像放馊了的稀粥,但每天还是有些人耐心地在河边钓鱼。他们看了几位放鱼的小桶,有的还空着,有的里头只有手指头那么大的一两条柳叶窜。小疙瘩说:"不知道老严在咱们门外钓着什么了。"大芝麻说:"他呀,至多还不是这么几条鼻涕虫。一毛钱卖人喂猫,也没人要。"大芝麻能这么答话,说明他心里已经彻底告别那辆山地车了。

街道办事处的魏科长,管他们绿化队的,这天在办事处值班,提前撤了,骑个自行车回家,路上顺便到民工宿舍去看了看,里头空无一人,因此遇上了在河边溜达的老何等,就下车批评他们说:"你们也该改改那农民的自由散漫劲儿!星期天休息,就一窝蜂地都出来逛啦,连个留下值班的人毛都没有!那不仅是宿舍,也还有花窖库房什么的,公共财物丢失了是个事儿,你们自己的那些个粮食,就那么搁在床头,屋门也不锁,院门也不关严,若是有人去给你们放个毒,出来事儿,我可是不管!"见三个人木木愣愣地站在那儿,没个回应,就又说,"你们哪里知道,上头通知了,现在是第四次犯罪高潮,各单位都要特别加强治安保卫工作!看你们这模样,是刚从卖福利彩票那地方过来吧?手气怎么样?一个个闷闷的,空着手,可见都没运气。有运气又怎么样?跟你们说吧,就有那犯罪团伙,本地的也有,外地流窜来的更多,专盯着那些个得大奖的,抓出十五万特别奖的主儿,他们若是没个警惕性,一个不留神,说不定就乐极生悲！那些个心狠手辣的家伙，发了横财的他们要谋害，一般的人，甚至你们这样的，他们打草稍带着搂兔子，赶上了也不放过呢！你们就大大咧咧地空着屋子院子闲逛荡吧，不出事则已，出了事，哪儿哭天抹泪去？唉，你们这些人呀，早知道你们这么散漫，我都该换成城里的下岗职工！"老何他们都怕被他裁减辞退，就都一副驯驯服服的表情。其实，前些天，也是在那文化宫里，举办大型的人才交流供需见面活动，他们街道办事处也摆了个摊位，挂着大告示招下岗职工来绿化队，结果竟连一个来问两句咨询咨询的都没有。魏科长当然不能让老何他们知道这个底，挺胸腆肚地只是数落他们，见他们还真有些个发忧，心中颇为得意。

等魏科长骑车走远了，小疙瘩撇嘴说："值班？值什么班？人家哪儿不是双休？就咱们，只休一个星期日！听说有那么个法，劳动法，人人都该双休，魏科长他不让咱们双休，他犯法！"大芝麻说："我要捞了辆山地车，兴许会有贼偷去，现在贼去偷什么？偷老严里屋那些个破烂？"老何说："算了算了，舌头不累？他魏科长也是好意嘛。"

三个人就往宿舍走。走过那霓虹灯闪烁的俱乐部时，小疙瘩和大芝麻走到前头去了，老何脚上鸡眼作怪，落在后头，他眼睛随便一晃，看到一个人，西服革履的，头面光光，好像是刚从一辆出租车里下来，手里握着个看不真的"大哥大"，在继续跟什么人说话，那身材，那眉眼……该不是丢丢吧？偏那打电话的青年，也往他这边一望，结果那青年就想也没想地，两脚一并，电话离了耳朵，对着他，嘴巴张了两张，虽说听不见，但分明是吐出了一声呼唤："保保！"老何站定，眯起眼再认，那青年却又恢复了打电话的姿势，而且，很快地，消失在了俱乐部那两扇厚厚的大门里。老何呆呆地望着那两扇门，脑子里飘过一串子想法，足有两分钟之久。

傍晚

老何中午油水足，晚上不想再做饭，老严煮好一锅鱼汤，端来非要老何尝尝，那鱼是从护城河里钓来的，正如小疙瘩所说，不过是些个"鼻涕虫"罢了，能熬出个什么味儿来？老何实在不想喝，不过他知道老严的脾气，倘若他请了你，你不喝，他能不管不顾地把汤泼到你身上，所以犹豫了一下，就取过自己的碗，让老严给他倒了大半碗，喝时不由得使劲闭了闭眼睛；老严看到老何那副表情，并没发火，只是转身进了里屋，把汤搁到床边一个破木箱子上，抱过蜷缩在床上的一只小猫——那是他下午在河边捡到的一只花狸猫，显然已经流浪了很久，浑身脏得可以跟他媲美——就一屁股坐到床上，一手搂着那只饿猫，一手端起那外壳黑糊糊的独把汤锅，自己喝一口，喂狸猫一口；又拣出小鱼，送进狸猫嘴里。老何走进他那屋，跟他说："味道不错。"他也不理。老何就又回到外间，自己的床边。

老何见老潘在收拾他那床铺——他俩的床挨着，每晚两人头对头地睡，入睡后，往往一起打鼾，你嘶我吼，此起彼伏，为此常遭到同屋民工的抗议与嘲笑，有一回，被他们鼾声吵得无法入睡的伙伴，气愤地往他们床铺上扔破炕笤帚和臭袜子，他俩居然只是翻了个身，照打不误；两人如此贴近地相处，日子久了，往往是，一个动作，一个眼神，便能猜准对方的心思——老何觉着老潘这天下午不大对劲，心事重重，盘算着什么，却又总拿不定主意，但似乎又不是遇上了什么糟心事，偷偷地，还抿嘴一笑……他也不烧晚饭，此刻收拾床铺，不像是要早睡，倒像是要卷铺盖整理行装一般；当然，老何早注意到，老潘回宿舍时多了个装满东西的，时下城里男人使用的那种随身包，那包被他搁到枕头边的粮食口袋下压着后，老潘就始终没离开过他那铺位左右。那时宿舍外屋里没有别的人，老潘心神不定中，跟老何对了个眼，又越过老何肩膀，朝里屋老严那儿望了望，再转身隔着窗玻璃望望外面——当时大芝麻在灶房里，还有些民工吃完了在花窖边打扑克玩拱猪，小疙瘩则又跑到外头闲逛去了——便凑拢老何耳边，把他买到头奖彩票，以三万元转让给了肖先生的事，大略地跟老何讲了一遍，并说，现在心里有点乱，定不下来，是明天一早回家呢，还是今晚就走；他记得晚上九点二十八分有趟火车，坐一晚，明天一早就到县城，中午稳到家了；明天一早走，这边比较方便，可到县城时该是晚上了，回家很不方便，闹不好，得在县城里住店……他委托老何，他走后，再替他跟魏科长说一声，就说家里老婆急病，赶着回去了；过些天他主动打电话来问，倘若这绿化队还要他，他就回来接着干，若裁了他，他就回来拿趟行李。

老何听到老潘发了横财，心里既不羡慕，也不嫉妒，也谈不到为老潘高兴，那毕竟是老潘的事，与己无关。他从回到宿舍后，心里头，就只转悠着他自己一家骨肉的事情，莲芳天天下田种地，还要拉扯两个娃儿，已经够苦了，那德光却惹下大麻烦，倘长颈鹿真是非把德光送进监狱，莲芳的日子怎么过？拿三千块打点镇上管事的，设若那些管事儿的胃口太大，怕还了不了事啊！莲蓉和志雄这时候往城里跑什么？也难怪，他们欠的那笔化肥钱，人家追得紧啊！莲弟和建煌虽说局面不错，总用那"蹦蹦床"挣钱恐怕也不是个常法……唉，最让人灰心的是福多，看来么妹仔和我们老两口福气都不多！当时怎么就偏入赘了他！弄个中巴跑长途客运，那是个简单的事吗？跟什么人合伙？村里歪人不少，福多偏会跟他们称兄道弟，弄不好，本钱收不回，还会被人坑！交超生费么，倒是应该的，只是他定能让莲锦怀上男娃儿么？……老潘的坦白和交代，和老严的那锅鱼汤一样，打断了老何的心思，不过，对老潘信得过自己这一点，老何还是满意的……

忽然，有刺耳的警笛声，呜哇呜哇地，由远而近，越来越近，并且那警车像是沿着护城河，打从绿化队门前经过，凄厉的警笛声非常强烈，连宿舍的窗玻璃似乎都随之嘎啦嘎啦震动起来；转瞬，警笛声渐渐转弱，警车一定是飞快地驶往哪个出事的地点去了……

听到那警笛声后，老潘不禁把那藏在粮食口袋下的随身包，取出抱在胸前。他对老何说："不行，不能明天走……我这就走吧！……晚上他们问起，你就说你也不知道……不，你就说我家里有急事，赶回去了……"老何望着他，且不发表意见。但警笛的呜哇呜叫，让老何想起了下午魏科长说的那些，什么第几次犯罪高潮，犯罪团伙，外地流窜来的更多，他们会打草稍带搂兔子什么的……他就朝老潘点了点头，并且多余地问了一句："你买票的钱够么？"

老潘还在作最后的盘算，这时只听院里传来小疙瘩急急切切、惊惊咋咋，大声散布消息的声音，老何先走出去，老潘随着也出去，只有里间的老严，就着煮鱼，喝着烧酒，抱着那在他怀里打呼噜的脏猫，不闻不问。

院子里，大芝麻等，七八个民工，都围着小疙瘩，只听小疙瘩手舞足蹈，嘴里溅出唾沫星子，在那里散布马路新闻，其实他也是刚从河边听来，却讲得绘声绘色，就仿佛那事情发生时，他就在跟前一样："……哎呀呀，不得了……是个穿皮夹克的，男的，矮胖子，三十多岁……身上让那些人扎了好几个窟窿呀！幸亏他油厚，没死，给送医院抢救去了……为什么？那还用问吗！是在银行门口，也不是紧挨着银行，差不多还有几十步路吧……哪个银行？还能是哪个，就是这护城河尽头，咱们都有折子的那家呀！……那还不明白吗？他是得了特等奖，交完税，去银行存那钱啊……你以为那彩票财就那么好发呀！听说他是花了好几万，才刮出一张虎甲啊，又去摸那球，运气贼好，摸出了七、八、九三个球，就赢下那十五万啦！……是呀是呀，人也别太得意了，嘿嘿，原来有那厉害的，早盯着他啦，人家有在现场的，有用那'大哥大'，如今叫'掌中宝'，巴掌那么大，在远处指挥的，那叫遥控啊！……对对对，他哪儿想得到啊！就在他都快走拢银行了，忽然前头冒出两个，后头堵着两个，二话没说，四个人配合着，抢他那装钱的包，说是什么'太空布'做的包，不怕刀割的，嘿，人家不割那包，割他的肉，当时他就给放倒在那儿了，滋出一地的血！……有没有人管？那儿僻静，过来过去的人少……当然，好人还是有的，有的发现了，去报案，有的叫上出租车，把他送医院……能不能活？那你问老天爷去吧！……有人远远看见，那几个抢他的，跑过桥，也是叫的出租车，坐着走了……都坐出租车呢，出租车见人招手，就得停，就得拉啊，不啦，叫拒载，人家告了，要倒霉的！……什么，别扯远了？你要我扯什么？扯布给你妈做棉袄？……当然啦，刚才不是警车刚追过去吗？北京呀，容得了这么张狂吗？天还没黑呢，二环路边上，就敢这么抢劫！都是些不要命的家伙？……哪儿来的？我要知道，警车先把我装走罗！……"

小疙瘩还在那里眉飞色舞、高谈阔论，老潘已经返回了屋里，那装钱的"太空布"包，抱着也不是，挎着也不是，提着更别扭……心里只叨咕着：走，走，快走，快走……

老何听了小疙瘩的报道，心里顿时响起"保保"的唤声……他把种种关于自己一家的念头都抛到了一边，转身折回屋里，一见老潘那副模样，就窥透了老潘的心思；他略一思索，就从自己床底下，掏出一个皱巴巴、脏兮兮的旧旅行袋来，且不跟老潘过话，从老潘手里，有点强夺似的，把那"太空布"做的包，装进了那旧旅行袋里，拉拢拉锁，再递给老潘，老潘立刻明白了他的用意，眼睛里喷出许多的谢意。老何跟老潘使个眼色，两人便一前一后出了屋，那时众人还都围站在小疙瘩周围，听他演说解闷，谁也没注意到他们的离去。

出了绿化队的院子，走出一百多米了，老潘跟老何说："你回吧。后会有期，我也不多说谢字了。"

那时候天开始暗下来，但河边遛弯的人三三两两，马路上也时有骑车的人和小汽车驶过，风把还没褪绿的垂柳丝吹得轻轻摇摆，近处的花丛旁有青年男女搂搂抱抱，远一点的地方有老年秧歌队在敲着锣鼓点扭动，一派太平景象。可是，老何却对老潘说："我送你去车站。你上了车，我再回来。"老潘听了，心里不是感动，而是微微有些诧异。这何必呢？……他站在那儿，不挪脚，坚决要老何回去。

老何心里，只想着，保保，保保……我是要保一保老潘啊，要保一保……他回到家里，我保不起，可这离开北京的一路，万一……看见是我跟他在一起，必不动他……保保，保保……

老潘不明白，老何为什么非要这么彻底地送他，难道是想，谋点酬劳？自己既然有了那么多张百元大钞，是不是拿出一张两张的，送给老何呢？可那是不是，对他自己，对老何，都太过分了呢？

夕阳的余光中，老潘望着老何的眼睛，那眼神他猜不太透，但充盈着善意，没有可以挑剔的成分……他于是挪动了脚步，算是应允了老何的陪送。

老何脚底板的鸡眼又作起怪来，但他努力跟上老潘急匆的步伐，肩并肩地朝通往火车站的那路公共汽车站的站牌下走去。

1999 年 3 月 24 日写毕于绿叶居

1942 年

6 月 4 日生于四川省成都市育婴堂街。

后在重庆度过童年。

父母兄姊均热爱文学艺术，深受家庭熏陶。

1950 年

随父母迁居北京，从此定居北京。

在隆福寺小学上小学，在北京 21 中上初中。

1958 年

在北京 65 中上高中。

给若干报刊投稿，屡被退稿。

8 月，在《读书》杂志发表《谈〈第四十一〉》一文，是投稿第一次成功。

1959 年

在《北京晚报》"五色土"副刊陆续发表一些儿童诗、小小说。

为中央人民广播电台少儿部《小喇叭》（对学龄前儿童广播）编写若干节目；其中快板剧《咕咚》经编辑加工、录制后大受欢迎；"文革"中录音带被销毁；1991 年重新录制播出。

1961 年

毕业于北京师范专科学校，分配到北京 13 中任教。

至"文革"前,在《北京晚报》《中国青年报》《人民日报》《光明日报》《大公报》《北京日报》《体育报》《儿童时代》《大众电影》等报刊上发表了约 70 篇小小说、散文、杂文、评论等文章。

1966—1976 年

"文革"中,因 1964 年曾发表过一篇关于京剧的文章,以"反江青"罪名被冲击。

1974 年后再试写作,曾写一关于"教育革命"的长篇小说,由出版社联系获准脱产修改,但终未达到当时出版要求。

1976 年

写出一个大院里孩子们同坏蛋斗争的中篇小说《睁大你的眼睛》并得以出版(北京人民出版社)。

又按照当时政治要求写出一些短篇小说、散文,有的到次年才收入多人合集中出版。

调到北京人民出版社(后恢复"文革"前社名:北京出版社)文艺编辑室当编辑。

1977 年

11 月,在《人民文学》杂志发表短篇小说《班主任》,产生重大影响——被认为是"伤痕文学"的开山作,也是"新时期文学"的发端;从此成名。

从《班主任》后,写作冲破懵懂,沿着认定的方向跋涉,穿越风云,锲而不舍。

1978 年

参加《十月》杂志(开始以丛书名义出版)创刊工作,在创刊号上发表短篇小说《爱情的位置》,经转载和广播,影响巨大。

在《中国青年》杂志上发表短篇小说《醒来吧,弟弟》,反应亦极强烈。

《班主任》《爱情的位置》《醒来吧,弟弟》均被改编为广播剧,由中央人民广播电台多次广播,《醒来吧,弟弟》被搬上话剧舞台;此年发表的短篇小说《穿米黄色大衣的青年》亦由电台播出。

1979 年

在首届全国优秀短篇小说评奖中《班主任》获第一名。颁奖会上，从茅盾先生手中接过奖状。

参加中国作家协会第三次全国代表大会，被选为中国作家协会理事。

成为中华全国青年联合会常务委员，至 1993 年卸任。

9 月，参加中国作家代表团访问罗马尼亚，此系"文革"后第一个作家出访团。

在《人民文学》杂志发表短篇小说《我爱每一片绿叶》，写作技巧有长足进步。

1980 年

调至北京市文联当专业作家。

《我爱每一片绿叶》获 1979 年全国优秀短篇小说奖。

《看不见的朋友》获 1954—1979 年第二届全国少年儿童文学创作奖。

在《十月》杂志发表中篇小说《如意》，其弘扬人道主义的追求引起争议。

出版《刘心武短篇小说选》（北京出版社）。

1981 年

在《十月》杂志发表中篇小说《立体交叉桥》，引出更大争议，一些评论家认为"调子低沉"是步入了写作上的歧途，另有评论家则认为此作标志着刘心武的小说创作在反映现实、探索人性及艺术工力上均达到了新的水平。

5 月，应日本文艺春秋社邀请访问日本。

1982 年

应导演黄健中之请，改编《如意》；北京电影制片厂拍成彩色艺术片《如意》。

1983 年

11 月，参加中国电影代表团赴法国，在南特"三大洲电影节"上，《如意》在开幕式上放映，获好评；后陆续在法国、西德电视台播出。

1984 年

冬，应邀访问西德，参加"中德大学生会见活动"，并在波恩大学、波鸿大学与威尔兹堡大学介绍中国当代文学。

年底，参加中国作家协会第四次全国代表大会，再次当选为理事。

在《当代》文学双月刊第5、6期连载长篇小说《钟鼓楼》。

1985 年

出版长篇小说《钟鼓楼》（人民文学出版社），并获第二届茅盾文学奖。

因《钟鼓楼》获北京市政府嘉奖。

7月，在《人民文学》杂志发表纪实小说《5·19长镜头》，反响强烈。

11月，又在《人民文学》杂志发表纪实小说《公共汽车咏叹调》，引起轰动。

1986 年

年初，应当代文艺出版社邀请访问香港。

6月，调中国作家协会人民文学杂志社，任常务副主编。

在《收获》杂志设《私人照相簿》专栏，进行图文交融的文本尝试。

散文集《垂柳集》出版，冰心为之作序。

1987 年

1月，被任命为《人民文学》杂志主编。

2月，《人民文学》杂志1、2期合刊发表马建写的小说《亮出你的舌苔或空空荡荡》违反民族政策，承担责任，停职检查。

9月，复职。

冬，应邀赴美国访问。参观美洲华侨日报；在哥伦比亚大学、三一学院、哈佛大学、麻省理工学院、康奈尔大学、芝加哥大学、旧金山大学、斯坦福大学、伯克利加州大学、洛杉矶加州大学、圣迭戈加州大学等处演讲，介绍中国当代文学，并参观耶鲁大学；参加爱荷华大学"作家写作中心"的纪念活动；游览华盛顿等地。

1988 年

3月，应香港《大公报》邀请，赴香港参加五十周年报庆活动；在《大公报》安排的大型报告会上作关于改革开放与文学创作的报告。

5月，应法国文化部邀请，参加中国作家代表团访问法国，除在巴黎活动外，还访问了西部港口城市圣·拉扎尔。

《私人照相簿》在香港出版（南粤出版社）。

《我可不怕十三岁》获 1980—1985 年全国优秀儿童文学奖。

以上数年中，若干小说、散文还分别获得过《当代》《十月》《小说月报》《小说选刊》《中篇小说选刊》《儿童文学》《北方文学》等杂志，《人民日报》《文汇报》等报纸副刊的奖；拍成电视剧播出的有《没工夫叹息》《熄灭》（电视剧名《火苗》）《今夏流行明黄色》《到远处去发信》《非重点》《公共汽车咏叹调》和八集连续剧《钟鼓楼》；若干作品被英国、美国、西德、苏联、日本、瑞士、瑞典、法国、意大利等国翻译为英、德、俄、日、法、意、瑞典等文字出版；自 1987 年起被世界上有威望的英国欧罗巴出版社《世界名人录》收入词条。

1989 年

春，应香港中文大学翻译中心邀请，与妻子吕晓歌赴香港访问。

1990 年

3 月，以任届期满，免去《人民文学》杂志主编职务。

香港中文大学翻译中心编译的英文小说集《黑墙与其他故事》出版。

秋，以"鱼山"笔名在《钟山》杂志发表中篇小说《曹叔》。

1991 年

出版小说集《一窗灯火》。

除小说外，开始发表大量散文、随笔。

1992 年

长篇小说《风过耳》在内地（中国青年出版社）、香港（勤＋缘出版社）分别出版，反响颇为强烈。

长篇小说《四牌楼》完稿，交上海文艺出版社出版。

《献给命运的紫罗兰——刘心武谈生存智慧》由上海人民出版社出版，受到读者欢迎。

在《收获》杂志发表中篇小说《小墩子》，后由中国电视剧制作中心改编拍摄为电视连续剧。

至该年，在海内外出版的个人专著按不同版本计已达 43 种。

在《红楼梦学刊》1992 年第二辑上发表论文《秦可卿出身未必寒微》，在"红学"界和读者中均引起注意；另有若干《红楼梦》人物论和《红楼边角》专栏文章发表。

冬，应瑞典学院邀请（斯堪的纳维亚航空公司赞助）赴北欧访问；在挪威奥斯陆大学、瑞典斯德哥尔摩大学和隆德大学、丹麦哥本哈根大学和奥胡斯大学的东亚系汉学专业以《九十年代初的中国小说》为题作学术报告；12 月 7 日，参加诺贝尔文学奖有关活动，听 1992 年得主德里克·沃尔科特发表受奖演说。

1993 年

华艺出版社出版《刘心武文集》（1—8 卷）。

出版长篇小说《四牌楼》。

1994 年

1 月，应台湾《中国时报》邀请赴台参加"两岸三地文学研讨会"。

《四牌楼》获上海优秀长篇小说大奖，到沪领奖。

1995 年

出版随笔集《人生非梦总难醒》（上海人民出版社）。

出版小说集《仙人承露盘》（华艺出版社）。

1996 年

出版长篇小说《栖凤楼》（人民文学出版社）。至此，由《钟鼓楼》《四牌楼》《栖凤楼》构成的"三楼"长篇小说系列竣工。

应《南洋商报》邀请赴马来西亚访问并顺访新加坡。

1997 年

应日本文化交流基金会邀请，与妻子吕晓歌访问日本。其长篇小说《钟鼓楼》、儿童文学作品《我是你的朋友》、短篇小说《王府井万花筒》等此前已相继译为日文在日本出版。

1998 年

建筑评论集《我眼中的建筑与环境》由中国建筑工业出版社出版，在建筑界产生影响。

应美国科罗拉多大学邀请，赴美参加金庸作品国际研讨会，在会上提交关于《鹿鼎记》的论文《失父：一种生存困境》。

1999 年

出版纪实性长篇小说《树与林同在》（山东画报出版社）。

出版《红楼三钗之谜》（华艺出版社）。

赴新加坡出席国际环境文学研讨会。

2000 年

应邀访问法国，并应英中协会和伦敦大学邀请，从巴黎赴伦敦讲《红楼梦》。

至此年底在海内外出版的个人专著（不含文集）按不同版本计达 101 种。

2001 年

出版包含建筑评论的随笔集《在忧郁中升华》（文汇出版社）。

在北京电视台录制播出《刘心武谈建筑》系列节目。

2002 年

出版小说集《京漂女》（中国文联出版社），自绘插图。

应澳大利亚雪梨华文写作协会邀请赴澳大利亚访问。

2003 年

以马来西亚《星洲日报》世界华人文学"花踪奖"评委身份赴吉隆坡参加相关活动。

台湾联经出版社出版小说集《人面鱼》。此前台湾已出版过刘心武多种作品，如皇冠出版社出版了《钟鼓楼》，幼狮文化事业公司出版了《四牌楼》《为他人默默许愿》（散文集）。

2004 年

赴法参加巴黎书展活动。书展上展出了译为法文的著作有小说《树与林同在》《护城河边的灰姑娘》《尘与汗》《人面鱼》《如意》与歌剧剧本《老舍之死》。

建筑评论集《材质之美》由中国建材工业出版社出版。

小说集《站冰》出版（人民文学出版社），自绘封面插图。

2005 年

出版集历年研红成果的《红楼望月》(书海出版社)。

应 CCTV-10（中央电视台科学教育频道）《百家讲坛》邀请，录制播出《刘心武揭秘〈红楼梦〉》系列节目 23 集，反响强烈，引出争议。

《刘心武揭秘〈红楼梦〉》第一、二部相继出版（东方出版社），畅销。

2006 年

应美国华美协会邀请，赴纽约在哥伦比亚大学讲《红楼梦》。

应邀参加香港书展。

出版《刘心武揭秘古本〈红楼梦〉》(人民出版社)。

2007 年

继续应邀到 CCTV-10《百家讲坛》录制节目，并出版《刘心武揭秘〈红楼梦〉》第三部、第四部（东方出版社）。

访问俄罗斯。

2008 年

出版随笔集《健康携梦人》(中国海关出版社)。

自 1986 年出版《垂柳集》，至此所出版的散文随笔集已逾 30 种。

2009 年

在《上海文学》杂志开《十二幅画》专栏，每期发表一篇写人物命运的大散文，并配发自己的画作。

4 月，妻子吕晓歌病逝，著长文《那边多美呀！》悼念。

2010 年

再应 CCTV-10《百家讲坛》邀请，录制播出《〈红楼梦〉的真故事》系列节目。

至此在《百家讲坛》录制播出关于《红楼梦》的个人系列讲座累计达 61 集。

出版《〈红楼梦〉的真故事》（凤凰联动·江苏人民出版社），在争议声中畅销。

4 月，应台湾新地文学社邀请赴台参加"21 世纪世界华文文学高峰会议"。

出版《命中相遇——刘心武话里有画》（上海文艺出版社）。

加快《刘心武续〈红楼梦〉》的写作，次年完成推出。

至本年底，在海内外出版的个人专著，文集不算在内，重印亦不算，按不同版本计达 182 种（按不同书名计则为 141 种）。

年底，筹备编辑《刘心武文存》。

刘心武著作书目

只包括在中国大陆、台湾、香港和海外出版的书（同一著作每种版本单列）；不包括散发于报刊尚未出书的篇目，亦不包括多人合集中的篇目。第一个数字表示不同版本的排序；[ ]中的数字表示剔除同一书名的版本后的排序；注意：文集8卷不参加排序。

1976 年

1.[1]《睁大你的眼睛》[儿童文学·中篇小说]

北京人民出版社 1976 年 1 月第一版

1978 年

2.[2]《母校留念》[儿童文学·小说集]

中国少年儿童出版社 1978 年 7 月第一版

1979 年

3.[3]《小猴吃瓜果》[低幼读物·画册]

少年儿童出版社 1979 年 4 月第一版

1980 年 6 月第二次印刷

4.[4]《班主任》[短篇小说集]

中国青年出版社 1979 年 6 月第一版

1980 年

5.[5]《我是你的朋友》[儿童文学·中篇小说]

北京出版社 1980 年 7 月第一版

6.[6]《绿叶与黄金》[中短篇小说集]

广东人民出版社 1980 年 8 月第一版

7.[7]《刘心武短篇小说集》

北京出版社 1980 年 9 月第一版

1981 年

8.《这里有黄金》[中短篇小说集]

广东人民出版社 1981 年 4 月第二次印刷

有平装、软精装两种

9.[8]《大眼猫》[中短篇小说集]

浙江人民出版社 1981 年 8 月第一版

1982 年

10.[9]《如意》[中篇小说集]

北京出版社 1982 年 5 月第一版

1983 年

11.[10]《中国现代作家选（Ⅲ）刘心武〈我爱每一片绿叶〉〈深谷小溪默默流〉》

[日本] 东方书店 1983 年第一版

12.[11]《同文学青年对话》

文化艺术出版社 1983 年 10 月第一版

1984 年

13.[12]《到远处去发信》[中短篇小说集]

四川人民出版社 1984 年 4 月第一版

有平装、软精装两种

14.[13]《如意》[电影文学剧本]（与戴宗安联合署名 ）

中国电影出版社 1984 年 6 月第一版

1985 年

15.[14]《嘉陵江流进血管》[中篇小说集]

陕西人民出版社 1985 年 2 月第一版

16.[15]《日程紧迫》[中短篇小说集]

群众出版社 1985 年 5 月第一版

17.[16]《我可不怕十三岁》[儿童文学集]

新世纪出版社 1985 年 8 月第一版

18.[17]《钟鼓楼》[长篇小说]

人民文学出版社 1985 年 11 月第一版

有平装、软精装两种

1986 年 5 月第二次印刷

1986 年

19.[18]《公共汽车咏叹调》[纪实小说]

湖南文艺出版社 1986 年 1 月第一版

20.[19]《都会咏叹调》[小说集]

作家出版社 1986 年 3 月第一版

21.[20]《垂柳集》[散文集]

陕西人民出版社 1986 年 4 月第一版

22.[21]《立体交叉桥》[中短篇小说集]

人民文学出版社 1986 年 6 月第一版

有平装、软精装两种

23.[22]《巴黎郁金香》[访法散文集]

群众出版社 1986 年 11 月第一版

24.[23]《木变石戒指》[中短篇小说集]

青海人民出版社 1986 年 12 月第一版

1987 年

25. *Little Monkey Triesto Eat Fruit* [科学童话·英文]

海豚出版社 1987 年第一版

有平装、精装两种

26.[24]《斜坡文谈》[文学理论]

上海文艺出版社 1987 年 4 月第一版

27.[25]《王府井万花筒》[中篇小说集]

湖南文艺出版社 1987 年 9 月第一版

有平装、精装两种

28.[26]《5·19 长镜头》[小说自选集]

四川文艺出版社 1987 年 11 月第一版

29.げくけきの友たちだ[《我是你的朋友》日译本]

[日本]福武书店 1987 年 12 月第一版

1989 年 3 月第二版

1991 年 2 月第三版

1988 年

30.[27]《她有一头披肩发》[中短篇小说集]

台湾林白出版社 1988 年 4 月第一版

31.《钟鼓楼》[长篇小说]

香港天地图书有限公司 1988 年第一版

1993 年第二版

32.[28]《私人照相簿》[纪实文学]

香港南粤出版社 1988 年 11 月第一版

33.[29]《刘心武代表作》

黄河文艺出版社 1988 年 12 月第一版

1989 年

34.《小猴吃瓜果》[科学童话]

开明出版社、海豚出版社 1989 年 3 月第一版

35.《钟鼓楼》[长篇小说]

台湾皇冠出版社 1989 年 4 月第一版

36.[30]《一片绿叶对你说》[文艺随笔集]

河北教育出版社 1989 年 12 月第一版

1990 年

37.[31]*BLACK WALLS AND OTHER STORIES*[小说集·英译本]

香港中文大学翻译中心出版社 1990 年第一版

38.[32]《王府井万花镜》[小说集·日译本]

[日本] 德间书店 1990 年 9 月第一版

1991 年

39.《母校留念》[小说]

[日本] 骏河台出版社 1991 年 4 月第一版

40.[33]《一窗灯火》[中短篇小说集]

华艺出版社 1991 年 10 月第一版

1993 年第二次印刷

1992 年

41.[34]《列奥纳多·达·芬奇》[传记]

江苏教育出版社 1992 年 5 月第一版

42.[35]《有家可归》[散文随笔集]

广东旅游出版社 1992 年 5 月第一版

43.[36]《风过耳》[长篇小说]

中国青年出版社 1992 年 6 月第一版

1992 年 12 月第二次印刷

1993 年 3 月第三次印刷

1995 年 8 月第五次印刷

1996 年 3 月第六次印刷

44.《风过耳》[长篇小说]

香港勤＋缘出版社 1992 年 6 月第一版

45.[37]《献给命运的紫罗兰——刘心武谈生存智慧》

上海人民出版社 1992 年 6 月第一版

1992 年 11 月第二次印刷

1995 年第三次印刷

1996 年 12 月第五次印刷

46.《刘心武代表作》

河南人民出版社 1992 年 6 月第二次印刷·精装本

47.[38]《蓝夜叉》[中篇小说集]

香港勤＋缘出版社 1992 年 9 月第一版

1993 年

48.《北京下町物语》[长篇小说·《钟鼓楼》日译本]

[日本] 东京恒文社 1993 年 2 月第一版

1994 年第二版

49.[39]《为你自己高兴》[随笔集]

内蒙古人民出版社 1993 年 3 月第一版

50.[40]《杀星》[小说集]

香港勤＋缘出版社 1993 年 6 月第一版

51.《我是你的朋友》[儿童文学·中篇小说·增订本]

希望出版社 1993 年 6 月第一版

52.[41]《四牌楼》[长篇小说]

上海文艺出版社 1993 年 6 月第一版

1994 年 4 月第二次印刷

1996 年 11 月第三次印刷

53.[42]《我是怎样的一个瓶子》[随笔集]

成都出版社 1993 年 9 月第一版

54.[43]《沉默交流》[随笔集]

中国华侨出版社 1993 年 11 月第一版

55.[44]《富心有术》[随笔集]

群众出版社 1993 年 12 月第一版

1995 年第二次印刷

56.[45]《中国当代名人随笔·刘心武卷》

陕西人民出版社 1993 年 12 月第一版

☆《刘心武文集》[1—8 卷]

华艺出版社 1993 年 12 月第一版

☆《刘心武文集·〈钟鼓楼〉〈风过耳〉》(简装本)

☆《刘心武文集·〈四牌楼〉〈无尽的长廊〉》(简装本)

华艺出版社 1997 年 5 月第一版

1994 年

57.[46]《仰望苍天》[随笔集]

知识出版社 1994 年 1 月第一版

1995 年第二次印刷

东方出版中心 1996 年 7 月第三次印刷

58.[47]《男扮女妆与女扮男妆》[随笔集]

中原农民出版社 1994 年 2 月第一版

59.[48]《相对一笑》[小小说集]

中共中央党校出版社 1994 年 2 月第一版

60.[49]《秦可卿之死》[专著]

华艺出版社 1994 年 5 月第一版

61.《四牌楼》[长篇小说]

台湾幼狮文化事业公司 1994 年 8 月第一版

62.[50]《为他人默默许愿》[散文集]

台湾幼狮文化事业公司 1994 年 10 月第一版

63.[51]《中国小说名家新作丛书·刘心武卷》

海峡文艺出版社 1994 年 11 月第一版

64.[52]《红楼梦（缩写本）》

> 接力出版社 1994 年 12 月第一版
>
> 1995 年第二次印刷
>
> 1997 年 9 月第三次印刷

1995 年

65.[53]《人生非梦总难醒》[名人日记·随笔集]

> 上海人民出版社 1995 年 1 月第一版
>
> 1995 年 3 月第二次印刷

66.[54]《仙人承露盘》[中短篇小说集]

> 华艺出版社 1995 年 3 月第一版

67.[55]《女性与城市》[杂文集]

> 中国城市出版社 1995 年 6 月第一版

68.《我是你的朋友》[增订版·"小学生成才书架" 系列之一]

> 希望出版社 1995 年 10 月第一版

69.《在胡同里转悠》[随笔集]

> 陕西人民出版社 1995 年 11 月第二次印刷

70.[56]《刘心武海外游记》

> 华文出版社 1995 年 12 月第一版

1996 年

71.[57]《刘心武小说精选》

> 太白文艺出版社 1996 年 2 月第一版

72.[58]《开发心大陆》[随笔集]

> 吉林人民出版社 1996 年 3 月第一版
>
> 1997 年 3 月第二次印刷

73.[59]《你哼的什么歌》[散文集]

> 湖南文艺出版社 1996 年 6 月第一版

74.[60]《刘心武张颐武对话录——"后世纪"的文化了望》

漓江出版社 1996 年 7 月第一版

75.[61]《边缘有光》[随笔集]

汉语大辞典出版社 1996 年 8 月第一版

76.[62]《刘心武怪诞小说自选集》

漓江出版社 1996 年 8 月第一版

有平装、精装两种

77.[63]《我是刘心武》

团结出版社 1996 年 9 月第一版

78.[64]《刘心武》[中国当代作家选集丛书]

人民文学出版社 1996 年 10 月第一版

79.[65]《刘心武杂文自选集》

百花文艺出版社 1996 年 11 月第一版

80.《秦可卿之死》[修订本]

华艺出版社 1996 年 11 月第二版

81.[66]《栖凤楼》[长篇小说]

人民文学出版社 1996 年 12 月第一版

1998 年 3 月第二次印刷

1997 年

82.[67]《封神演义（缩写本）》

接力出版社 1997 年 1 月第一版

1997 年 9 月第二次印刷

83.[68]《胡同串子》[中短篇小说集]

北京燕山出版社 1997 年 8 月第一版

84.《私人照相簿》

上海远东出版社 1997 年 9 月第一版

1998 年 2 月第二次印刷

2000 年换封面版权页称 2000 年 6 月第二次印刷

85.[69]《中国儿童文学名家作品精选丛书·刘心武作品精选》

河北少年儿童出版社 1997 年 8 月第一版

86.[70]《把嘴张圆》[随笔集]

上海远东出版社 1997 年 12 月第一版

1998 年

87.[71]《我眼中的建筑与环境》[建筑评论随笔集]

中国建筑工业出版 1998 年 5 月第一版

1999 年 5 月第二次印刷

2000 年 6 月第三次印刷

2001 年 6 月第四次印刷

88.《钟鼓楼》[茅盾文学奖获奖书系]

人民文学出版社 1998 年 3 月第一次印刷

1998 年 7 月第二次印刷

1998 年 8 月第三次印刷

1999 年 3 月第四次印刷

2000 年 1 月第五次印刷

2001 年 1 月第六次印刷

2001 年 8 月第七次印刷

2002 年 8 月第八次印刷

2003 年 1 月第九次印刷

1999 年

89.[72]《树与林同在》[非虚构长篇小说]

山东画报出版社 1999 年 3 月第一版

2006 年 7 月第二次印刷

90.[73]《八十六颗星星》(*The Eighty-Six Stars*)[儿童文学小说·汉英对照]

希望出版社 1999 年 6 月第一版

91.[74]《红楼三钗之谜》[刘心武红学探佚精品]

华艺出版社 1999 年 9 月第一版

92.[75]《蓝玫瑰》[中短篇小说集]

中国华侨出版社 1999 年 10 月第一版

93.[76]《过隧道的心情》[随笔集]

华东师范大学出版社 1999 年 12 月第一版

2000 年

94.[77]《一切都还来得及》[随笔集]

中国青年出版社 2000 年 1 月第一版

95.[78]《善的教育》[儿童文学]

辽宁少年儿童出版社 2000 年 2 月第一版

96.[79] Le Talisman（version bilingue)[《如意》中、法文对照版]

Librarie You Feng 2000 年 4 月第一版

97.[80]《作家刘心武〈班主任〉手迹》

线装书局 2000 年 5 月第一版

98.[81]《楼前白玉兰》[小小说集]

中国广播电视出版社 2000 年 7 月第一版

99.[82]《刘心武侃北京》

上海文艺出版社 2000 年 10 月第一版

100.[83]《我爱吃苦瓜》[茅盾文学奖获奖作家散文精品]

广州出版社 2000 年 10 月第一版

2002 年 10 月第二次印刷

101.[84]《了解高行健》

香港开益出版社 2000 年 12 月第一版

2001 年

102.[85]《亲近苍莽》

中国旅游出版社 2001 年 1 月第一版

103.[86]《在忧郁中升华》

文汇出版社 2001 年 2 月第一版

《刘心武谈建筑——在忧郁中升华》2007 年 8 月第二次印刷

104.[87]《人在风中》

作家出版社 2001 年 8 月第一版

105.《风过耳》

时代文艺出版社 2001 年 10 月第一版

有平装、精装两种

2002 年

106.[88]《京漂女》(自绘插图)

中国文联出版社 2002 年 1 月第一版

107.[89]《深夜月当花》

中国工人出版社 2002 年 1 月第一版

108.[90]《春梦随云散》

人民文学出版社 2002 年 4 月第一版

109.[91]《藤萝花饼》

台湾二鱼文化事业有限公司 2002 年 4 月第一版

110.[92]《刘心武自述》

大象出版社 2002 年 10 月第一版

2003 年

111.[93] L'arbre et la forêt [《树与林同在》法译本]

Bleu de Chine 2003 年 1 月第一版

112.[94]《人面鱼》

台湾联经出版事业股份有限公司 2003 年 2 月初版

113.[94] La Cendrillon Du Canal [《护城河边的灰姑娘》法译本]

Bleu de Chine 2003 年 4 月第一版

114.[95]《画梁春尽落香尘》["红学" 专著]

中国广播电视出版社 2003 年 6 月第一版

2003 年 9 月第二次印刷

2004 年 1 月第三次印刷

2005 年 6 月第四次印刷

115.[96]《眼角眉梢》

新华出版社 2003 年 8 月第一版

116.[97]《钟鼓楼》[初中生语文新课标必读]

人民日报出版社 2003 年 9 月第一版

117.[98]《天梯之声》

中国青年出版社 2003 年 10 月第一版

2004 年

118.[99] Poussiêre et sueur [《尘与汗》法译本]

Bleu de Chine 2004 年 1 月第一版

119.[100] La mort de Lao SHe [《老舍之死》歌剧剧本法译本]

Bleu de Chine 2004 年 3 月第一版

120.[101] Poisson à face humaine [《人面鱼》法译本]

Bleu de Chine 2004 年 3 月第一版

121.《如意》[电影伴读中国文学文库·附电影光盘]

中国青年出版社 2004 年 1 月第一版

122.[102]《泼妇鸡丁》

台湾二鱼文化事业有限公司 2004 年 4 月第一版

123.[103]《在柳树臂弯里——刘心武随笔》

光明日报出版社 2004 年 5 月第一版

124.[104]《材质之美——刘心武城市文化酷评》

中国建材工业出版社 2004 年 5 月第一版

125.[105]《站冰——刘心武小说新作集》(自绘插图)

人民文学出版社 2004 年 6 月第一版

126.《四牌楼》

上海文艺出版社 2004 年 8 月第二版

127.[106]《大家文丛：刘心武》

古吴轩出版社 2004 年 8 月第一版

2005 年

128.《钟鼓楼》(中国文库·文学类)

人民文学出版社 2005 年 1 月第一版第一次印刷(平装)

2005 年 1 月第一版第一次印刷(精装)

129.《钟鼓楼》(茅盾文学奖获奖作品全集之一)

人民文学出版社 1985 年 11 月第一版、2005 年 1 月第一次印刷

2005 年 5 月第二次印刷

2005 年 7 月第三次印刷

2006 年 3 月第四次印刷

2008 年 4 月第七次印刷

2009 年 8 月第八次印刷

2010 年 1 月第九次印刷

2011 年 7 月第 15 次印刷

2011 年 9 月第 16 次印刷

2011 年 11 月第 17 次印刷

130.[107]《心灵体操》

时代文艺出版社 2005 年 1 月第一版

131.[108]《刘心武作文示范》

少年儿童出版社 2005 年 1 月第一版

132.[109] La Démone bleue (《蓝夜叉》法译本)

Bleu de Chine 2005 年第一版

133.[110]《红楼望月》

书海出版社 2005 年 4 月第一版

2005 年 6 月第二次印刷

2005 年 7 月第三次印刷

2005 年 8 月第四次印刷

2005 年 9 月第五次印刷

2005 年 9 月第六次印刷

134.[111]《刘心武揭秘〈红楼梦〉》

东方出版社 2005 年 8 月第一版

至 2005 年 19 月共十三次印刷

2005 年 11 月第二版

至 2005 年 12 月已第十八次印刷

至 2007 年 7 月已第二十八次印刷

2007 年 12 月第三十次印刷

2008 年 4 月第三十二次印刷

135.《红楼解梦——画梁春尽落香尘》

中国广播电视出版社 2005 年 9 月第二版第五次印刷

136.《楼前白玉兰——刘心武最新小小说集》

中国广播电视出版社 2005 年 9 月第二版第二次印刷

137.[112]《刘心武揭秘〈红楼梦〉》[第二部]

东方出版社 2005 年 12 月第一版

至 2007 年 7 月已第十五次印刷

2007 年 12 月第十七次印刷

2008 年 4 月第十九次印刷

138.[113]《刘心武解读人世情》

时代文艺出版社 2005 年 12 月第一版

139.[114]《刘心武感悟平常心》

时代文艺出版社 2005 年 12 月第一版

2006 年

140.[115]《刘心武自选集》

云南人民出版社 2006 年 1 月第一版

141.[116]《刘心武点评〈红楼梦〉》

团结出版社 2006 年 1 月第一版

142,《刘心武精品集·第一卷·钟鼓楼》

东方出版社 2006 年 1 月第一版

143.《刘心武精品集·第二卷·四牌楼》

东方出版社 2006 年 1 月第一版

144.《刘心武精品集·第三卷·栖凤楼》

东方出版社 2006 年 1 月第一版

145.《刘心武精品集·第四卷·献给命运的紫罗兰》

东方出版社 2006 年 1 月第一版

146.[117]《戴敦邦绘刘心武评〈金瓶梅〉人物谱》

作家出版社 2006 年 4 月第一版

147.[118]《红楼拾珠》

云南人民出版社 2006 年 5 月第一版

148.[119]《藤萝花饼》

云南人民出版社 2006 年 5 月第一版

149.《刘心武揭秘〈红楼梦〉》[第一部]

台湾好读出版有限公司 2006 年 6 月初版

150.《刘心武揭秘〈红楼梦〉》[第二部]

台湾好读出版有限公司 2006 年 6 月初版

151.《我是刘心武》

天津人民出版社 2006 年 8 月第一版

152.[120]《刘心武揭秘古本〈红楼梦〉》

人民出版社 2006 年 12 月第一版

同月第二次印刷

2007 年

153.[121]《四棵树》

二十一世纪出版社 2007 年第一版

154.[122]《用心去游》

上海三联书店 2006 年 12 月第一版

2007 年 1 月第一次印刷

155.[123] Dés de poulet façon mégère [《泼妇鸡丁》法译本]

Bleu de Chine 2007 年 4 月第一版

156.《一切都还来得及》

中国青年出版社 2005 年 5 月第一版

157.[124]《刘心武揭秘〈红楼梦〉》[第三部 · 黛玉之谜及古本之秘]

东方出版社 2007 年 7 月第一版

至 2007 年 8 月已第四次印刷

2007 年 12 月第六次印刷

2008 年 3 月第七次印刷

158.[125]《刘心武说世道人心》

中国青年出版社 2007 年 7 月第一版

159.[126]《刘心武说寻美感悟》

中国青年出版社 2007 年 7 月第一版

160.[127]《刘心武说草根情怀》

中国青年出版社 2007 年 7 月第一版

161.[128]《长吻蜂》

上海人民出版社 2007 年 8 月第一版

162.《私人照相簿》

华龄出版社 2007 年 10 月第一版

163.《善的教育》

华龄出版社 2007 年 10 月第一版

164.[129]《刘心武揭秘〈红楼梦〉》[第四部·宝钗湘云之谜暨红楼心语]

东方出版社 2007 年 11 月第一版

2008 年 3 月第三次印刷

2008 年

165.[130]《健康携梦人》

中国海关出版社 2008 年 4 月第一版

166.[131]《刘心武小说》

吉林文史出版社 2008 年 5 月第一版

167.[132]《刘心武散文》

吉林文史出版社 2008 年 5 月第一版

2009 年

168.《钟鼓楼》(共和国作家文库)

作家出版社 2009 年 4 月第一版

169.《四牌楼》(共和国作家文库)

作家出版社 2009 年 4 月第一版

170.[133]《人在胡同第几槐》

中国文联出版社 2009 年 6 月第一版

171.《钟鼓楼》(新中国 60 年长篇小说典藏)

人民文学出版社 2009 年 7 月第一版

172.[134]《刘心武短篇小说》

现代教育出版社 2009 年 8 月第一版

173.[135]《刘心武中篇小说》

现代教育出版社 2009 年 8 月第一版

174.[136]《刘心武散文随笔》

现代教育出版社 2009 年 8 月第一版

175.《刘心武揭秘〈红楼梦〉》上卷（共和国作家文库）

作家出版社 2009 年 8 月第一版

176.《刘心武揭秘〈红楼梦〉》下卷（共和国作家文库）

作家出版社 2009 年 8 月第一版

2010 年

177.[137]《人情似纸》

江苏文艺出版社 2010 年 1 月第一版

178.[138]《红楼梦八十回后真故事》

江苏人民出版社 2010 年 3 月第一版

179.[139]《刘心武小说精选集》

[台湾] 新地文化艺术有限公司 2010 年 4 月第一版

180.《红楼望月》

江苏人民出版社 2010 年 6 月第一版

2010 年 9 月第二次印刷

181.[140]《命中相遇——刘心武话里有画》

上海文艺出版社 2010 年 7 月第一版

182.[141]《红楼眼神》

重庆出版社 2010 年 9 月第一版

2011 年

183.[142]《刘心武续红楼梦》

江苏人民出版社 2011 年 3 月第一版

江苏人民出版社 2011 年 4 月第 4 次印刷

184.[143]《红楼梦》（曹雪芹著刘心武续）

江苏人民出版社 2011 年 3 月第一版

185.《刘心武续红楼梦》[繁体字竖排本]

香港明报出版社有限公司 2011 年 3 月初版

186.《刘心武揭秘〈红楼梦〉》精华本（一）

江苏人民出版社 2011 年 4 月第一版

187.《刘心武揭秘〈红楼梦〉》精华本（二）

江苏人民出版社 2011 年 4 月第一版

188.《刘心武揭秘〈红楼梦〉》精华本（三）

江苏人民出版社 2011 年 4 月第一版

189.《刘心武揭秘〈红楼梦〉》精华本（四）

江苏人民出版社 2011 年 4 月第一版

190.《刘心武续红楼梦》[繁体字竖排本]

台湾城邦文化事业股份有限公司商周出版 2011 年 4 月第一版

191.《〈红楼梦〉的真故事》

台湾人类智库数位科技股份有限公司 2011 年 6 月第一版

192.[144]《听刘心武说房子的事儿》

中国商业出版社 2011 年 8 月第一版

193.[145]《刘心武心灵随感》

时代文艺出版社 2011 年 11 月第一版

2012 年

194.[146]《刘心武种四棵树》

漓江出版社 2012 年 1 月第一版

195.[147]《风雪夜归正逢时——我是刘心武》

漓江出版社 2012 年 1 月第一版

196.《献给命运的紫罗兰》

漓江出版社 2012 年 1 月第一版

197.[148]《人生有信》

江苏人民出版社 2012 年 3 月第一版

198.Poussiêre et sueur [《尘与汗》法译本 folio 袖珍版]

Gallimard 2012 年 8 月出版

199.La Cendrillon du canal [《护城河边的灰姑娘》法译本 folio 袖珍版]

Gallimard 2012 年 8 月出版